ntre los e

Juan Goytisolo

Nace en Barcelona el 5 de enero de 1931. Los primeros años de su infancia están marcados por la Guerra Civil. En 1948 entra en la Facultad de Derecho. En 1952 escribe una novela que obtiene el Premio Joven de Literatura del editor Janés, pero que no se publica. En 1953 escribe JUEGOS DE MANOS, abandona los estudios de Derecho y viaja por vez primera a París. Su novela queda finalista del Premio Eugenio Nadal en 1954.

En 1955 viaja de nuevo a París. A su regreso es interrogado por su relación con exiliados políticos y detenido. En septiembre de 1956 se instala en París, donde ejerce las funciones de asesor literario para Gallimard. En 1961 viaja a Cuba invitado por la Casa de las Américas, y en 1962 recorre la isla de un extremo a otro. En 1963 viaja a Argelia invitado por el gobierno de Ben Bella. En 1965 visita la Unión Soviética. En 1967 va al Sahara y vuelve a Cuba. En 1968 viaja por el Oriente Medio. En 1969 es profesor visitante en La Jolla, California, y en 1970 en Boston. En 1971 interviene en la creación de la revista *Libre*. Durante 1973 enseña en la New York University.

Alterna sus viajes y la publicación de libros de contenido político con su labor creativa y su faceta de articulista y agudo crítico literario.

Obras:

JUEGOS DE MANOS (1954)
DUELO EN EL PARAISO (1955)
FIESTAS (1957)
CIRCO (1957)
LA RESACA (1958)
PARA VIVIR AQUI (1959)
CAMPOS DE NIJAR (1960)
LA ISLA (1961)
LA CHANCA (1962)
FIN DE FIESTA (1962)
PUEBLO EN MARCHA, reportaje sobre Cuba (1963)
SEÑAS DE IDENTIDAD (1966)
FURGON DE COLA, ensayos (1967)
REIVINDICACION DEL CONDE DON JULIAN (1970)
OBRA INGLESA DE JOSE MARIA BLANCO WHITE, ensayo (1972)
JUAN SIN TIERRA, novela (1975)
LIBERTAD, LIBERTAD, LIBERTAD, ensayos (1977)
DISIDENCIAS, ensayos (1978)

Señas de identidad

Juan Goytisolo
Señas de identidad

EDITORIAL ARGOS VERGARA, S. A.

Sobrecubierta
Depares & Ortiz

Copyright © 1966 y 1979, Juan Goytisolo

Editorial Argos Vergara, S. A.
Aragón, 390, Barcelona-13 (España)

ISBN: 84-7017-710-9

Depósito Legal: B-26.452-1979

Impreso en España - Printed in Spain

Impreso por Publicaciones Reunidas, S. A.,
Alfonso XII, s/n, Badalona (Barcelona)

PARA MONIQUE, SIEMPRE

Ayer se fue; Mañana no ha llegado;

FRANCISCO DE QUEVEDO

Vamos claros, dije yo para mí; ¿dónde está el cementerio? ¿Fuera o dentro?... El cementerio está dentro de Madrid. Madrid es el cementerio.

MARIANO JOSÉ DE LARRA

Mejor la destrucción, el fuego.

LUIS CERNUDA

CAPÍTULO I

"Instalado en París cómodamente instalado en París con más años de permanencia en Francia que en España con más costumbres francesas que españolas incluso en el ya clásico amancebamiento con la hija de una notoria personalidad del exilio residente habitual en la Ville Lumière y visitante episódico de su patria a fin de dar un testimonio parisiense de la vida española susceptible de épater le bourgeois conocedor experto de la amplia geografía europea tradicionalmente hostil a nuestros valores sin que falte en el programa de sus viajes la consabida imposición de manos del santón barbudo de la ex-paradisiaca isla antillana transformada hoy por obra y gracia de los rojos semirrojos e idiotas útiles en callado y lúgubre campo de concentración flotante evadido de las realidades del momento en un fácil confortable y provechoso inconformismo exhibiéndose con prudentes remilgos y calculada táctica en todos los cenáculos del mundo beocio y superferolítico para granjearnos la venia y el perdón de los Zoilos de allende el Pirineo mientras el censo de nuestros auténticos valores cinematográficos es objeto de voluntaria ignorancia cerrojazo y conspiración de silencio tales son las características del individuo en cuestión y sus contactos y coordenadas en el exterior promovido a la categoría de fotógrafo oficial de la France Presse y anunciado fuera de nuestras fronteras a bombo y platillo con el internacional y resobado repertorio de alharacas y garambainas con que se saluda siempre en algunos círculos a lo que de lejos o de cerca huela a anti-español por haber rodado un breve documental de planificación defectuosa y chata pésimamente amalgamado y carente de garbo fotográfico y de poesía no es cosa que pueda extrañarnos acostumbrados como estamos a hechos y actitudes cuya triste reiteración revela el odio impotente

de nuestros adversarios cualquiera que sea el Régimen que
exista en nuestra patria a partir de la Contrarreforma para
acá España viene padeciendo los ataques más injustos irri-
tantes e intolerables que a nación alguna se le hayan podido dirigir ataques que de manera sistemática tienen su
rebrote periódico desde la taimada trinchera de la mentira
del resentimiento de la información malintencionada y ten-
denciosa de todo lo que implique atentar contra la sobe-
rana decisión de un país de gobernarse por sí mismo sin
ingerencias foráneas ni arbitrarias imposiciones y si estos
ataques son indignantes cuando nos vienen de manos extranjera no merecen más que desprecio si proceden de un compatriota dispuesto a colocar la turbina en la cloaca con el
propósito de convertirse en un personajillo al pairo de posiciones políticas que conocemos hasta la saciedad en esta
hora tan sospechosamente transida de desasosiegos polémi-
cos fabricar estampitas de suburbios es sumamente fácil ni
siquiera hay que molestarse en que sean verdaderas unos
extras disfrazados de guardias pueden apalear a un "obrero" desnudar a un chiquillo embadurnado de carbón y
sentarlo en un montón de estiércol está al alcance de cualquier desaprensivo pero quien eso hace revela tal catadura
moral que mejor es no mencionarlo aunque nos bastaran
dos sustantivos y una preposición para la ofensa cerrada el
agravio artero la vituperación el oprobio y el escarnio que
se alumbran con las lívidas luces de la mentira no puede
haber libertad ni manga ancha ni una tolerancia que serían
criminosas que hay miseria y dolor en España nadie lo
niega fotografiar barracas miserables es tarea común no
sólo en los países civilizados de Europa sino en el dorado
suelo de los Estados Unidos encontrar cualquier niño ra-
quítico y con el vientre hinchado tampoco es problema en
ninguna nación por alto que sea su tenor de vida cuando
los gánsters de la cámara fotográfica se proponen retra-
tarlo y mostrar las lacras de la sociedad humana a un
público extranjero de intelectuales y de esnobs pero no es
lícito ni honesto mirar con un solo ojo no es posible ne-

garse a ver el conjunto entender únicamente de la parte claro que hay hambre sequedad y desamparo en el tuétano de todo este escenario de Murcia y Andalucía mas hay también algo que el amanerado personajillo parisiense olvida y este algo es la esperanza más que en ninguna otra parte es preciso mirar estas regiones secularmente pobres con los ojos limpios y el corazón abierto sin abrigar la insensata pretensión de trasponer su secreto mediante una visión fugaz y trashumante más propia de un Merimée de pacotilla que de un vástago de familia acomodada y respetable de padre vilmente asesinado por la horda roja niño bien con todos los gustos y caprichos pagados cristianamente educado en veterana institución religiosa bajo la tutela y el amparo de hombres intachables y dignos lo esencial repetimos es ponerse de rodillas ante este panorama ancho y reseco mirar el cielo para detener la nube y escarbar la tierra para hallar la fuente redentora lo que no sea esto será caminar a ciegas envuelto en la centelleante tolvanera de la sierra de Yeste vivir en dramático e inconsolable complejo polifémico testimoniar con las pupas del alma empeñarse en ser enlutado sabihondo y mendaz rabisalserillo. . .''

Así hablaban de ti, al divulgarse el incidente del documental, en cafés y tertulias, reuniones y veladas, los hombres y mujeres satisfechos que un decreto irrisorio del destino te había otorgado, al nacer, como paisanos, borrosos amigos de infancia, inocuos compañeros de estudio, parientas de mirada frígida y torva, familiares virtuosos y tristes, encastillados todos en sus inexpugnables privilegios de clase, miembros conspicuos y bien pensantes de un mundo otoñal y caduco que te habían dado, sin solicitar tu permiso, con religión, moral y leyes hechas a su medida: orden promiscuo y huero del que habías intentado escapar, confiando, como tantos otros, en un cambio regenerador y catártico que, por misteriosos imponderables, no se había producido y, al cabo de largos años de destierro, estabas de nuevo allí, en el doliente y entrañable paisaje de tu juventud, privado hasta del amargo consuelo del alcohol, mientras los eucaliptos del jardín oreaban sus verdes ramas y nubes mudables y huidizas bogaban hacia el sol como cisnes sombríos, sintiéndote no como el hijo pródigo que humilla la frente ante el padre sino tal el culpable que furtivamente retorna al sitio de su crimen, en tanto que las Voces —maldad y frustración congénitas de tu casta conjugadas en coro— proseguían su sorda cantinela susurrándote alevosamente al oído: "tú que has sido de los nuestros y has roto con nosotros tienes derecho a muchas cosas y a nosotros no nos cuesta trabajo reconocerlo tienes derecho a pensar que tu patria vive una existencia verdaderamente atroz lamentamos tu error pero quién le pone puertas al campo los propietarios de los cortijos andaluces son los únicos que se permiten este lujo y así nacen esas puertas aisladas solitarias que parece que no cierran ni abren fuera de esta excepción que es como una licencia poética nadie te obliga a pasar por el arquillo sigue pues con tus ideas acerca de la política y demás realidades de España sigue adelante también si te place con tus enojos y mortificaciones contra las cualidades raciales de nuestra estirpe quién te lo impide sabemos que eres barcelonés pese al apellido asturiano pero asturiano o barcelonés suponiendo que Barcelona no te inspire emoción ni la tierra asturiana suscite deleite en tu alma danos a todos la espalda y mira hacia otros horizontes por qué vas a contrariar un movimiento espontáneo de tu ánimo si algún sentimiento te lleva por senderos de tan indecible tristeza al fin y al cabo no serás el primer español que ha desamado a su patria pero entonces para qué volver mejor te quedas fuera y renuncias de modo definitivo a nosotros reflexiona aún estás a tiempo nuestra firmeza es inconmovible y ningún esfuerzo de los tuyos logrará socavarla piedra somos y piedra permaneceremos por qué buscas ciegamente el desastre olvídate de nosotros y te olvidaremos tu nacimiento fue un error repáralo."

Te habías quedado dormido y, al abrir los ojos, te incorporaste. El reló marcaba las siete menos diez. Sobre la mesa de mármol había una botella de vino y en la galería sonaban, majestuosos y graves, los primeros compases del *Requiem* de Mozart. Buscabas con la vista a Dolores, pero Dolores no estaba. Podías beber un trago de Fefiñanes, helado y rubio, justo para humedecer los labios, y no te decidías. Las nubes habían escampado durante tu sueño y el sol se obstinaba en el cielo enardecido del crepúsculo. Acodado en la balaustrada contemplabas las domesticadas colinas ceñidas de viña y algarrobos, las aves que hendían la tenue transparencia del aire, el lejano mar de ondas calladas que la distancia suavizaba y embellecía. Bastaba ladear la cabeza para abarcar de una sola ojeada los esbeltos cipreses del jardín, el cónclave de gorriones posados sobre las ramas del cedro, los juguetes olvidados por los sobrinos de Dolores tras de una distracción nueva y absurda. (Recordabas su alada aparición de la víspera, solemnemente vestidos con dos casullas sustraídas del oratorio en un instante de descuido de la criada, delicados y ágiles, levemente sacrílegos, con un rostro disipado y risueño que te había llenado de arrobo.)

Dentro de una hora escasa Dolores se presentaría con las gotas recetadas por el doctor d'Asnières, dirigiría una mirada lacónica a la botella inmersa en el cubo y, tumbados en las gandulas del mirador, aguardaríais el claxon fatídico que regularmente anunciaba la llegada de las visitas, la temida irrupción de personas extrañas en aquel analgésico y tierno remanso de paz. Entonces ya no te sería posible apreciar el raudo y fresco caudal del aire entre los pinos ni perderte hasta el vértigo en la difícil geometría de las constelaciones, envuelto una vez más en las mallas de un diálogo que te oprimía y asfixiaba, prisionero de un

personaje que no eras tú, confundido con él y por él suplantado. Pero la tranquilidad no˜había sido turbada de
momento y, abandonando el jardín, podías aún, si te ape-
tecía, vagabundear a tus anchas junto al estanque, oler el
sobrio y denso perfume del romeral, espiar la súplica muda
de los recién descorchados alcornoques. Recorrer el interior de la casa, habitada ahora por las voces severas y
rigurosas del *Dies irae* y desenterrar uno a uno de la pol-
vorienta memoria los singulares y heteróclitos elementos
que componían el decorado mítico de tu niñez, la galería
inmensa, el comedor oscuro, las vetustas y marchitas habitaciones. Subir a las apolilladas buhardillas y examinar los
armarios maltrechos, las sillas cojas, los espejos empaña-
dos y fantasmales. Inclinarte sobre los viejos grabados con
marco de ébano que tanto te fascinaran de niño y cuyos
resucitados pies se habían grabado en tu trasmundo para
siempre: *Valenciennes prise d'assaut, et sauvée du pillage*
par la clémence du Roy le 16 Mars 1677, Panorama della
cittá di Roma, Vue de la Ville et du Château de Dinant
sur la Meuse, assiégée par les Français le 22 May et prise
le 29 du même mois en l'année 1675, achevée et fortifiée
depuis de plusieurs travaux. En el adusto despacho pre-
sidido por el retrato del bisabuelo podías abrir uno a uno
los cajones del escritorio, con los fajos de la correspondencia familiar ordenada por fechas y calar unos minutos,
si así lo deseabas, en el descabellado y anacrónico universo de tus antecesores: cartas de esclavos del desaparecido
ingenio de Cruces, solicitando la bendición de "su mersé",
el amo remoto —responsable tuyo en el moroso sucederse
de las generaciones— que cabalmente les negaba y despo-
seía; postales de alguna tía, fallecida ya y muy santamente
sin duda, escritas en francés con la inconfundible letra pi-
cuda de las alumnas del Sagrado Corazón —"Nous avons
célébré la fête de l'Immaculée et nous avons fait une pro-
cession très jolie mais comme il faisait un peu froid et il y
avait quelques enfants enrhumés nous n'avons pu mettre
la robe blanche"—, este mismo Sagrado Corazón, con cora-

zón como de grabado anatómico, arterias y venas, aurículas y ventrículos, que figuraba reproducido en diferentes tamaños y con almibaradas posturas en todos los dormitorios de la casa; los recibos de liquidaciones y balances de empresas bancarias de La Habana, Nueva York y París, anteriores a la guerra hispano-yanqui y la disgregación de la familia. En uno de estos cajones podías hojear incluso, como hiciste el día de tu regreso, una resmilla de sobres escritos con caligrafía vacilante y torpe y descubrir de nuevo, con reiterado asombro, que su autor eras tú: cartas enviadas desde el internado en que consumieras inútilmente parte de tu juventud, en los opacos y ominosos años que siguieron al fallecimiento de tu madre; psicogramas redactados para uso de la familia —"De temperamento nervioso y de mucho amor propio. Algo retraído con sus compañeros, le gusta tratar con unos cuantos solamente. Religiosidad y piedad ordinarias. No muy aficionado a juegos en tiempo de recreo"— por olvidados profesores de firma ininteligible; la edición anual del Boletín del Colegio en el que hallaras el promedio de tus notas por asignaturas correspondiente a la temporada 1945-46 —"Religión 9, Filosofía 6, Lengua Latina 8, Lengua Griega 9, Literatura 7, Geografía e Historia 10, Matemáticas 5, Ciencias 4, Medalla de Honor, Oro"— y hasta un sobrecogedor cuadro sinóptico de los Coros y Jerarquías Angélicos, copiado veinte veces en un cuaderno con tu puño y letra, encabezado por una nota pergeñada en tinta verde: "Por haber distraído a sus compañeros durante la lección" —pruebas documentales, fehacientes, del niño pintoresco y falaz que habías sido y en el que no se reconocía el adulto de hoy, suspendido como estabas en un presente incierto, exento de pasado como de porvenir, con la desolada e íntima certeza de saber que habías vuelto no porque las cosas hubieran cambiado y tu expatriación hubiese tenido un sentido, sino porque habías agotado poco a poco tus reservas de espera y, sencillamente, tenías miedo a morir. Así reflexionabas a tus solas mientras la tarde dilapidaba su esplendor en un fastuoso despliegue de fuegos de artificio y la luz desertaba paulatinamente de los claros del bosque que se extendía a tus pies, antes de decidirte, por fin, a beber un sorbo helado de Fefiñanes, encender perezosamente un cigarrillo, cruzar la galería estremecida por el coro del *Benedictus* y buscar entre los estantes de la maciza biblioteca el álbum de retratos que tal vez te permitiera recobrar la perdida clave de tu niñez y tu juventud. De nuevo podías volver al jardín y acomodarte con aquél en la mesa de mármol, aspirando el aroma antiguo y mohoso de sus páginas; observar con aplacado sosiego el paisaje insomne, el cielo y mar maleables, el sol enrojecido y moribundo: inmovilizados en fotos desvaídas y amarillentas los espectros familiares posaban una y otra vez para ti, como en concertadas y tediosas repeticiones de una escena fallida y tu breve y ya lejana historia renacía con ellos, eslabón de una ininterrumpida cadena de mediocridad y conformismo —aventura y rapiña antes—, fruto inconsciente y culpable de sus vidas taciturnas y ociosas, de su existencia menguada, calamitosa e inútil.

Una pomposa sala de consejo de administración con amplia mesa de trabajo rodeada de sillones vacíos y el retrato de Alfonso XII clavado en el muro; una vista del paquebote *Flora* que propiedad fuera de la entonces próspera y rumbosa familia; borrosas postales de Cienfuegos con sus plazas desiertas, iglesias blancas y palmas reales primorosamente dispuestas como en un ingenuo decorado de teatro; una estación de ferrocarril con innecesarias y ornamentales vías muertas y un variopinto grupo de guajiros apostados en el andén; el tren cañero del ingenio, en el que podía leerse la inscripción: "Mendiola y Montalvo", durante las labores de la zafra; un panorama del batey, con la fábrica, los barracones y una plaza cuadrilonga, despejada y limpia; la guardarraya de palmeras que conducía a la morada campestre del bisabuelo; los techos, pailas y demás aparatos

accesorios por los que debía pasar el guarapo para clari-
ficarse, descachazarse y adquirir su punto de meladura; y,
perpetuados en gestos y ademanes que perduraban aún, de-
sintegrados ya sus cuerpos al cabo de casi más de un siglo,
Álvaro podía atisbar el bisabuelo ejemplar y dominante y
su desdibujada e inconsistente prole. El hidalgo pobre de
la provincia asturiana, astuto traficante, especulador y ne-
grero, de mirada cruel y altiva, delgados labios y torcido
bigote en forma de manubrio parecía barruntar la falibi-
lidad e insignificancia de los vástagos que, muerto él, iban
a regentar su imperio y que, en el estudiado arreglo de
E. Cotera, fotógrafo, Santa Isabel 45, Cienfuegos, permanecían envarados y tiesos frente al objetivo, a poca distancia
de él, triste remedo y copia de la bisabuela resignada y
muda, perentoriamente vestida de luto, esposa desengañada
e infeliz —suplantada en el lecho por las esclavas negras—,
sin más refugio que la práctica melancólica de una religión
consoladora y el cuidado de unos hijos educados conforme
a las normas y preceptos de una moral tiránica, austera e
inflexible. Estos mismos hijos, cinco lustros después, obesos
y calvos, prematuramente envejecidos y como aplastados por
el peso de sus enormes responsabilidades, herederos de la
fortuna ya que no del talento, virtuosos y egoístas, devotos
y avaros: el abuelo de Álvaro y la interminable procesión
de tíos fotografiados en La Habana, Nueva York y Suiza
antes de la liquidación precipitada del ingenio y la separación de la familia, consecuencia de la guerra con los Estados Unidos y la pérdida de las colonias. El elegante
abuelo, tocado con su proverbial sombrero de paja, junto
al absurdo chalé morisco del ensanche de Barcelona, instalado ya en España con mujer e hijos, chófer y jardinero,
torre de verano y coche de caballos y —lamentablemente
emancipados los esclavos negros— indígenas pobres de su
propiedad exclusiva, pretexto de caridades y mercedes, obras
meritorias e indulgencias, garantía del misericorde perdón
de Dios en esta vida y de la eterna salvación en la otra.
Años más tarde, con el padre de Álvaro vestido de marine-

rito inglés y una inocua colección de hijos, curiosa mezcla de ricos hospicianos y amedrentados príncipes: los estigmas y taras resultado de la vida desordenada e irregular del bisabuelo señalaban los rostros infantiles —de viejos conservados en tarros de alcohol, pensaba Álvaro— que el fotógrafo anónimo había captado con la refinada maldad de un Goya ante la real progenie de Carlos IV y María Luisa; degenerada raza de futuras solteronas agriadas y —exceptuando el padre de Álvaro— parasitarios caballeros tan inútiles como decorativos. Dos páginas después —tras el obligado intercambio de retratos con los Mendiola residentes en Cuba— los grupos escolares en compacta disciplina de rostros brumosos y mirada ciega rememoraban unos tiempos uniformemente grises que Álvaro conocía bien: siete cursos de bachillerato en una institución religiosa con que primero la madre y luego el consejo de familia habían intentado doblegar su rebeldía y aprisionarlo en el rígido corsé de unos principios, una moral y unas reglas que eran reglas, moral y principios particulares de su aborrecida e ignorante clase; años aquellos de arrepentimiento y pecado, esperma y confesiones, propósitos de enmienda y renovadas dudas, tenazmente gastados en invocar a un dios sordo —vaciado desde hacía siglos de su prístino y original contenido— hasta el momento en que la vida había impuesto sus fueros y el precario y costoso edificio se derrumbara como un castillo de naipes. Vistas parciales —julio de 1918— de la recién adquirida finca con envanecidos jovenzuelos —tías y tíos— indolentemente distribuidos en un jardín adornado, entonces, con macetas de dondiegos, redondos sillones de mimbre y un extraño mirador rústico con techo de paja en el que el tío Eulogio había instalado un estrafalario telescopio portátil. Las últimas fotos anteriores a su nacimiento reproducían nítidamente los colmenares de la materna propiedad de Yeste, un horno de destilación de romero, una instantánea de la vecina pedanía de La Graya. El padre de Álvaro figuraba en todas ellas desdeñoso y lejano, consciente quizá de la estúpida

y huera comedia social que representaba, presintiendo tal
vez —se decía Álvaro— el vengativo pelotón de campesinos
alzados y los fusiles bruscos que debían tronchar su vida.
Un sentimiento oscuro, de íntima y gozosa profanación,
acompañaba el lento desfilar de aquellas páginas evocadoras
de un pasado desaparecido y muerto, fantasmagórica ronda de personajes identificables sólo gracias a la inscripción
piadosa de un nombre y una fecha que los salvaba así
—¿por cuánto tiempo?— del irrevocable y definitivo olvido; y, como en la espléndida mansión familiar del Coun-
try que Álvaro había visitado durante su viaje a Cuba
—transformada por la Revolución en modesta escuela de
Instructores de Arte, con las fotografías de Castro y Lenin
burlonamente clavadas en la pared—, el rencor póstumo
contra la necia estirpe y su presuntuosa respetabilidad se
alimentaba con el pasto de aquella tranquila y silenciosa
hecatombe. Por una ironía feroz del destino dependía de él
—¿quién le impedía borrar los pies con una goma, rasgar
caprichosamente las páginas?— que el recuerdo mismo de
su existencia se perdiese igualmente, y el bien y mal remotos que en vida hubiesen hecho —afligidos comparsas disfrazados del álbum— se disolviesen en la nada de la que
sin necesidad alguna habían surgido y a la que razonable
y justicieramente habían vuelto.

Inútilmente lo habías buscado por los estantes de la biblioteca, en el número de las lecturas piadosas y edificantes
de los tíos: *La juventud ilustrada o Las virtudes y los vicios*
de Madame Dufresnoy; *La Reina del cielo* de doña Ana
María Paulín y de la Peña, baronesa de Córtes; *Novena al
Santísimo*; *La devoción de San José*; *Manual del pere-
grino a Roma*; *Historia del cristianismo en el Japón*; *Curso
de apologética o exposición razonada de la fe* por el padre
Gualterio Devivier; *Anuario de María o El verdadero siervo
de la Virgen Santísima*... El libro que en el clisé fechado
en mayo de 1936 sostenía entre las manos la señorita Lour-

des —zapatos, medias, sombreros, falda y blusa negros que emanaban aún, al cabo de veinticinco años, el mismo olor sutil a incienso y naftalina— y cuyo contenido el hermoso niño que antaño fueras —graciosamente posado en muelle cojín y con el cabello peinado en tirabuzones— parecía absorber con recogimiento y arrobo, no estaba allí, extraviado sin duda, como tantos otros, en los revueltos tiempos de la revolución y la guerra, muerto tu padre y requisada la casa, sacudido el arisco país por baldía y delirante crisis, último estertor de una agonía prolongada durante siglos y más siglos. Y sentado en el jardín, al abrigo y amparo de la serena música de Mozart, revivías la escena rescatada por la mirada neutra y objetiva del fotógrafo: la difunta señorita de compañía y el niño devoto, como concebidos una y otro en leve y extravagante sueño, retratados en un parque infantil con nodrizas y críos, provectos caballeros e imperturbables damas, cuatro meses después, pensabas atónito, de las sonadas elecciones de febrero y la agorera victoria del Frente Popular. El desmayado ademán de las manos de la señorita Lourdes impedía descifrar el título del libro y tu encandilado rostro traslucía un sentimiento bastardo de envidia y admiración.

Recordabas tu decepción inmensa al no encontrarlo y la estéril visita a la librería especializada en obras de tipo religioso el día de tu primer viaje a Barcelona cuando, enfrentando a una pálida dependienta de aspecto monjil, le habías pedido las *Historias de niños mártires* con que te obsequiara la señorita Lourdes en la fecha de tu séptimo aniversario —tu libro de cabecera durante los lejanos y confusos meses que precedieron el estallido de la guerra.

—¿Una colección de biografías dice usted?

—Sí, señorita.

—Aquí tenemos una vida de Santa María Goretti con ilustraciones en colores. Si quiere usted hojearla... Si es para regalo quedará usted muy bien. Este año se ha vendido mucho.

—No, no es éste. Se trata de una edición más antigua...

Recuerdo que había un dibujo de San Tarsicio en la cubierta.

—¿No se acuerda usted del nombre del autor?

—No, señorita...

—A un precio más asequible hay estas *Vidas de niños Santos*. En rústica. Treinta y cinco pesetas.

—¿Me permite usted?

La empleada te tendía un tomo de formato mediano en cuya sobrecubierta un Niño Jesús (rubio) abrazaba a un santito (rubio) bajo la mirada complaciente de dos angelotes (rubios), estrictamente reducidos por el artista a una cabeza rosa y mofletuda adornada con dos alas.

—Son vidas de niños santos —dijo la dependienta—. Se vende mucho.

—El que busco es de niños mártires.

—Algunos de ellos fueron también martirizados —insistió la señorita.

Inopinadamente te había asaltado el temor de que te tomara por un sádico y habías satisfecho las treinta y cinco pesetas que valía el libro regocijado por su púdica expresión de sospecha, con la estimulante comezón de tus dieciséis años —cuando salías del sucio quiosco de Atarazanas con una fotografía obscena en el bolsillo y corrías en busca del refugio en donde te fuera posible contemplarla y contentarte a solas con la vista fija en la glacial y deprimente imagen—. De vuelta al campo habías examinado el libro, redactado aproximadamente en el mismo lenguaje que el de la señorita Lourdes y el pasado había irrumpido en ti de modo imprevisto, metamorfoseando tu libro en el perdido libro, tu voz en la atiplada voz de la señorita de compañía.

—Cegado el prefecto por tan gloriosa profesión de fe y lleno de odio hacia los cristianos y de ira contra la hermosa virgen, manda que sea atada y conducida a la cárcel y que allí sea azotada con toda crueldad... ¿Escuchas bien, Álvaro?

—Sí, señorita Lourdes.

—Decretó entonces que se la atormentara con todo género de suplicios. Fue extendida en un caballete de martirio y con garfios de hierro fueron despedazadas bárbaramente sus carnes. Aplicaron los sayones haces ardientes en su pecho y sus costados. La echaron en un baño de cal viva para causar un insoportable ardor a sus entrañas; rociáronla con plomo en fusión y cebáronse en martirizar sus sentidos. Pero cuanto más crecía la furia del prefecto y de los verdugos, tanto más la constancia, la fortaleza, la alegría de la Santa, cuyos labios iban exhalando alabanzas y acciones de Gracias al Señor... ¿Te das cuenta, Álvaro?

—Sí, señorita Lourdes.

—Oye bien, que la historia no ha concluido... Obstinado el prefecto quiso satisfacer su diabólica sed de venganza ordenando que la Santa fuese ligada a un aspa de madera y que su cuerpo fuese materialmente asado con hachones encendidos. En el instante en que rindió su alma a Dios se vio salir de su boca una paloma blanquísima que volaba hacia el cielo, símbolo de su espíritu virginal que subía a recibir la corona del martirio. Otro prodigio aconteció, del cual fueron testigos numerosas personas y fue que el cielo cubrió con un manto de nieve el cuerpo desnudo de la Santa para que no fuese objeto de las miradas indignas de los paganos... ¿Estás llorando, hijo mío?

—Sí, señorita Lourdes.

—¿Sufres por el terrible dolor de la Santa?

—Sí, señorita Lourdes.

—¿Estarías dispuesto a morir como ella y bendecir al Señor por cada una de las torturas?

—Sí, señorita Lourdes.

Mediocre universo el tuyo, pensabas, de niño sano, consentido y ocioso, habitante de un mundo ordenado, sin riesgo ni posibilidad de heroísmo; aplastado por el peso de tantas criaturas tempranamente destinadas a la muerte y a la gloria eterna —los Inés, Tarsicio, Pancracio, Agapito, Pelayo, Lucía y otras más cercanas en el tiempo y no menos maravillosas, como Santa Magdalena Sofía Barat, Santo Domingo Savio o el Acólito Alejandrito—, sin advertir siquiera en tu

vida ninguna de las señales premonitorias que, indefectible-
mente, señalan a las almas piadosas la presencia de un ángel
de Dios en el mundo y que, en el libro de lectura de la señorita Lourdes, solían manifestarse desde el nacimiento mismo
del futuro santo: visitas celestiales, apariciones del Niño
Jesús entre dos jarrones de porcelana de Sèvres, persecuciones injustas, enfermedades dolorosas, salud frágil.

—Hubo también prodigios de Dios en la vida de este
Santo que tan rápidamente cruzó nuestro valle de destierro.
Ya en sus días de Murialdo y Castelnuevo, un joven misterioso —seguramente un morador del cielo con figura humana— le había transportado en vida, en cierta ocasión,
para evitarle el cansancio del camino. Más tarde, una señora
no menos misteriosa —¿la misma Virgen Santísima?—
le acompañó de Castelnuevo hasta Mondonio, desaparecien-
do de modo repentino...

Ingenuamente habías intentado imitar las actitudes de los
mártires dibujados en el libro con una corona de santidad
milagrosamente sostenida sobre su rubia y angelical cabeza, observándote horas y horas en el espejo del cuarto
de baño y preguntándote con angustia si los niños morenos
y saludables como tú podían aspirar no obstante al favor y
protección de las potencias celestes, arrullado por la gozosa voz de la señorita Lourdes que, con las gafas caladas
sobre la nariz, parecía espiar siempre, con astucia, las emociones pintadas en tu rostro.

—Distinguióse bien pronto la pequeña por su piedad y
buen corazón. Cuando lloraba sólo podían consolarla pro-
nunciando los nombres de Jesús y María. No bien empezó
a mover los labios esos nombres dulcísimos fueron los primeros que supo balbucir. Muchas veces la veían con las
manecitas levantadas al cielo y con los ojos en oración, ane-
gados en amorosa ternura. Desde su más tierna infancia
mostró una devoción encantadora y ardiente hacia el Santísimo Sacramento. Frecuentemente desaparecía de su casa
para postrarse ante el Sagrario. Hallábanla allí sonriente y
como en éxtasis, respetuosamente inmóvil y transportada

de amor. A pesar de su niñez comprendía ya y meditaba profundamente el valor infinito del tesoro que se conservaba detrás de la modesta puertecita.

Tú admirabas, celoso, la sincronizada precisión de aquellas vidas cimeras que tan cruelmente contrastaba con la rutina y vacuidad de la tuya, soñando, a falta de la suspirada aparición, en la maligna enfermedad que pudiera ponerte a prueba o en el codiciable y espectacular martirio.

—No salgan a la calle —dijo, semanas después, tu madre—. Ayer volvieron a preguntar por él y les he visto pasar en camiones... Parece que van a quemar las iglesias...

Y aunque, exteriormente, tu existencia no había cambiado —comidas a horas regulares, lecturas, paseos con la señorita Lourdes— por el semblante serio y preocupado de los adultos habías presentido la intrusión de un factor nuevo y perturbador del que no se hablaba nunca delante de ti y que, en tu ausencia, provocaba cabildeos oscuros con los tíos, cuyo secreto intentabas en vano descifrar haciéndote a momentos el dormido o fingiendo absorberte en tu rompecabezas geográfico.

—Habrá que ocultar el cáliz en la buhardilla.

—¿Y si nos denuncian los masoveros? No podemos arriesgarnos a...

—Lo mejor sería ir de noche.

—¿Con los controles? —era la voz del tío César—: Estás absolutamente loca.

—Iré con el niño. Una mujer sola...

El apremiante sonido del timbre había interrumpido la conversación y, horas más tarde, cuando la señorita Lourdes te servía el consabido tazón de chocolate con bizcochos, tu madre se había enjugado las lágrimas con un pañuelo y, desde la módica altura de tus siete años, te creíste obligado a intervenir.

—Mamá.

—Corazón.

—¿Lloras porque papá está fuera?

—Sí, hijo mío.

—¿Por qué tarda tanto en volver?

—Tiene mucho trabajo.

—¿Quiénes son esos señores que preguntaban por él?

—Nada. Unos amigos.

Tu madre ignoraba aún lo sucedido en Yeste —la notificación oficial de la muerte se recibió al cabo de un año— pero sus lágrimas habían confirmado tus sospechas de que algo —¿qué cosa?— se tramaba entre bastidores, acontecimientos que, por una razón opaca, los adultos se esforzaban en ocultar. La señorita Lourdes fue la primera en desvelarte el secreto.

Una noche se había arrodillado contigo frente al altarito de juguete sobre el que a menudo celebrabas misa copiando los ademanes y los gestos de los auténticos oficiantes y había dicho con énfasis: "Ayúdanos en estos tiempos difíciles, Señor y Dios mío. No permitas que los impíos mancillen el alma de esta criatura y la conviertan en esclava de Satanás."

—¿Qué pasa, señorita Lourdes? —habías preguntado tú.

—Nada, rey mío, nada.

—Sí, señorita. Yo sé que pasa algo. También he visto por la ventana a los camiones con los hombres... ¿Verdad que son malos?

—No puedo decirte nada, rey mío. Ni una sola palabra.

—Sí puede, señorita Lourdes. Dígamelo.

—No, cielo. Eres muy niño todavía. Se lo he prometido a tu madre.

—Dígamelo, señorita Lourdes. Le juro que no lo repetiré.

—No, no. No quiero hacerte sufrir. Eres demasiado pequeño para comprender...

—Por favor, señorita. Soy mayor. No diré nada a nadie.

—Rey mío. Pobre rey mío.

—Si vienen los hombres malos rezaré a la Virgen y se morirán.

—Tu mamá me lo ha prohibido.

—Por favor, señorita.

—No puedo, hijo mío.

—El Niño Jesús me lo dirá.

Habías juntado las manos como en las estampas que ilustraban el libro y, vencida su débil resistencia, la señorita Lourdes te había atraído hacia ella entre sollozos y te había aunciado con voz trémula la llegada del Anti-Cristo. Los hombres mal vestidos apiñados en los camiones que circulaban bajo tu ventana eran enviados especiales del demonio, agentes empedernidos del Mal. El fabuloso mundo de las persecuciones y torturas, de los sayones que se encarnizaban como lobos sobre el cuerpo desnudo de las víctimas te había sumido en un mar de dicha y zozobra, incrédulo tú aún ante el fulgor y magnitud del sueño tan presta e inesperadamente realizado.

—No tengo miedo a la muerte, señorita Lourdes. —Era una frase aprendida en el libro.

—No, no, Dios mío. No dispongas de la existencia de un angelito inocente.

—¿Qué importan unos años de vida si pierdo mi alma?

—Señor, no escuches la voz de esta criatura. Piensa en el dolor de la madre.

—Invocaré el dulce nombre de María y los hombres malos se arrepentirán.

La expedición fue decidida allí mismo. Exaltada y vibrante de entusiasmo la señorita Lourdes sollozaba frente al altarito, te abrazaba, imploraba el perdón de Dios. Su rostro apergaminado y céreo parecía haber renacido a la vida, con dos rosetas encendidas en los pómulos y un brillo claro y casi adolescente en la mirada, y tú te sentías, al fin, habitante del mundo descrito en el libro, definitivamente incluido en el bando de los mártires. Con la extática aprobación de la señorita Lourdes te habías hincado de hinojos junto al sagrario pintado de purpurina, con el diminuto copón de juguete en las manos, saboreando en tu fuero interior el instante sublime, viviendo anticipadamente tu gloriosa carrera de santo aureolado de luz divina,

representado en los futuros libros con una radiante coronita volátil.

—Dios mío, Dios mío, perdóname —gemía la señorita
Lourdes—. Alivia el calvario atroz de la madre. Infúndele
el valor necesario para soportar la prueba.

—¿Por qué no le decimos que venga con nosotros? —habías sugerido tú.

—No, rey mío, no lo resistiría.

—Rezaré por ella.

—Angelito mío de mi alma... Reza también por mí.

Aquella noche no habíais dormido ninguno de los dos,
abrazado tú al ciborio como San Tarsicio, arrodillada ella
ante el Niño Jesús, implorando la absolución de Dios y arre-
pintiéndose de sus pecados. Después del beso cotidiano de
tu madre al acostarte —tras unos cuchicheos y reuniones
que ya no eran enigma para ti— habías dado una postrera
ojeada al libro de la señorita Lourdes —"con los clavos
que le alargan lo clava en cruz sobre el muro y rasga sus
venas con un cuchillo para recoger la sangre"... — deleitándote en sus descripciones sombrías con un placer casi
aterrador, indiferente a las sirenas y bocinazos que anunciaban el paso de los hombres por la calle, repitiéndote una
y otra vez como sonámbulo: "Éste es mi último día."

A las nueve, tu madre te había servido la bandeja del
desayuno. La señorita te vistió con camisa, pantalón, calcetines, sandalias, perfectamente blancos y te colgó del cuello
una reliquia de la Santa Cruz que besaste muchas veces
casi en éxtasis mientras ella te peinaba los tirabuzones y te
humedecía las sienes con agua de colonia. Tío César debía
venir a buscar a tu madre y se presentó en casa con los
ojos agrandados por el terror, sin corbata ni sombrero,
grotescamente disfrazado de pobre —recuerdo turbio que
se asociaba en tu memoria al hombrecillo sonriente que,
semanas más tarde, se había vestido de cura en tus narices
y ofició una misa en la sala sin que ninguno mostrara indignación por la superchería—; dijo que se iba de vacaciones a la montaña y que te enviaría una hermosa tarjeta

postal. Tú no lo creías más que a medias y, apostado en el balcón, espiabas su marcha para hacer la señal convenida a la señorita Lourdes y escabullirte también. Fuera, las sirenas aullaban.

—Corazón, angelito, rey mío... ¿Sabrás mantenerte firme?

—Sí, señorita.

—¿Resistirás a las amenazas y torturas?

—Sí, señorita.

—Corazón, pobre corazón... Repite conmigo: Señor mío Jesucristo...

—Señor mío Jesucristo...

—Dios y hombre verdadero...

—Dios y hombre verdadero...

Barcelona no era entonces una próspera y floreciente ciudad de millón y pico de cadáveres orondos y satisfechos de su condición y el aspecto de los hombres que en barricadas improvisadas y controles velaban su recién recobrada dignidad y alzaban el puño con orgullo podías recomponerlo fácilmente gracias a los documentales y retrospectivas de la cinémathèque de la rue d'Ulm: sonrisa blanca y dura, largas patillas y barbas cerradas, pañuelos rojos anudados al cuello, monos azul mahón y gorro ladeado de milicianos, obreros, campesinos, rabassaires; virilidad ruda y agreste de un pueblo asomado a la vida en edad adulta y secuestrado de nuevo, en medio de la indiferencia de los otros, por sus tenaces enemigos de siempre; hombría y aspereza terapéuticas que, meses atrás, habías hallado entre negros y mulatos de La Habana, perseguido tú por un amor adolescente que era como el presagio del síncope en el boulevard Richard Lenoir y de tu revocable existencia a plazo.

—... la resurrección de la carne...

—la vida perdurable...

—la vida perdurable...

—Amén.

Podías imaginar asimismo con ayuda de tu memoria

posterior de la cinemateca la apariencia insólita de las calles barcelonesas durante las jornadas revolucionarias de agosto del 36 colmando así los huecos existentes en un relato exclusivamente hilvanado con elementos dispersos y truncos: la ciudad desertada de aristócratas y empresarios, curas y señoritos, damas y petimetres, a la vez que multitud de enterrados vivos invadían el centro como un ejército aguerrido y hosco, milagrosamente brotado del subsuelo de algún cementerio de barriada. Las casas parecían sucias y andrajosas, con banderas y consignas en los balcones y en los muros y, entre el angustioso clamor de las sirenas que horadaban el aire húmedo y caliente, grupos de curiosos examinaban los impactos de las balas y observaban, burlones, el cárdeno esplendor de los incendios.

Ardían las iglesias parroquiales de Sarriá y Bonanova, los conventos de monjas Reparadoras y Josefinas y, asido con fuerza a la huesuda mano de la señorita Lourdes, te dirigías al lugar del martirio vestido de blanco y con la preciosa reliquia colgada del cuello, invocando una y otra vez con beatitud los dulces nombres de Jesús y María. A tu lado la señorita había desplegado ostentosamente su mantilla de encaje y leía en voz alta oraciones y sentencias de un libro encuadernado en terciopelo y con cantoneras de metal.

—Alma de Cristo, santifícame... Cuerpo de Cristo, sálvame... Sangre de Cristo, embriágame...

Por el momento pensabas más en tu traza que en toda otra cosa, al acecho del instante grandioso en que la coronita ingrávida iba a volar sobre ti, tratando de consolarte con la idea que, después de muerto, tus tirabuzones se volverían rubios, plenamente identificado con la imagen de Inés y Tarsicio, Pelayo y Pancracio, Eulalia y Dominguito del Val.

—¡Alto! ¿Adónde van?

Un hombre malo, barbudo y mal vestido, se había plantado ante vosotros con los brazos en jarras.

—A la única y verdadera Iglesia fundada por Nuestro Señor Jesucristo —dijo de un tirón la señorita Lourdes.

—¿No ven ustedes que está ardiendo?

—La gracia del Señor nos protegerá de las llamas.

Otros hombres armados y sucios se habían acercado a vosotros y os contemplaban —creías recordarlo— con una miscelánea de humor y curiosidad.

—Mira quin parell —dijo uno.

—Sagrado Corazón de Jesús en Vos confío —lograste articular tú.

—¿Qué dices, chaval?

—Deixa'ls. Estan torrats.

—Cúmplase la voluntad de Dios.

—Hale, circulen —dijo el primer hombre.

—La Iglesia es la Casa de Jesús. Él nos acogerá entre sus brazos.

—No se excite usté, buena señora. La capilla está ardiendo. Tenemos órdenes de no dejar pasar a nadie.

—Adelante —dijo la señorita Lourdes.

—¿No t'he dit que son dos boigs?

—Cálmese usté.

—Pasión de Cristo, confórtame... Oh buen Jesús, óyeme.

—Vuélvanse ahora mismo a su casa —dijo el hombre—. Si desean rezar allí nadie se lo impide.

—Jesús mío de mi vida.

—Vamos, andando. Nosotros no queremos nada con mujeres ni con criaturas.

El forcejeo que siguió reaparecía muy confuso en tu memoria y no recordabas a ciencia cierta si la señorita Lourdes se había abalanzado a ellos (como en ocasiones te figurabas) o si, sencillamente, los anarquistas la habían atrapado por la manga cuando, arrastrándote a ti, había intentado correr hacia la iglesia (hipótesis mucho más plausible).

—Somos mártires, somos mártires —repetías en vano tú.

El regreso, escoltados por dos pistoleros de la FAI, fue muy triste. Sollozando, sin coronita ingrávida, tu traje blanco manchado, habías meditado con amargura sobre el irremediable fracaso de tu carrera de santo en cierne. La señorita Lourdes, superada la crisis de lágrimas, parecía preocuparse, con razón, por la acogida que os reservaba tu madre.

—Ha sido una locura —gemía—. Nunca me lo perdonará.

Aquella tarde la bandeja con el tazón de chocolate y los bizcochos te esperaba de nuevo y tu madre no dirigía la palabra a la señorita Lourdes sino para zaherirla y criticar con voz áspera su ligereza y exaltación.

—Como si los tiempos no fueran suficientemente duros... Como si lo que soporto ya todavía no le bastase...

La señorita Lourdes lloraba en silencio y, unos días más tarde, se esfumó definitivamente de la casa. Tu madre abrió de par en par la ventana de su cuarto y, por todo comentario, dijo que la habitación olía mal.

Tal fue tu única incursión sincera en el mundo de la piedad y, mientras duró la guerra, refugiado con tu madre y los tíos en un pueblo del sur de Francia, no volviste a pensar en los mártires ni en el altarito. Cuando ganaron los nacionales y la sociedad te recuperó, tus educadores te impusieron por el temor un culto supersticioso y masoquista del que —enfrentado a las realidades de la vida— te liberaste pronto. Desde entonces el Cristo te había desalojado y sin él vivías en paz, a lo menos hasta el día en que, de no adelantarte tú al previsible vencimiento, caerías inerme como en el boulevard Richard Lenoir y, privado de tu conciencia y tus dones, con óleos y crucifijos fantasmales, sus vicarios se abalanzarían sobre ti y se adueñarían impunemente de tu cuerpo —presto a desintegrarse ya, pasto de los gusanos— para exhibirlo luego a los cuatro vientos en honor y prestigio, corona y cetro de su ambiciosa y encumbrada casta.

Había cesado el *Requiem* de Mozart y la penumbra esfuminaba suavemente el contorno de los objetos, el fresco cau-

dal de viento disminuía poco a poco y en el crepúsculo
campestre se adensaba un silencio interrumpido sólo por el
canto de los grillos y el sonoro croar de alguna rana. "Nosotros no tenemos la culpa en realidad no sabíamos nada cierto que en el 39 adherimos masivamente a la Falange o al
Requeté y vestimos a nuestras hijas de Luceros o Margari-
tas y a nuestros hijos de Flechas o de Pelayos pero lo hicimos por razones de puro patriotismo como reacción lógica
contra los desórdenes funestos de antes desórdenes que ni
tan siquiera hoy ningún hombre de buena fe puede negar
si equivocación hubo nació por exceso de amor a nuestro
país y en la mayoría de los casos nuestra actuación política fue breve justo el tiempo preciso para organizar un poco
las cosas después de aquella lucha terrible e inútil que
tanta sangre debía costarnos a unos y a otros y pasado el
primer entusiasmo efímero nos retiramos a una vida prudente y discreta enteramente consagrada a la familia y los
negocios creyendo a pie juntillas en el cuadro idílico que
nos pintaban los diarios convencidos de que la victoria de
Hitler abría una época de paz progreso y prosperidad para
las naciones sin darnos cuenta del reverso de la medalla
de su profundo orgullo y menosprecio por los valores
espirituales y terrenos secularmente defendidos por la Iglesia Católica error excusable si se tiene presente que termi-
nada nuestra guerra fratricida pensábamos ante todo en el
futuro económico del país en reconstruir inmuebles y fábricas fomentar el comercio y desarrollar la industria a fin de
proporcionar trabajo y pan a millones y millones de compatriotas indigentes muchos de los cuales dicho sea en
honor de la verdad habían combatido a nuestro lado o
habían dejado al caer viuda e hijos suponiendo cándidamente que los políticos profesionales resolverían las cosas
a su debido tiempo y restablecerían la monarquía cuando
fuera necesario una monarquía liberal con Estamentos y
Cámaras respetuosa del bien común y la libre empresa
atenta a la justicia distributiva aconsejada en las Encí-
clicas papales ajenos por completo a los abusos de una

represión cuya existencia desconocíamos confiando ingenuamente en la probidad y el civismo de los hombres
que regían los destinos del país sacrificándonos también
cuando las circunstancias lo imponían sometidos como estábamos a un racionamiento tan extremo que su propio rigor
nos obligaba a menudo a eludirlo no por nosotros dispuestos siempre a servir con lealtad los intereses superiores de
la patria sino a causa de nuestros pobres hijos reducidos a
comer una exigua porción de 150 gramos de pan diarios en
tanto que los felices poseedores de una cartilla de tercera
recibían 400 sin hablar de la penuria de los restantes productos que muy a nuestro pesar debíamos agenciarnos de
estraperlo como todo el mundo menesterosos incluidos pero
se trata como vemos de pecadillos menores casi insignificantes y difícilmente se puede encontrar el justo cualesquiera que fueren su extracción social y sus orígenes libre de
culpa él mismo para lanzar la primera piedra restaurar los
partidos nacionales entronizar de nuevo a los Borbones tal
nos parece hoy la solución oportuna dada la coyuntura hostil a los regímenes totalitarios y la subversión roja que nos
amenaza estos cinco años de postguerra española han sido
igualmente duros para todos para los vencedores como para
los vencidos para los ricos como para los pobres por eso
se impone hoy la fórmula dúctil y equitativa la abertura
del diálogo el pacto que garantice el respeto a las personas
y a los bienes el borrón y cuenta nueva salutífero preludio
de la paz en los espíritus y del anhelado y firme apretón
de manos. . ." ¿En qué oscuro rincón de su memoria adolescente el recuerdo sardónico de aquellas Voces muertas había ido a posarse? ¿Bastaba una imagen anodina para
arrancarlo del olvido e imponerlo a la luz en toda su crudeza? ¿Qué demonio emboscado como fiera paciente en
su cubil amagaba saltar, pronto al zarpazo y la embestida,
ante el estímulo fugaz de una cartulina gris e inocua?

A través de la instantánea captada en el jardín meses
después del fallecimiento de su madre Álvaro podía evocar
el retintín de las conversaciones del memorable otoño del

44 y dar un nombre cabal a los rostros lejanos que, en grave y estudiada pose, formaban el solemne y marchito consejo de familia: la nariz aguileña y labios rencorosos de la
piadosísima tía Mercedes, abandonada por el novio al pie
del altar y, desde entonces, enconada enemiga de los hombres y de los placeres de la carne; la mirada aguanosa del
tío César, velada por sus gafas de incontables dioptrías,
sumido él en el letargo de una vida hogareña sin historia,
con dos hijas casaderas —solteronas futuras— y un apa-
gado hijo predestinado al sacerdocio; el primo Jorge con
su entonces recién ganado diploma de bachiller y una tra-
zada carrera de joven Fiscal de Tasas corruptible y mundano; y, en un ángulo de la fotografía y dominando a los
demás con su aspecto de deidad ausente e inaccesible, el
tío Eulogio, que apoyaba una mano sobre el hombro de
Álvaro y observaba severamente el objetivo con sus ojos
negrísimos, inspirados, brillantes.

—Europa está perdida hijo mío. El Occidente ha entrado
en su período de decadencia biológica y ninguna intervención médica le puede salvar. Es el ciclo fatal de la vida:
juventud, madurez, agonía, muerte... A nosotros nos ha tocado vivir la época de los últimos estertores... Como Roma
al fallecimiento de Teodosio y Bizancio bajo la dinastía de
los Constantinos...

Por las páginas mustias del álbum el tío Eulogio aparecía a intervalos con su misterioso material científico, de
visita en los umbrosos cafetales de Nicaragua o huésped
insólito de los Mendiola residentes en Cuba. En su juventud se había entregado en cuerpo y alma al estudio y prospección de los astros y, entre la polilla y telaraña del des-
ván, acuchillados por un polvoriento rayo de luz que se
colaba por la rendija del postigo, era posible hallar aún
vestigios de su primera y olvidada pasión: alguna lente rota
e inútil, un mapa borroso de la luna, el dibujo de las constelaciones boreales. Más tarde, hostigado por nuevas inquietudes, había dejado la astronomía por la astrología, pasan-
do luego, casi sin transición, de las Ciencias Ocultas a las

Religiones Razonadas para desembocar al fin —adelantada
ya para él la década de los treinta— y tras una serie de in-
fortunadas operaciones bursátiles —adquisición de marcos y
acciones de los ferrocarriles rusos antes de la guerra del 14,
de obligaciones de la Compañía de Tranvías de Shanghai y
un buen paquete de bonos de la Nicaragua Coast Company
anticipándose escasamente unos meses a la guerra de
China y al hundimiento del mercado mundial del café en el
24—, en el período que abarcaba su edad adulta y los limbos
de su prolongada vejez. Unos descoloridos clisés de la época
reproducían la imagen de un joven con bigote y perilla,
atormentado y apuesto, que leía a Keyserling con aire sombrío recostado en los cojines de un sofá otomana: racista
juntamente y filarmónico parecía meditar en otros acerca de
las catastróficas predicciones de Spengler al tiempo que, con
visible arrobo, se abandonaba a los melodiosos acordes —*La
cabalgata de las Walkirias,* se decía Álvaro— que transmitía un anticuado fonógrafo con altavoz en forma de trompa.

La guerra civil española le había pillado en La Habana
y el mismo 18 de julio del 36 a las siete en punto de la
tarde hora local el tío Eulogio se ofreció voluntario al cónsul de Su Majestad el Rey Víctor Manuel III sin tener en
cuenta su avanzada edad ni su precaria salud física. El
signore Romano Balbo, que era amigo del viejo Mendiola,
logró disuadirle de sus propósitos y lo devolvió a la asustada familia —en cuya compañía se demoró hasta el final
de las hostilidades. De vuelta a Barcelona, canoso y dis-
minuido por los achaques, el tío Eulogio dividía su tiempo
entre la lectura de la Enciclopedia Espasa y una nueva y
devoradora afición crucigramista. A diferencia de sus hermanos no había creído nunca en el triunfo de los nazis
y, todos los días, al levantarse, hojeaba los periódicos —*La
Vanguardia, El Diario de Barcelona y El Correo Catalán*—
con gesto escéptico.

—Gane quien gane —decía a Álvaro— el resultado será
el mismo. Europa se desangra, mientras Asia afila los
dientes.

—Alemania no puede perder —sostenía el tío César.

—La comodidad, la vida fácil degeneran la raza... El coeficiente de natalidad disminuye. En Siberia las mujeres kirghisas paren a lomo de caballo.

—Con las armas secretas...

—Ningún ejército detendrá la avalancha... Como en el siglo quinto, a la llegada de los hunos y los ostrogodos.

En las melancólicas semanas que precedieron al fallecimiento de su madre, Álvaro había seguido con inquietud la erosión lenta pero continua de las posiciones alemanas en el frente del Este. Tíos y primos se habían instalado en el piso al acecho del desenlace y en el duermevela de las pesadillas y los insomnios las frases hoscas y premonitorias del tío Eulogio cobraban una tangible y angustiosa precisión. Muerta la madre, los tíos lo habían llevado a descansar a la heredada finca paterna y, bruscamente —como una proyección de su entretenido reino de ansiedad y temor—, los acontecimientos históricos se precipitaron.

El desembarco aliado en Normandía, la caída de París, la irrupción del ejército rojo en Polonia y Rumania confirmaban punto por punto los pronósticos pesimistas del tío Eulogio y, hasta el tío César, lector admirativo del *Mein Kampf* y heraldo apasionado de la victoria de los alemanes, parecía humilde y abatido y evocaba con voz lúgubre la eventualidad de un acuerdo con Churchill para frenar el irresistible avance de los rusos. Día tras día, en su mapamundi escolar, Álvaro examinaba acongojado la aterradora mancha roja que extendía ávidamente sus tentáculos sobre la Europa exhausta. El miedo abstracto a la guerra se había transformado poco a poco en cuidado y desvelo respecto a su propio y personal porvenir: ¿qué otra presa podían buscar sino a él, el joven Álvaro, vástago de familia virtuosa y bienpensante, heredero frágil de un mundo delicado y caduco?; quienes habían asesinado a su padre, ¿lo perdonarían a él?; ¿no le reservarían más bien la suerte horrible del tío Lucas o del primo Sergio?

El tío Eulogio le había prestado ejemplares de *La deca-*

dencia de Occidente y *El ocaso de las naciones blancas* y, durante el verano y el otoño del 44, Álvaro los había leído y releído de un aliento, fascinado por el carácter ineluctable del mal, desamparado y sin fuerzas para combatirlo. Arruinados, exangües, divididos, los países europeos no podían competir en extensión y población con los feroces y aguerridos componentes del bloque soviético. Llegada la hora de la verdad las masas se negarían a empuñar el fusil contra los invasores: los comunistas y también los socialistas, decía el tío Eulogio, y quién sabe si los demócratas y los liberales. El precario equilibrio de la balanza se rompía definitivamente en favor del Este. Al primer empujón los bárbaros se plantarían en el Pirineo.

Fueron aquellos unos meses de alarma y desasosiego, zozobra y espanto a lo largo de los cuales Álvaro había vivido a remolque del tío Eulogio y sus lecturas en tanto que, alrededor de él, la vida proseguía, en apariencia, confiada y alegre, ajena al plazo conminatorio y brutal de la derrota de los alemanes. Los domingos y días festivos el tío le aguardaba en la puerta del internado y, rehusando las distracciones tentadoras de su edad, Álvaro se recluía voluntariamente en el piso para meditar con aprensiva lucidez acerca de la debilidad de Occidente —producto de la vida cómoda y muelle— y de la suya propia —acrecentada en parte por sus frecuentes y acendradas masturbaciones—, comparando el bajo índice de la natalidad francesa —pese a los enormes progresos de la obstetricia— a la multiplicación veloz de los kirghises, con sus mujeres que parían a lomo de caballo y cuyo alimento primordial, según el tío Eulogio, consistía en varios kilógramos diarios de carne cruda, sustancia riquísima en calorías y humores vitales, origen y fuente de sus voraces deseos de expansión y de sus inmoderados apetitos bélicos. Más de una vez, la vieja y abnegada sirvienta del tío —menos abnegada, sin embargo, puntualizaba la tía Mercedes, que aquella otra legendaria ya que, al morir, y tras una existencia de privaciones y trabajos, había legado el producto íntegro de sus ahorros al desdeñoso abuelo que la explotara en vida— irrumpía en sus sueños gritando "¡Señorito, los kirghises!" y Álvaro se despertaba en el blanco y fantasmal dormitorio del colegio con la frente orillada de sudor y el pulso desacompasado, dando gracias a Dios por la presencia benéfica de los compañeros que roncaban en lechos similares al suyo, momentáneamente a salvo —¿por cuánto tiempo?— de los kirghises y sus mujeres que parían a lomo de caballo, repitiendo una y mil veces "Señor no me abandones" hasta que el cansancio podía más que él y el sueño piadoso le vencía.

—Mane, thecel, fares —sentenció el tío Eulogio al divulgarse la nueva del suicidio de Hitler.

—Los americanos no son ciegos. —El tío César se expresaba sin ninguna convicción—: Si traemos al rey y se restablecen los partidos...

—Yo soy ya viejo y la vida no puede ofrecerme gran cosa. Pero tú, mi pobre Álvaro, ¿qué será de ti?

Un miedo irrazonable se había infiltrado sigilosamente en sus venas cifrado en el rostro hermético y duro de kirghís reproducido en una lámina en colores del volumen de Geografía Humana y atropellados proyectos de huida a países seguros y remotos adquirían la dulce consistencia de una posible tabla salvadora, minúscula boya a la que asirse el día del hundimiento y el naufragio.

—En tu lugar yo me iría a un sitio tranquilo como Cuba —decía el tío Eulogio—. Allí no hay peligro de revoluciones ni de guerras. El primo Ernesto es inmensamente rico y puede encaminar tus pasos. En su última carta me dice justamente que ha enviado a Juan Carlos a Estados Unidos para que saque un diploma de ingeniero... Y Adelaidita es la mar de guapa y de simpática, lo que se dice un pimpollo... ¿Te enseñé el recorte sobre su puesta de largo que salió en el *Diario de la Marina*?

Los sudores fríos y las palpitaciones cedían el paso, entonces, a balsámicos sueños de dicha y euforia en una isla paradisiaca, lejos de los kirghises y sus mujeres, a la sombra de unas potencias familiares condescendientes y amigas,

secular garantía de un orden sereno y perdurable. El palacete de Punta Gorda de Cienfuegos, el ingenio de Cruces,
las fotografías atabacadas del álbum eran fresco oasis de
calma y ventura, deleite y reposo que el tío agitaba ante
sus ojos como deslumbrador espejismo, acomodado perezosamente en su sillón de cuero con la mano apoyada en
el libro *Geografía de Cuba*, que, semanas atrás, le enviara
Ernesto desde La Habana.

—Además, el clima es magnífico, muy saludable para los
reumáticos y los gotosos. Escucha esto: la ubicación de Cuba
en la zona intertropical y la acción benigna de las corrientes
marinas determinan que nuestros inviernos sean poco acentuados. Conforme la escala climatológica del ilustre Koeppen,
Cuba representa un clima tibio de sabana sin invierno, condición que se simboliza, en rápida abreviatura científica,
con las letras AW...

Otras veces, en aquellas veladas dominicales interrumpidas sólo por la fugaz aparición de la criada con la tete-
ra y dos tazas de porcelana china, la fantasía del tío
Eulogio se desbocaba hacia otros puntos del globo terráqueo,
igualmente distantes de Europa y asimismo seguros.

—Y si el Caribe no te prueba te vas a cultivar café a
Kenya o a Angola. Hace poco leí un artículo de un padre
misionero la mar de interesante. Los negros que hay allí
son muy pacíficos; se alimentan de hierbas y flores silvestres y obedecen y respetan a los blancos. El padre cuenta
que en muchas ocasiones ha tenido que discutir con ellos
porque los pobres infelices querían adorarlo como a un
dios...

Meses y meses Álvaro había acogido como agua de mayo
sus explicaciones y charlas científicas hasta que, a raíz del
veraneo primero y su absorbente pasión por Jerónimo después, los maravillosos encuentros se espaciaron. En otoño
la salud del tío dio un nuevo bajón y, en sus raras y ya
protocolarias visitas al piso, Eulogio permanecía frente a él
ensimismado y taciturno, vigilando con el rabillo del ojo
las idas y venidas —con misteriosos brebajes y pócimas—

de la vieja criada. La última vez que Álvaro le viera en libertad el tío le había mirado de hito en hito y le ordenó: "Vete, déjame en paz." Por Navidad la tía Mercedes le comunicó brevemente que, obedeciendo a razones de orden médico, había sido internado en un sanatorio.

Al cabo del tiempo Álvaro conservaba un recuerdo amable y tierno de su extraña y luminosa amistad y, durante su viaje a Cuba, después del triunfo de la revolución de Fidel Castro, había pensado a menudo en ella con intacta sonrisa, tratando de imaginar la reacción del tío Eulogio, de haber seguido en vida, ante la expropiación y la huida de los Mendiola a Miami y los levantamientos negros y matanzas de misioneros en Angola y Kenya. En cuanto al tío César, pasado el primer sobresalto de terror, había imitado el movimiento de los demás miembros de su clase, apretando las filas en la época del estéril cierre de la frontera y la retirada hipócrita de los embajadores en torno del hombre que había sido, era y sería el mejor defensor de sus auténticos intereses. Años más tarde —separado ya de la familia por una barrera infinitamente más firme que los casuales y siempre azarosos vínculos de sangre— Álvaro lo había visto fotografiado en el periódico en medio de un grupo de fieles que aclamaban el paso del Benefactor en una de sus esporádicas visitas a Barcelona. Aquella postrera imagen que de él tenía bastaba no obstante para convencerle de que la lógica simple y el buen sentido práctico deberían llevarle en el 62, como a tantos otros, sin corte ni contradicción alguno, por obra y gracia del turismo y despegue económico, a la defensa de los valores europeos y liberales, prudente, muy prudentemente, para el aciago día en que el Benefactor faltase y, de nuevo, como en aquel desolado invierno del 45, tuvieran necesidad de un rey —decorativa y vistosa pieza de recambio.

Inopinadamente se encendió la luz. La noche había caído sin que tú lo advirtieras y, sentado todavía en el jardín,

no podías distinguir el vuelo versátil de las golondrinas
ni la orla rojiza del crepúsculo sobre el perfil sinuoso de
las montañas. El álbum familiar permanecía entre tus manos, inútil ya en la sombra y, al incorporarte, te serviste
otro vaso de Fefiñanes y lo apuraste de un sorbo. Las primeras estrellas pintaban encima del tejado y el gallo de la
veleta recortaba apenas su silueta airosa en el cielo oscuro.
Dolores se había asomado a la puerta de la galería. Unos
tejanos verdes moldeaban su escueto trasero adolescente.
Avanzaba hacia ti con un cigarrillo encendido en medio de
los dedos índice y mayor de la mano derecha y, tal como
habías previsto, dirigió una mirada furtiva al nivel de la
botella de Fefiñanes, pero su rostro no reveló sentimiento
alguno más allá de la pura comprobación inmóvil. Sus
labios propicios y amistosos sonreían levemente y su mano
libre esbozó un saludo sobrio y se demoró sobre la tuya.
Como sonámbulo le oíste hablar de los preparativos de la
cena, recordarte el horario de las gotas recetadas por el
doctor d'Asnières, interesarse en el contenido del álbum.
Al encontrarse vuestras miradas resucitaban por unos instantes la dulce impresión de juego y complicidad de antaño:
ilusoria creencia de una unidad moral que ni el tiempo ni
la humana carcoma destruirían. Sonaba otra vez el viento
en las ramas de los eucaliptos y entretenía en tu rostro
una dilatada frescura esquiva y acariciante. Poco después
la muchacha surgió con el vaso de agua y las gotas y,
tras ella, los sobrinos de Dolores irrumpieron alegres en
el jardín. La galería os tentaba con sus divanes cómodos y
la insidiosa nostalgia del *Requiem* de Mozart. Bebiste la
mezcla de un trago. Enlazados por la cintura os encaminasteis hacia la casa mientras la criada recogía el cubo de
hielo, los vasos, la botella de Fefiñanes y, a grito herido,
convocaba a los niños a la cocina. Dolores volvió a poner
el disco en el picú. Los acordes del *Introitus* anularon im-
periosamente el silencio y, recostado en el sofá, abriste de
nuevo el álbum.

La fotografía había sido tomada por el primo Jorge con la Leica de último modelo que le regalaran sus padres con motivo de las cinco Matrículas de Honor de su primer curso universitario y Jerónimo figuraba en ella tal cual dieciocho años después lo recordabas: felina la mirada, negras las cejas, taimados los labios, esbelto y robusto el cuerpo bajo las ropas miserables que lo cubrían. Las comportas que había acarreado se alineaban vacías en el lagar y un perro de identidad ignorada brincaba alrededor de él con la lengua fuera, en rendida y grácil adoración. El tío César mordisqueaba un racimo de uvas, disfrazado de blanco como era moda entonces. Los restantes comparsas debían de ser invitados amigos de Jorge, quien sabe si, sencillamente, curiosos o vecinos. La densa luz de septiembre difuminaba los lejos del retrato. Era en el tiempo de la vendimia.

Interno tú en el colegio había aparecido una tarde en la finca a pedir trabajo a los masoveros y, aunque receloso en general con los charnegos, el viejo Xoaquim lo contrató. Dijo llamarse Jerónimo López —no tenía salvoconducto ni papeles, sólo el aval de un cura párroco desconocido en la región—, de profesión jornalero, soltero en su estado civil, treinta y dos años. Era fuerte y moreno y hablaba con claro acento del Sur.

Si su personalidad suscitaba naturalmente la reserva, la seriedad y el escrúpulo inhabituales que ponía en la tarea le habían granjeado en seguida todas las simpatías. Cuando a finales de junio llegaste —concluido tu quinto año de bachiller— Xoaquim lo invitaba ya a su mesa y lo trataba como a uno de sus hijos. Jerónimo era parco en palabras, dormía siempre solo en los establos y los domingos, en lugar de ir al café como lo exigía la costumbre, se quedaba a hacer chapuzas en la casa o se perdía perezosamente por el bosque. Si se asomaba alguna vez al pueblo se limitaba a recoger su ración semanal de tabaco y regresaba inmediatamente después.

Absorto tú en reflexión profunda, fruto de la lectura asidua de Spengler y de la frecuentación del piso del tío
Eulogio, lo habías visto sin verlo en compañía de los demás
peones, con una faja de tela negra ceñida a la cintura
y tocado con un rústico sombrero de palma, descalzos los
pies plantados en el suelo, atizando al potro con una fusta
durante el trajino de la siega. Probablemente abriste la
ventana de tu cuarto, atraído por el ruido familiar de
la trilla y contemplaste las parvas de trigo rubio amonto-
nadas en la era, el tiovivo ágil del hombre y el caballo, la
hermosa y antigua faena de separar el grano de la paja para
aventar luego ésta con los agudos y sutiles bieldos. En aquella época la vida transcurría ante tus ojos tranquila y falaz
como una sucesión de cromos de colores proyectados en una
linterna mágica, secretamente minada en su base por el
soterrado enemigo que, tarde o temprano, debía destruirla.
¿Advertiste entonces su presencia real?, ¿o lo consideraste
un elemento más, vacío y nulo, del sugestivo y engañoso
cuadro?

Días más tarde lo volviste a ver, descalzo aún y con la
azada al hombro, atravesando el jardín en dirección al huer-
to cuando con tus primos disputabais la diaria partida de
cróquet y alguno del grupo acusaba a Jorge de arrastrar el
mazo para acompañar la bola, anacrónicos todos, piensas
ahora, como los graves personajes fotografiados cincuenta
años atrás en el álbum, igualmente ornamentales, caducos.
Os dio las buenas tardes levantando ligeramente la mano
hasta rozar el ala del sombrero y se eclipsó entre los alcornoques dejándoos sumidos, evocabas, en el limbo de un
tiempo sin fronteras, en vuestra nada inútil.

—Este hombre no me gusta ni poco ni mucho —dijo la
tía Mercedes interrumpiendo por unos instantes su labor
de bordado—. ¿Qué piensas tú, César?

—¿Yo?

El tío desvió los ojos de la revista —el *Life* en castellano, sin duda, puesto que *Signal* ya no salía.

—¿Por qué me lo preguntas?

—En el pueblo no lo conoce nadie. Llegó aquí como quien dice sin papeles.

—Xoaquim está contento de él. No es respondón y sabe bien su oficio. Además, trajo el aval de un sacerdote...

—Si tan católico es, ¿por qué no va a misa?

—¿Y yo qué sé, mujer? No le vamos a obligar a ir por la fuerza.

—¿Has hablado de él con Mossén Pere?

—Mira, Mercedes. Lo importante es que sea cumplidor y trabaje. No quieras ser tú más papista que el Papa.

El domingo siguiente, con la mantilla y el breviario en las manos, en la tartana que os conducía a la iglesia, la tía Mercedes pasó nuevamente a la ofensiva.

—¿Has visto, César?

—No.

—El andaluz.

—¿Qué?

—La manera como nos ha saludado en el camino...

—Normal y corriente, como los demás peones.

—Sí, pero para mí no está claro. El hombre ése se trae algo entre ceja y ceja.

—¿Qué sabes tú, mujer?

—Tengo buen olfato. En su mirada hay un brillo de desafío...

—Imaginaciones tuyas, Mercedes.

—Estoy segura de que está con los maquis.

La palabra rodó en tu existencia inmóvil, redonda y dura como una piedra, levantando a su paso un alud de emociones que habían abolido de golpe el mundo real, enfrentándote, inerme, a tu propia y pertinaz pesadilla. El asesino tantas veces temido, ¿podía ser él? El verdugo que, llegada la hora, te ejecutaría fríamente, ¿sería el nuevo peón? Su rostro cobrizo había suplantado de modo progresivo en tus noches la faz nebulosa y lejana del kirghís, hundiéndote en un aleatorio mar de hipótesis y conjeturas. El hombre que todas las mañanas pasaba delante de ti y te sonreía era tu enemigo. Un día entraría en tu habitación con un cuchillo y te mataría. ¿Lo creíste? Parecía difícil de creer.

La incertidumbre te ganaba —la desconfianza en tu mundo y sus valores celebrados. Desde entonces habías adquirido la costumbre de espiar a Jerónimo. Lo acechabas, oculto, cuando bajaba a regar los bancales del torrente y furtivamente caminabas tras él, intentando seguirle la pista, los domingos en que, despreocupado y ocioso en apariencia, se evadía de pronto por el bosque. Lo hacías a escondidas de todos, deleitándote en la clandestinidad del juego, cómplice ya de él frente a los tuyos, dudando cada vez más de su calidad de ejecutor y de la histórica necesidad del crimen.

¿Cuánto tiempo habían durado el tejemaneje tuyo y la benevolencia de él? Imposible que no reparara que vigilabas sus pasos siendo así que, por varios días consecutivos, había vuelto rápidamente la cabeza y te había descubierto emboscado en la espesura, irónico a la vez y compasivo. Quizá se complacía como tú en prolongarlos, en extender, moroso, la red de intimidades y secretos que delicadamente os mantenía unidos. Se contentaba con sonreír y, sin pretexto ni razón que justificara ante él tu presencia muda, volvías pies atrás a la espera de la oportunidad en que, como un amante celoso o un ladrón, pudieras de nuevo escoltarle.

¿Rompió el juego él o tú? Fuisteis los dos en realidad el día en que, fortuitamente por tu parte, topaste con él en el castañar y te dio los buenos días. Apoyó la azada en el suelo, sacó del cinto un paquete de picadura cuadrada y, diestramente, lió dos cigarrillos, el primero para ti.

—¿Quién te ha regalado esta medallita? —preguntó.

Tú tanteaste, confundido, la cadena de oro de la tía Mercedes y, para salir de apuros, explicaste que se trataba de un objeto milagroso, especialmente bendecido.

—¿Por quién? —dijo Jerónimo.

Esto no lo sabías tú mismo siquiera y, aunque consciente de su escaso interés, le referiste la leyenda de los dos caminantes sorprendidos por el rayo en medio del monte —muerto uno y salvo el otro gracias a una medalla de la Virgen.

—Es curioso —dijo Jerónimo—. En mi pueblo ocurrió exactamente lo contrario.

Había encendido tu cigarrillo con su mechero de yesca y te observaba con gesto indeciso.

—¿Te lo cuento?

—Sí —dijiste.

—Salieron dos compares de paseo, hubo tormenta y el de la medallita la cascó.

—¿Por qué?

—Los metales finos atraen el rayo —repuso—. ¿No lo sabías?

Los hijos de Xoaquim venían por la trocha, de regreso del campo y Jerónimo guiñó el ojo y, como solía, saludó llevando su mano a la altura del ala del sombrero. La emoción del encuentro, su tuteo brusco, la desconcertante historia de los compadres se barajaban todavía en tu cabeza cuando, días más tarde y ya sin medallita, volviste a dar con él.

Fue también —¿lo recuerdas?— casualidad pura: avanzada la noche y hostigado tú por los mosquitos habías errado inútilmente de una habitación a otra, perseguido en todas por su zumbido denso hasta que, decidiéndote por fin a dormir al raso, corriste el cerrojo de la galería y saliste al jardín. Las nubes cubrían el cielo y, a los pocos minutos, comenzó a lloviznar. La fatiga te había acorchado los músculos y, sin apresurarte, te encaminaste al pajar contiguo a la cuadra del potro.

La puerta estaba ajustada y la empujaste. De espaldas a la exigua luminosidad nocturna avanzabas a tientas sobre el bálago, buscando el rincón propicio para improvisar tu lecho. Inesperadamente la claridad brutal te deslumbró.

—Ah, ¿eres tú?

Jerónimo te apuntaba con la linterna y, si su ademán fue rápido y tú parpadeabas todavía, tuviste tiempo de ver no obstante la culata de un revólver hundiéndose tras la faja de su cintura. En un segundo el universo entero zozobró.

Jerónimo te observaba con calma y lió espaciosamente un cigarrillo.

—Vaya susto que me has dado, compare.

—No podía dormir —balbuceaste—. Los mosquitos. . .

—Aquí me dejan en paz. Ven, échate acá. Si quieres te prestaré mi manta. . .

—No.

—Con la cabeza apoyada dormirás mejor.

Esto fue todo —o a lo menos así lo recordabas—, ninguna pregunta tuya ni explicación de él por el revólver, formalizada ya vuestra amistad, hermosamente cómplices.

En adelante podías levantarte a medianoche, atravesar el fantasmal pasillo, pasar con sigilo junto al dormitorio del tío César, correr el cerrojo de la galería, discurrir calladamente por el jardín, detenerte ante el pajar y herir la puerta con tus nudillos, murmurar tu nombre como santo y seña, encontrarlo a él.

Jerónimo te recibía con una sonrisa, encendía dos cigarrillos, te dejaba su manta, apagaba la luz. Hablar, lo que se dice hablar, poco os hablabais. ¿Qué había en común entre él y tú? Sólo el tuteo amigo y la sonrisa, la llaneza del gesto y el acuerdo animal, más allá de las palabras. ¿Confiaba en ti? Seguramente. Más de una vez extendiste el brazo durante su sueño y presentiste, agradecido, el bulto bienhechor del revólver en su cinto.

En una ocasión te mostró una fotografía —la primera noche que fuiste al pajar sin dar con él y lo aguardaste transido de frío hasta rayar el alba. Vino del bosque, escurriéndose como una sombra y, al hallarte despierto, te despeinó con la mano.

Tú contemplabas la muchacha de cabellos oscuros abrazada al niño y Jerónimo comentó: —El chico y mi mujer.

—¿Dónde están?

—Fuera.

—¿No vas nunca a verlos?

—Quizás a fin de año.

Varias veces en aquel agosto cálido y a lo largo de las

vendimias de septiembre fuiste de noche al pajar y lo descubriste vacío. Jerónimo volvía del monte al clarear el día y, tranquilo ya tú, se lavaba él la cara y se iba a trabajar con los peones.

Fue a comienzos de octubre —lo recordabas bien: en víspera de reanudarse las clases y tornar la familia a Barcelona— la noche en que lo esperaste en vano y él no regresó. Volviste a tu habitación aterido, con una ansiedad y un tormento que no reconocerías sino mucho más tarde, enamorado ya de Dolores, en el estudio de la rue Vieille du Temple concebido, diríase, para el amor y la ventura, y privado tú, por tu culpa, del uno y de la otra, en uno de aquellos años mutilados y harapientos que luego bautizarían Años de Paz.

Xoaquim no comprendía lo sucedido —Jerónimo se había ido sin pedir la cuenta— y cuando, al atardecer, apuntaron los civiles por el camino y preguntaron por él, tu corazón era un órgano loco que súbitamente parecía querer desgajarse de ti y los oídos te zumbaban como si alguien hubiese aplicado a tus orejas el nácar irisado de una caracola de mar.

Te enteraste así —oyéndolos hablar con Xoaquim, el tío César y la exultante tía Mercedes— que no se llamaba verdaderamente Jerónimo; que había cruzado a escondidas el Pirineo al frente de una banda de forajidos y era —tenían pruebas— uno de los cabecillas del maquis en la región.

—Es un individuo de cuidado —decía el sargento de los civiles—. Ayer noche lo descubrimos a varios kilómetros de aquí, cuando iba a reunirse con los del monte y en el tiroteo hirió a uno de los números.

Qué triste el retorno al colegio —a las aulas austeras y cloroformizados pasillos; qué frío y estéril su universo de arrepentimiento y pecado, plegaria y pupitre, estudio y oraciones: estaciones borrosas, siempre iguales —el rencor se acumulaba gota a gota en tu pecho— hasta el ingreso emancipador en la universidad.

De Jerónimo nunca volviste a saber. Quizás atravesó de

nuevo la frontera, fallida ya la generosa tentativa; quizás, pensabas más a menudo, con un aleteo en el corazón que persistía al cabo de los años, yacía en fosa anónima en un perdido rincón de vuestra desmerecida tierra española. Te decías entonces que bien mezquina y sorda era tu patria si, como a veces te inclinabas a creer, su rica ofrenda había sido inútil. Pero no, delirabas, el final no podía ser ése y —aguardando el país tiempos mejores— debías comprender y hacer comprender a los demás que Jerónimo o como se llamase quien tu sensibilidad moral despertara con su conducta limpia había muerto por todos y cada uno de vosotros, como sabías —con qué dolor, dios mío, y qué vergüenza— que había muerto, igualmente, por ti.

La familia materna no figuraba en el álbum. En virtud de un estricto criterio selectivo alguien había eliminado de sus páginas aquella otra estirpe burguesa más cultivada y sensible que la de los Mendiola, igualmente injustificable que ésta por la caducidad e insignificancia de sus frutos. El espíritu aventurero del bisabuelo traficante no anidó nunca en ella rejuveneciéndola con su vertiginoso afán de esplendor y rapiña. Su savia original había desmedrado poco a poco minada, diríase, por una inteligencia aguda y crítica, dudosa de su verdad y de sus razones, incrédula de su misión y sus quehaceres. Barridas sus hojas una a una, estériles sus ramas, Álvaro era el último brote del árbol condenado y enfermo, suspendido al latido de un corazón frágil, a merced del mal que podía fulminarlo, precipitándolo de un soplo en el olvido. Bastaba sin embargo incorporarse del sofá, abandonar unos instantes la audición del *Rex tremendae majestatis*, recorrer el oblicuo pasillo en el que moraran los duendes de su universo infantil para desembocar en el adusto comedor indiano y contemplar el óleo que presidía la lúgubre reunión de sillas enfundadas entre la lámpara de bronce absurda y ampulosa y el somnoliento piano con la partitura de *La marcha turca*: dos ojos azules soñadores y ausentes; una belleza antigua evaporada como el perfume de un viejo pomo abierto; un pañolín de seda sobre el pelo rebelde, dorado todavía y abundante. En un rincón del cuadro, bajo la firma ininteligible del artista, un nombre y una fecha: María Canals, 1911.

Cuando Álvaro pudo conocerla, en la prehistoria oscura del recuerdo, el tiempo había alterado sensiblemente sus rasgos: marchita la piel, exangües los labios, blanco el cabello que adornaba siempre con una graciosa redecilla. de encaje. Mediaba ya la década de los treinta y su abuela materna tenía entonces sesenta y ocho años. Intactos y claros como en su remota niñez los ojos, únicamente, no envejecían.

Su pasado común eran imágenes de una casa grande, con un descuidado jardín inglés y una pista de tenis invadida de hierba. Álvaro vagaba por sus tortuosos senderos vestido de marinerito y la mitológica señorita Lourdes le instruía acerca de la exquisita sensibilidad de las plantas y le incitaba a saludarlas con afecto y ternura. Las flores, decía, eran delicadas y susceptibles como las personas y las caricias y mimos de los niños les procuraban intensa alegría y satisfacción. Con fervor catecúmeno Álvaro corría de una flor a otra depositando en todas besos recatados y puros, balsámicos y restauradores aliviando por turno sufrimientos y penas, sembrando el bien, el reconocimiento y la dicha en apostolado veloz y fructuoso. ¿Y las lilas? También las lilas, rey mío. ¿Y las hortensias? También las hortensias. Cuando la he besado esta flor se ha roto, decía Álvaro, ¿le he hecho daño? No, rey mío, si ha sido sin querer no es culpa tuya. Y los pajaritos, ¿también son buenos? También, rey mío. Entonces, ¿por qué pican las flores? (Incipiente y versátil su dialéctica se detenía ahí.)

La abuela les aguardaba en el cenador del jardín y, como recompensa, al término de cada una de sus visitas, un objeto precioso, cuidadosamente guardado en una caja de metal que doña María cerraba en seguida con llave, pasaba a enriquecer su peculio privado con algún cromo, estampa,

dibujo o calcomanía. Al atardecer sus padres venían a buscarle en tartana (o en el recién adquirido DKW) y la abuela les acompañaba hasta la verja de la calle y le decía adiós
oreando el pañuelo (sentado en el regazo de su madre Álvaro le echaba besos con la mano).

Hubo un paréntesis de varios años. El vendaval de la guerra civil había sacudido con furia aquellas existencias pere-
zosas e inertes y numerosos personajes y comparsas del
mundo medieval de la familia desaparecieron de golpe como
si les hubiera tragado una trampa. Álvaro asistía sin inquietarse a sus eclipses bruscos e instalado en su cómoda
vida de huérfano emigrado, vegetaba en una apacible estación termal del Midi, secretamente feliz del providencial
conflicto que lo libraba (¿hasta cuándo?) de la engorrosa
obligación de la escuela (monótona ronda de estaciones
iguales en el recuerdo embrionario de su memoria aún
confusa).

Fue después, restablecida venturosamente la paz con los
estratos sociales congelados de nuevo conforme a un orden
severo e inmutable, de vuelta a Barcelona con las prerroga-
tivas y los derechos correspondientes a su meritoria estirpe
(colegio de pago y comida abundante, riqueza y virtud
armoniosamente conjugadas bajo el imperioso patrocinio
divino): su madre había acudido a buscarle a la salida de
las clases y, en un automóvil de alquiler, lo condujo con ella
a un pueblo de las afueras (era otoño, hacía gris y el viento desvestía las ramas de los árboles).

—Vamos a ver a la abuelita —dijo.

—¿Dónde está?

—En una casa de campo, a media hora de aquí... Ya
verás: es la residencia de unas monjas muy simpáticas que
se cuidan de ella y la ayudan.

—¿Qué le pasa?

—Está enferma. Durante la guerra sufrió mucho y ahora
tiene que descansar, ¿comprendes?... Ha perdido la memoria y no se acuerda de muchas cosas...

—¿Por qué?

—Porque tiene ya muchos años y ha sufrido mucho...
Tú, ¿te acuerdas de ella?

—Un poco —dijo Álvaro—. Antes vivía en Pedralbes.

—Bueno, pues cuando la veas, si no te reconoce, no hagas
caso... La pobre ha sufrido mucho.

—¿Qué le digo?

—No le digas nada. Si te habla, le contestas. Si no, le
sonríes y te vas a jugar al jardín.

—Y a ti, ¿te reconoce?

—Depende de los días... La pobre vive en un mundo
aparte y no se da cuenta de las cosas... A su manera es
feliz.

El automóvil se había parado ante una verja con rejas
en forma de lanza y, al apearse, Álvaro examinó con aprensión ·el muro que rodeaba la finca, coronado de un caballete
erizado con cristales y cascos de botella rotos. Su madre
agitaba la campanilla de la entrada y una monja descorrió
el cerrojo de la puerta y volvió a cerrarla inmediatamente,
después de asegurarla con un candado.

—Buenas tardes, hermana. ¿Conocía usted a mi hijo?

—No, señora. Está hecho ya un hombrecito.· ¿Qué edad
tiene?

—Nueve años.

—¿Qué estudia?

—Ingreso de bachillerato —dijo él.

Se interrumpió. A una veintena de metros de distancia
una mujer rubia discurría por un arriate de césped del brazo de una monja. Al divisarles se había encarado con ellos
e, inesperadamente, tuvo un pujo de risa estremecido y
fugaz, como un arpegio rápido.

—Vamos, vamos, no sea usted niña —percibió Álvaro
mientras se alejaban de ellos—. ¿Adónde quiere usted que
vayamos?

—Mamá —susurró—. ¿Has visto?

—Y mi madre, ¿qué tal está?

—Oh, la señora siempre alegre y de buen humor. Si
todas fueran como ella...

—Mamá.

—¿Le bajó la fiebre?

—Fue sólo un resfriado. Un poco de aire que cogió en el jardín.

—Mamá.

—Chist. ¿Qué tal la encontró el médico?

—Normal. La hermana Ángeles le enseñará luego la ficha —la monja caminaba despacio y apuntó con el dedo hacia el sombrío edificio barroco—: Ayer quiso tocar el piano... Una música que le gustaba a su hermana de usted... Dijo: mi hija pequeña lo tocaba todos los días e hizo unos versos sobre esta música...

—Sí, la *Pavana para una infanta muerta* de Ravel...

—No sé. Una obra muy bonita, con mucho sentimiento... Yo no entiendo gran cosa pero me quedé a oírla y me conmovió de verdad... Estuvo más de una hora en el piano y después merendó con buen apetito.

—¿Dónde está ahora?, ¿en el refectorio?

—No señora. Debe de andar de paseo por el jardín.

Avanzaban por una amplia alameda de castaños de Indias y su madre y la monja sostenían una conversación incomprensible, voluntariamente distanciadas de él. La disposición y frondosidad del jardín evocaban en Álvaro los senderos, glorietas, pabellones, escaleras de la fabulosa mansión de Pedralbés y el recuerdo de sus lejanas visitas con la señorita Lourdes (el paseo en tartana desde la Bonanova, la redecilla de encaje sobre el pelo blanco de la abuela, las sorpresas ocultas en la inaccesible caja de metal) afloró de improviso a su memoria simultáneamente a la aparición de una anciana de aspecto cadavérico, vestida con un delantal de paño burdo, que avanzaba en dirección a ellos majestuosa, irreal y sonámbula en medio de la desolación vegetal del otoño. (Preguntas atropelladas acudieron a su cerebro: ¿quién es?, ¿qué edad tiene?, ¿por qué viste de esta manera?) Sus ojos eran azules como el azul transparente del cuadro y el viento alborotaba el cabello entre las mallas de su redecilla.

Fueron unos instantes dolorosos durante los cuales Álvaro
había retenido la respiración implorando a Dios que aquella
sombra errante le reconociera suyo, recobrara sus limpios
y remotos dones, retornara milagrosamente a la vida.
Su sonrisa extraviada y dulce le había hecho concebir
esperanzas hasta el punto exacto en que sus ojos se cruzaron
y las pupilas de ella parecieron atravesarlo como para escudriñar algún objeto situado tras él. Casi en seguida la abuela
ladeó la cabeza y, después de un exploratorio e interminable
recorrido circular, esquivó la mirada y le volvió la espalda
negándole a él y negando su pasado como si no existieran
ni hubiesen existido nunca, cortado todo vínculo entre ella
y él, absorta, enajenada, huidiza.

Desde esta fecha (¿octubre de 1939?) Álvaro había
aprendido a conocer los límites de su condición y, aunque
sin formularlo con claridad (eso llegaría mucho más tarde),
sabía que todo, incluido él mismo, no era definitivo y perdurable como confiadamente creyera hasta entonces fundán-
dose en la continuidad de su universo reconstituido tras los
terrores y sobresaltos de la guerra, sino mudable, precario,
sometido a un ciclo biológico contra el que voluntad y virtud nada podían, todo expuesto a un azar, todo aleatorio,
irremediablemente prometido a la muerte, pasajero, fugaz,
todo caduco.

Algunos años atrás, adolescente aún y a punto de ingresar
en la universidad matriculado en el primer curso de Derecho, habías examinado el álbum familiar no con el propósito
actual de recuperar el tiempo perdido y hacer el balance
de tus existencias (el necesario arqueo de la caja, como en
los libros de cuentas de tu bisabuelo) sino con la esperanza
un tanto ilusoria de adivinar por medio de él las coordenadas inciertas y problemáticas de tu singular porvenir (un
poco como el arúspice que reconoce las entrañas de las víctimas o el cliente sentado frente a los naipes del cartomán-
tico). La rebeldía atesorada día a día contra el destino que

generosamente te brindaran por obra de una eyaculación torpe buscaba entonces su explicación y sus raíces en el aborrecido árbol genealógico. No era posible, te decías, que un sentimiento tan vivo e intenso, una anomalía tan honda e insobornable pudiera surgir de la nada y medrar enteramente en el aire, como una orquídea aerícola. Un miembro anónimo de tu linaje los había experimentado tal vez antes que tú, te los había transmitido intactos a costa de negros años de compromiso y disimulo. Lo que en ti maduraba y daba fruto alguno lo sintió germinar dentro de sí atemorizado, como un cáncer que aumenta y se fortifica en medio de la ceguera e ignorancia de los otros. Aquel impulso, oscuro y juntamente luminoso, lo había ocultado quizá como una gracia, quizá como una vergüenza, sacrificando en cualquier caso su verdad imperativa a la aprobación necia e inconsistente del clan. Heredero tú de él habías logrado cortar a tiempo las amarras sin conseguir por eso liberarte del todo. Familia, clase social, comunidad, tierra: tu vida no podía ser otra cosa (lo supiste luego) que un lento y difícil camino de ruptura y desposesión.

Definitivamente establecido el árbol genealógico (la rama paterna, con sus beatos y extravagantes, la materna, con sus psicópatas e iluminados) habías pesquisado tus eventuales predecesores, rastreando en sus vidas la pista soterrada que debía conducirte a tientas a la verdad. El material de que disponías era escaso: el álbum de retratos, algunas cartas y objetos personales, anécdotas remotas escuchadas durante tu olvidadiza niñez. La familia materna (casi extinguida ahora) permitía no obstante a tu fervor minucioso, gracias a la ausencia casi total de elementos reales, el juego excitante de las hipótesis y conjeturas. Así, la partitura de las *Gymnopedies* de Erik Satie propiedad de la fallecida tía Gertrudis que descubrieras un día en el guardamuebles de tu madre y una postal enviada por aquélla representando las ruinas de Taormina con sus esbeltas columnas erguidas bajo un exagerado cielo azul (únicos recuerdos de ella que llegaran hasta ti) te habían bastado para reconstituir una personalidad que fue sin duda recatada y sensible, suave y melancólica (hermana menor de tu madre la tía Gertrudis murió poco después de nacer tú, durante una representación teatral, de un síncope cardiaco) ; o la biblioteca del tío abuelo Néstor (idolatrado por tu abuela materna y silenciado por el resto de los tuyos) en la que hallaras ejemplares de Baudelaire y Verlaine, Clarín y Larra que debían alimentar más tarde tu inconformismo, su temperamento anárquico y violento, eufórico y depresivo: maridaje curioso (según los testigos) de revolucionario y dandy, hereu catalán y vagabundo (el tío abuelo Néstor había dilapidado una fortuna en el casino de Montecarlo, vivió amancebado con una tumultuosa poetisa irlandesa, separatista catalán militó en favor de la rebelión de los Sinn-Fein y se suicidó a los treinta y cinco años en un sanatorio suizo, colgándose de la ventana de su habitación con su propia bufanda).

Oscuramente entonces, con mayor claridad más tarde habías buscado estímulo en su desvío para proseguir tu camino con firmeza. Las mutilaciones remotas infligidas a tu cuerpo por el orgullo racial de unos paisanos pervertidos por sus dogmas y aquellas otras, más recientes, obra de tu bisabuelo traficante (esclavas ofrecidas a su capricho y placer, hombres reducidos a la mísera condición de instrumentos de trabajo) las asumías tú, en tu carne y espíritu, como cosecha necesaria (expiación tal vez) del mal hosco y cerril que sembraran en vida. Gracias a los malditos y parias de siempre (gitanos, negros, árabes instintivos y bruscos), habías logrado fraguar en ti, por unos minutos, la antigua unidad perdida hacia la que tu impulso rebelde tendía, por encima de preceptos y leyes, con irreductible nostalgia. Únicamente de este modo, completado así, purgando así, podías restaurar la inocencia de tu pasado común y encarar tu solitario destino de frente. Aplacado, sometido, lúcido, consciente vivir al fin, en abrupto y regenerador desafío, en medio de la fatua y complacida multitud de los cadáveres.

Alma de Cristo, santifícame.
Cuerpo de Cristo, sálvame.
Sangre de Cristo, embriágame.
Agua del Costado de Cristo, lávame.
Pasión de Cristo, confórtame.
Oh buen Jesús, óyeme.
Dentro de tus llagas, escóndeme.
No permitas que me aparte de Ti.
Del maligno enemigo, defiéndeme.
En la hora de mi muerte llá-
mame y mándame ir a Ti.
Para que con tus santos te alabe,
por los siglos de los siglos. Amén.

Sexto curso de bachillerato, sección B. Cuarenta adolescentes vestidos con pantalones de golf, corbata y cuello
duro, apiñados en filas compactas de espalda a los pomposos ventanales neo-góticos del vetusto edificio escolar. En
un rincón de la fotografía, a poca distancia de Álvaro,
la figura severa y circunspecta del reverendo padre confesor.

—Padre, me acuso de haber faltado tres veces contra
el sexto mandamiento.

—¿De pensamiento o con acciones, hijo mío?

—De las dos maneras.

—¿Solo o acompañado?

—Un amigo me enseñó una revista con mujeres y yo
se la compré.

—¿La miraste con él?

—Sí.

—¿Os tocasteis?

—No, cuando se fue él pequé yo solo.

—¿Sabías que cometías una falta grave?

—Sí.

—Entre todos los pecados es ése el que ofende más a
Dios y a la Virgen Santísima. ¿Te arrepientes sinceramente?

—Sí, padre.

—¿Has destruido la revista?

—No, aún no.

—Destrúyela y, en lo futuro, evita las frecuentaciones peligrosas que son el arma preferida del demonio para apresar a los incautos...

—Sí, padre.

—Durante una semana rezarás todos los días al levantarte y al acostarte un Padrenuestro y tres Avemarías.

—Sí, padre.

—Anda, vete con Dios.

Consecuencias físicas y morales del acto impuro. Clasificación de las jerarquías celestiales con las propiedades específicas de cada una de ellas. Tesino, Trebia, Trasimeno, Canas. Pichincha, Chimborazo y Cotopaxi. Binomio de Newton. Ovíparos, vivíparos, ovivivíparos. Barbara, celare, darii, ferio. Fórmula del bicarbonato sódico. Teorema de Pitágoras.

...Oportuno y diáfano el coro del *Lacrimosa dies illa* desplegó armoniosamente su estructura barriendo de un soplo los vestigios de su pasada dominación.

¿Quién diablos había metido aquella fotografía en el álbum? Dolores siguió la dirección de tu mirada y la contemplaba también.

Era un simple recorte, sin pie ni explicación algunos, como si su elocuencia misma le dispensara de la necesidad del comentario. Un hombre caído de bruces —¿muerto, herido?— junto al cintillo de la acera —¿atentado, accidente?— en medio de la curiosidad impasible de otros hombres —probablemente compatriotas suyos. Una estampa típica de nuestro tiempo sin distinción de grados ni latitudes, cotidianamente divulgada por unos y otros en sus periódicos y revistas, cines y televisores.

No era la primera vez que veías un documento del género y, por obligaciones del oficio tú mismo captaste varios mientras trabajaste en la France Presse como fotógrafo, pero algo había ahora que no conociste entonces y, de modo oscuro, te ligaba a la imagen anodina traspapelada en las páginas del álbum: una inquietud difusa respecto a tu personal destino y algo así como un entrañable y dolido impulso de solidaridad.

Hacía cabalmente cinco meses, en un día arisco del mes de marzo, habías bajado del tobogán gigante de la feria instalada en la place de la Bastille y te encaminaste tambaleando hacia el boulevard Richard Lenoir, con la cabeza vacía y el corazón hueco, contando mentalmente —recordabas— el número de tus pasos...

Lo que ocurrió luego podías reconstruirlo con facilidad recomponiendo circunstanciadamente los pormenores de la foto: tu mirada ciega, el rostro lívido, la aparatosa y trivial caída —protagonista inconsciente del espectáculo gratuito ofrecido por ti a los hombres y mujeres que casualmente circulaban por el lugar. Como en el recorte, te habían observado imperturbables y pasivos, la vista clavada en el animal indefenso que jadeaba a sus pies, acechando la llegada de la ambulancia o el coche de la policía para escabullirse con la bendita prudencia de los franceses por no verse en la obligación de testimoniar. Alguno, tal vez, se había arrimado hasta ti y te había rozado, cauteloso, con la punta del zapato.

Una civilización eficiente y fría, adiestrada por los modernos medios de propaganda a considerar el tiempo en cifras y el hombre como útil de trabajo —la única civilización posible hoy te decías, no obstante, con amargura— te había reducido a esto: a incidente común e irrisorio en la jornada de los hombres y mujeres que paseaban por el boulevard Richard Lenoir, felices ellos de sentirse a salvo, tranquilos y seguros de sí mismos, con el desdén egoísta pintado en el rostro y en el pecho un contundente "Moi je m'en fous".

Tu porvenir sería ése y, al calibrarlo, admirabas el arrojo y valor de quienes, sin aguardar el turno, voluntariamente lo afrontaban con la negra boca de la escopeta o el revólver súbito —e incluso a los que, careciendo de aquéllos, lo compensaban con una botella de aguardiente y, borrachos, absorbían el ominoso tubo de veronal.

Nuevo Lázaro, resucitaste en una sala inmensa del hospital Saint-Antoine y, como ahora, Dolores estaba junto a ti y, tiernamente, te sonreía.

Los faros de un automóvil clarearon inesperadamente el tronco andrajoso de los eucaliptos y la afilada silueta de los cipreses rescatándolos por unos instantes, en silenciosa onda, de la tiniebla espesa en que se hallaran sumidos. Álvaro se asomó a la puerta de la galería y, con un suspiro, Dolores levantó el brazo del picú.

El Dofín gris había trazado un semicírculo de luz amarilla antes de inmovilizarse al borde del mirador y, casi simultáneamente, las cuatro puertas se abrieron y Ricardo y Artigas surgieron en compañía de dos muchachas rubias de aspecto extranjero, con camisas de cuadros y tejanos ceñidos.

—Salud —dijo Ricardo—. ¿Llegamos tarde?

—Pronto —repuso secamente Dolores.

—Traemos una sed bárbara —dijo Artigas—. ¿Nos echáis de beber?

Dolores y Álvaro estrecharon la mano de las muchachas. Ellas observaban el jardín parpadeando y murmuraron algo ininteligible.

—Las hemos encontrado a la salida de Cadaqués. Hacían auto-stop y se quedan a dormir con nosotros.

—Son danesas —aclaró Artigas—. Danish very sexy beautiful women.

—No saben una gorda de español —dijo Ricardo—. Les mentáis la madre y ni siquiera se enteran.

Las dos muchachas sonreían al unísono, perfectamente adaptadas a la nueva situación. Al entrar en la galería sus miradas convergieron hacia la pila de discos amontonados junto al picú.

—Ponles un cha-cha-cha a ver si menean un poco el culo —dijo Ricardo.

—¿No traen equipaje? —preguntó Dolores.

—Vienen a vivir de la tradicional hospitalidad del pueblo español.

—Llegaron a Port Bou sin dinero ni nada —dijo Artigas—. Son un auténtico bien de consumo.

Dolores se retiró unos segundos a inspeccionar los preparativos de la cena. Casi en seguida la sirvienta apareció con las botellas y el hielo.

—¿Os preparo un daiquirí? —propuso Álvaro.

—Para mí, clarete del país —dijo Ricardo—. Perelada o algo por el estilo.

—Do you want to drink?

—Thank you very much.

—Sírveles un uisqui doble para que se jalen.

—Hablando de daiquirís, ¿sabéis quién me ha escrito? —Artigas se tumbó en el diván y acarició el tobillo de una de las danesas—. El mismísimo Enrique.

Dolores volvía con las copas y cambió una brevísima mirada con Álvaro. Las muchachas examinaban con atención las fundas de los discos. Artigas sacó un sobre arrugado del bolsillo y lo exhibió triunfalmente.

—¿Os la leo?

—No, por piedad —dijo Dolores.

—Solamente un párrafo, oíd bien: Por la prensa sigo los acontecimientos de ésta y pienso que sería mucho más necesaria mi presencia allí que acá. Si lo juzgáis oportuno avisadme y yo me las apañaré para venir.

Hubo una pausa. Calmosamente, Dolores alumbró un cigarrillo.

—¿A qué acontecimientos se refiere? —dijo Ricardo—. ¿No se habrá confundido de país?

—A lo mejor cree que esto es el Congo —sugirió Artigas.

—El pobre está cada día más fuera de onda, ¿qué se debe de figurar?

—Si viene aquí lo único que puede suceder es que se muera del susto.

—O que joda de una puñetera vez con una francesa y se quede tranquilo.

—La gente ha perdido el miedo a confesar que es de derechas —explicó Artigas—. El otro día vi a Paco en el Stork Club y me lo dijo: soy monárquico y conservador...

—No me digas —Álvaro sonreía—. ¿Qué hace ahora?

—Vivir de sus rentas y beber uisqui, ¿qué otra cosa quieres que haga?

Las danesas habían dado con un disco de Ray Charles y consultaron con la vista a Dolores sin decidirse a mangonear en el picú.

—Anda, moved el culo si queréis —en contraste con la dureza del tono Dolores sonreía.

—Really?

—Yes, yes.

Se había incorporado bruscamente y salió del jardín.

—¿Qué le ocurre? —preguntó Artigas—. ¿Por qué se ha cabreado?

—No sé —dijo Álvaro—. Dejadla en paz, ya se le pasará.

—Si las chicas os molestan...

—No, no es por esto. El médico me ha prohibido el alcohol y, cuando bebo, se pone nerviosa.

—A propósito, ¿qué tal estás?

—En el mejor de los mundos.

—¿Trabajas?

—Por ahora no.

Un segundo automóvil irrumpió en tromba por el jardín. Dolores lo saludó con el brazo y Antonio se apeó y le dio un beso. Instantes más tarde entraron los dos.

—Me cago en la mar —dijo él—. ¿Sabéis la noticia?

Sus palabras flotaron en el aire por espacio de unos segundos, provocando una veloz e incruenta hecatombe de amigos comunes, como en un macabro y terrorífico juego de bolos.

—¿Qué noticia?

—¿De verdad no la sabéis?
—No.
Antonio se sentó en el brazo del sofá y golpeó con el puño en la palma de la otra mano.
—El profesor Ayuso ha muerto —dijo.

CAPÍTULO II

Allanad con el pie las múltiples bocas de un hormiguero, pacientemente construido grano a grano sobre terreno ingrato y arenoso y pasad el día siguiente por el lugar: lo veréis de nuevo sutil y floreciente, como una plasmación del instinto gregal de su comunidad laboriosa y terca, así la habitación natural de la fauna española, la ancestral y siempre calumniada barraca de caña y latón, condenada a desaparecer, ahora que sois como quien dice europeos y el turismo os obliga a remozar la fachada, por la vía expeditiva y un tanto brutal, preciso es reconocerlo, del moderno y pujante neo-capitalismo de organización, barrida un día de la Barceloneta y Somorrostro, Pueblo Seco y La Verneda, resurge inmediatamente, lozana y próspera, en Casa Antúnez o en el puerto franco como expresión simbólica de vuestra primitiva y genuina estructura tribal.

Tú contemplabas aquel reino Taifa compuesto de casucas y chozas, tan semejante al que filmaste tiempo atrás (reino destruido después por decreto con entrega solemne de viviendas confortables y limpias a sus toscos y recelosos habitantes) y la indignación que te poseyera antaño te resultaba tan extraña como el aspecto consabido de sus pobladores (pequeños y secos, oscuros y reconcentrados). Sentías asombro (eso sí) ante la obstinación y empecinamiento con que intentaban aferrarse a una vida cuyas premisas jamás ponían en duda, como si su finalidad (te decías) fuera nacer, crecer, multiplicarse y morir con la resignación muda de los animales, oh pueblo español (invocabas), comunidad ruda, grey silvestre, forjado en el frío y desamparo de la estepa (tuya y de tus paisanos).

Ricardo había estacionado el Seat frente a la parada terminal del tranvía y, al apearte, examinaste los chiquillos semidesnudos que corrían por la explanada y los viejos sentados junto a la primera fila de chozas. ¿Eran los mismos de antes o se trataba de gente nueva? La sempiterna miseria andaluza había encontrado allí un campo familiar donde explayarse: una mujer enlutada llevaba una cántara encima de la cabeza y hasta el perro sarnoso que se mosqueaba con el rabo parecía réplica cabal de algún otro, entrevisto mil veces en un poblado del Sur. En la falda del cementerio las barracas proliferaban como apretada cosecha de hongos. Empezaste a contarlas (un poco como el que cuenta ovejas) pero el aburrimiento pudo más que tú. ¿Cien, doscientas? Desde tu puesto de observación (¿o era un efecto de la luz?) las últimas chozas se confundían con los primeros monumentos fúnebres, como si la frontera existente entre los dos mundos se hubiera abolido de golpe. Charnegos pobres y barceloneses ricos, muertos dormidos y muertos despiertos: la diferencia de unos a otros se reducía a una estricta cuestión de horizontalidad.

Sin decir palabra os encaminasteis hacia la escalera que conducía a la entrada del cementerio. A los lados varios tenderetes de flores naturales y artificiales exhibían ramos de rosas, claveles, siemprevivas, anémonas. Una señora vestida de negro regateaba el precio de una corona con uno de los vendedores y, sin saber por qué, te acordaste del viejito que, años atrás, al atardecer de un melancólico día de difuntos, había cogido furtivamente un ramillete depositado por otros sobre la losa de una tumba y, tras una breve y cautelosa ojeada circular, lo había colocado en el nicho propio, ante la fotografía remota de algún familiar querido. Ricardo miraba, distraído, las lápidas de jaspe y alabastro y comentó: —Falta una hora para que lleguen.

—No importa —dijiste tú—. Daremos una vuelta.

Era el cementerio de los tuyos y, siendo mozo, habíais ido a visitarlo en compañía de los tíos, el día del entierro de tu madre y en los aniversarios de su muerte, secretamente fascinado por el subsuelo de aquel panteón en el que tenías reservado un lugar desde el instante mismo en que naciste, sabiendo ya a tus dieciséis años que de no cortar a tiempo las amarras, restituirías en él a la tierra los elementos dispersos de tu cuerpo en obscena simbiosis con los demás miembros de tu estirpe, desintegrándote allí, en la nada de su periplo absurdo, por los siglos de los siglos.

En el registro de entradas varios convoyes mortuorios aguardaban turno con una amalgama promiscua de apatía, resignación e impaciencia. Las furgonetas permanecían estacionadas frente a los arriates de flores y un capellán iba de grupo en grupo estrechando manos y recogiéndose a orar ante los ataúdes. Ningún ex alumno de Ayuso había llegado aún. Mientras vagabundeabais por los jardines los empleados municipales parlamentaron con una de las familias allí presentes y, finalizado el conciliábulo, el séquito de parientes y amigos se puso otra vez en marcha.

La comitiva enfilaba pausadamente la calzada principal y caminasteis tras ella en dirección al cementerio alto. Los nichos flanqueaban el lado izquierdo de la avenida con sus epitafios, inscripciones, fotografías, coronas. Conforme el terreno se elevaba podías distinguir las tumbas situadas al pie del monte escoltadas por el verde oscuro de los cipreses y, a lo lejos, el mar embravecido y azul, la grúa y el faro de la escollera, los barcos anclados en la boca del puerto a la espera del aviso del práctico que debía autorizar la descarga. El sol empalagoso de verano parecía demorarse a poniente, pero la violencia del viento presagiaba el aguacero. Sobre la fortaleza de Montjuich esporádicas nubes, avanzadilla de un ejército amenazador y sombrío, ocupaban estratégicamente posiciones en un cielo huidizo, trasparente, incoloro. Voló una abubilla, rauda, rasando las tumbas y fue a posarse ágilmente en el frontispicio de un panteón. El rumor de la urbe subía del llano como el jadeo cansado de un animal.

El cementerio había sido concebido en sus orígenes como una apacible y somnolienta ciudad de provincia con sus jardines y avenidas, glorietas y paseos, nichos de clase media y pobre y suntuosos panteones burgueses y aristócratas. Inaugurado en el periodo de desarrollo y expansión de Barcelona, cuando el recinto del cementerio viejo•se había revelado a todas luces insuficiente, las diversas corrientes arquitectónicas y estilos decorativos de la época convivían en él en profusa y abigarrada agresividad: losas mortuorias con cruces, coronas, guirnaldas, Dolorosas y arcángeles; mausoleos de mármol inspirados en algún monumento fúnebre del medioevo; capillas neo-góticas con vitrales de colores, ábside, nave y crucero escrupulosamente reproducidos en miniatura; templetes griegos calco del Partenón de Atenas; extravagantes construcciones egipcias con esfinges, colosos, carruajes y momias como hechos aposta para una representación de *Aída* se sucedían ante los ojos del visitante como síntesis y prolongación de la aventura crematística de sus dueños, apellidos insignes en el Gotha particular catalán, comerciantes, banqueros e industriales enriquecidos en Cuba y Filipinas, autonomistas y defensores del proteccionismo económico, recia casta burguesa (ennoblecida luego) pilar y fundamento de la bolsa, la industria textil y el tráfico ultramarino, tu casta (sí, la tuya) pese a tus esfuerzos por zafarte de ella, a menos que (¿o era otra rebeldía inútil?) afrontases con resolución el destino y acortaras voluntariamente el plazo.

El espíritu que había animado el ensanche y florecimiento de la ciudad se manifestaba allí, te decías, con una coherencia ajena e inmune a la muerte, como si los difuntos próceres del algodón, la seda o los géneros de punto hubiesen querido perpetuar en la irrealidad de la nada las normas y los principios (pragmatismo, bon seny) que habían orientado su vida. Aquellos mausoleos pomposos respondían de modo cabal al gusto rústico e inculto de sus propietarios como el chalé o torre de veraneo edificados en Lloret o Sitges (obra tal vez del mismo arquitecto) hijos unos y otros de un anacrónico sistema de empresa paternalista y familiar, sordamente minado al cabo de los años no sólo por las luchas y reivindicaciones obreras (acalladas ahora a culatazos) sino también (lo cual era mucho más serio) por los imperativos y exigencias del moderno capitalismo de Estado. Los panteones parecían ignorarlo no obstante y, con enternecedora inocencia, lucían aún, muertos sus dueños, belvederes y cúpulas, miradores y balaustradas, dispuesto todo ello como si se tratara de verdaderas habitaciones, confort y lujo irrisorios que los viejos y friables huesos que albergaban no aprovecharían jamás.

Doce años atrás, en el bar subterráneo del patio de Letras situado frente a la entrada de la capilla, Álvaro había advertido la presencia de un muchacho de su edad, vestido con afectado descuido, que parecía moverse en un universo fantasmal, avanzado a tientas en medio de los grupos de estudiantes como sonámbulo en abrupta y pertinaz pesadilla. En la mesa en que preparaba la lección de Historia Ricardo y Artigas discutían con el entonces brillante y popular delegado de curso del SEU Enrique López. Antonio estaba sentado más al fondo con dos alumnos de Derecho, discípulos asimismo del profesor Ayuso. El muchacho pasó junto a ellos tambaleándose y buscó en vano un hueco entre las banquetas laterales. Su actitud era cada vez más insólita y las miradas convergían en él con creciente reprobación. En un momento dado tropezó con una silla, estuvo a punto de perder el equilibrio y, para no caer, se aferró al hombro de un jovenzuelo con gafas. Sus ojos claros escudriñaban alrededor de él mientras retrocedía, estoico, hacia la salida y se perdía en dirección a los lavabos hasta desaparecer del campo visual de Álvaro, en el lugar preciso en donde, años después, la hermana de Artigas prendió fuego a la mecha de un petardo y subió tranquilamente la escalera anticipándose unos segundos al estallido.

—¿Qué le pasa?
—¿No has visto?
—No me he fijado.
—Está como una cuba.
—¿Quién es?

—Un chalao. Sus padres tienen una pila de dinero.

—¿Qué estudia?

—No estudia. Se pasea por ahí en coche y escribe poemas.

—Nunca le había visto.

—Por acá se asoma poco. Si te interesa conocerle ve mejor a los bares y casas de putas.

Era a comienzos de noviembre y Álvaro había vegetado unas semanas en compañía de universitarios pusilánimes y aburridos, encuadrado en la masa compacta de estudiosos que, a la salida de las aulas, discutían los temas dictados por los profesores y se aplicaban a repasarlos juntos.

Enrique figuraba entre los alumnos más destacados pero, a diferencia de los otros, su actividad no se limitaba al cultivo estricto de las materias y, con su voz bien timbrada de barítono, se complacía en disertar a menudo sobre deportes, historia, literatura.

—¿Conoces los discursos de José Antonio? —le había preguntado a Álvaro.

—No.

—Pues léelos. No tienen desperdicio.

—La política no me interesa.

—Aunque no te interese. La teoría del Estado moderno, de los sindicatos, de la superación de la lucha de clases... Es algo formidable... La única respuesta seria de Europa al desafío de Lenin.

Enrique hablaba con dilatada elocuencia de Ramiro Ledesma, Hedilla, Pradera, los sinarquistas. Alto, robusto, de armoniosos rasgos, al expresarse en público dejaba caer un mechón de pelo rubio sobre la frente y lo rechazaba con un enérgico movimiento de cabeza con la sabiduría instintiva del tribuno. Su dialéctica no desdeñaba el empleo de los puños y en los claustros se comentaba aún con admiración la refriega que le había opuesto a cuatro estudiantes donjuanistas contra los que embistió como un toro, derribando por turno a tres y arrojando al último al laguito artificial del patio. Sus condiscípulos del colegio de San

Ignacio evocaban los tiempos en que, vestido con la camisa azul y tocado con la boina roja, entrenaba a las centurias juveniles de Falange, marcando el paso con precoz y apuesta marcialidad y saludando rígidamente a la hitleriana. Otros afirmaban haberlo visto en el año 43 al frente del grupo de los manifestantes que incendiaron la pantalla de un cine barcelonés en el que por primera vez se proyectaba en España una película de guerra de nacionalidad inglesa. A sus catorce años la derrota militar de Alemania le sumió en un abismo de desesperación y, encerrado en su cuarto, lloró por espacio de varias horas escuchando la obertura de *El crepúsculo de los dioses* de Wagner. Desde entonces Enrique había consagrado sus esfuerzos a la restauración de la primitiva doctrina de José Antonio y, a su ingreso en la universidad, militaba en el pequeño pero activo núcleo de los falangistas descontentos.

—Si Ramiro Ledesma viviese...

—Vivo o muerto, las cosas seguirían igual —afirmaba Antonio.

—Mentira —Enrique intervenía perentoriamente—: Son los actuales dirigentes quienes han traicionado la Revolución.

Unos días más tarde Álvaro había vuelto a ver al muchacho en el bar. Estaba sentado en una mesa del rincón y parecía absorto en la lectura de un libro. Cuando Enrique llegó y elevó la voz, dejó el libro sobre el asiento de la banqueta y encendió un cigarrillo con dedos temblorosos.

—¿Habéis seguido la lección de Ayuso? —preguntó Antonio mientras el camarero servía las consumiciones—. Un verdadero tiro rasante.

—¿Contra qué?

—¿Contra qué va a ser? ¿No le has oído hablar de los Fueros? ¿De las épocas de libertad y de tiranía?... Pues no se ha mordido la lengua el hombre.

—Éste, al menos, tiene el valor de proclamar sus opiniones —dijo Enrique—. Los que me joden a mí son los tibios.

—Ayuso no ha sido nunca un tibio —dijo Antonio—. Después de la guerra estuvo dos años preso, ¿lo sabías?

—Cuando topo con un rojo me gusta que dé la cara —Enrique se expresaba con vehemencia—. Con Ayuso uno sabe ya a qué atenerse mientras que otros...

—¿Qué otros?

—¿Para qué dar nombres? Nosotros les sacamos las castañas del fuego y ahora se las dan de liberales.

—Ésos son chaqueteros.

—La verdadera peste de un país es la democracia.

El muchacho escuchaba la conversación y sonreía con ironía. Cuando el camarero volvió con la bandeja reclamó una ginebra doble.

—Se va a emborrachar usté otra vez...

—Por lo que uno oye decir aquí más vale estar borracho.

Enrique se incorporó y se encaró con él. Ricardo había intentado en vano retenerle.

—¿Quieres hacer el favor de repetir lo que has dicho?

—He dicho que para oír lo que usted dice mejor se emborracha uno o se pone algodones en las orejas —repuso el muchacho con naturalidad.

Enrique amagó un movimiento de ataque, pero se contuvo. Sus mejillas habían enrojecido de golpe.

—Si eres un hombre sube conmigo al patio.

—No soy un hombre.

—¿Qué eres, entonces? ¿Una mujer?

—No soy nada y usted tampoco. Pero usted se imagina que es alguien.

Antonio y Ricardo habían intervenido y sujetaban a Enrique.

—No le hagas caso. Está bebido.

—Oh, déjenle que me pegue... ¿No ven que después se sentirá más macho?

—Tú cállate o...

—Lo único que no le perdono es el tuteo.

La llegada de un grupo de profesores al bar liquidó el

incidente. Poco a poco los alumnos subieron al patio y
Enrique les imitó, seguido por sus demás compañeros. Álvaro había decidido hacer novillos y, cuando se levantó para
pagar, el muchacho abandonó de nuevo la lectura del libro
y sus miradas se cruzaron durante unos instantes.

—Vaya imbécil tu amigo.

—No es mi amigo.

—Mejor para ti. Siempre que vengo acá lo encuentro
predicando, como si se paseara por el mundo con un estrado portátil... ¿No sabe quedarse callado un momento?

—En realidad no es mal tipo —dijo Álvaro.

—La gente como él me pone enfermo... Preparándose,
todo el santo día preparándose... ¿Para qué?, me digo...
Luego acaban tenderos y se dedican a estafar al público.

—¿Y tú? ¿Qué estudias?

—Nada. En este país nada vale la pena... Como mi padre
quería que me matriculara en la universidad, me matricu-
lé... Pero no estudio.

—¿En qué te matriculaste?

—No lo sé. —El muchacho se llevó una mano al bolsillo
y hurgó en el interior de su cartera—: Debe de estar escrito en el recibo, yo ya no me acuerdo... Lo decidí a cara
y cruz delante de la ventanilla.

—¿Y qué salió?

—Mira. Aquí está. Derecho —sonrió—. Picapleitos como
dicen... Yo, francamente, prefiero pegar sellos en un estan-
co... ¿Qué. bebes?

—No tengo sed, gracias.

—El lugar no invita, desde luego —admitió—. Tengo
el coche estacionado ahí delante... ¿Quieres que demos
una vuelta?

La carretera se alteaba en zigzag por la ladera de la montaña y en un recodo del camino os detuvisteis a observar
el paisaje. Los tanques de petróleo de la Campsa relucían
al sol y nubes enmarañadas y densas bogaban hacia el

horizonte marino. Los cargueros aguardaban inmóviles
al otro lado del espigón. Más allá de los tinglados y depósitos del puerto franco el mar embestía a dentelladas con
monótona regularidad. De las chabolas de Casa Antúnez
subían voces hirientes y levantiscas. A un extremo del terraplén dos cipreses erguidos como centinelas velaban, solitarios y graves, la lenta descomposición de los cuerpos.

Continuasteis carretera arriba. Las hornacinas sustituían
poco a poco a los mausoleos, como los alveolos de una
gigantesca colmena. Era la zona más reciente del cementerio
y el concepto utilitario de la moderna civilización urbana
cristalizaba acá en una fórmula arquitectónica común y
más simple emparentada en cierto modo con el esquema de
Le Corbusier. En la cima del monte la vegetación desaparecía —los cipreses, los sauces, las palmeras, los pinos—
y únicamente los arriates trazados en encrucijadas y plazas
—césped, romero, chumberas, agaves— ponían una nota
escueta de color. Los nichos se alineaban en bloques compactos como manzanas de casas fabricadas en serie para
burócratas y oficinistas, igualmente deshumanizados y asép-
ticos con sus tablas de mármol que reverberaban como ventanas, sus tumbas abiertas tal edificios huecos en construcción, sus aceras y calles desnudas y uniformes, sus señales
de tráfico distribuidas en las esquinas: viviendas protegi-
das madrileñas o H.L.M. parisienses, ¿por qué no super-
mercados, cines, farmacias, cafeterías, anuncios luminosos?
Una desolada impresión de vacío se adueñaba del visitante
ante aquella (¿involuntaria?) parodia del mundo industrial. Cemento y piedra. Ni una flor ni un pájaro. Vosotros, los muertos-vivos, y nada más.

El automóvil era un MG descapotable, de modelo algo
anticuado. Sergio te había ayudado a abrir la portezuela
y, al acomodarte tú, retiró unos sostenes arrugados que
había sobre el asiento.

—Ayer noche di una vuelta por la Diagonal con una

puta y, al vestirse, los olvidó en el coche. Me di cuenta esta mañana, cuando venía hacia aquí. Tenía unas tetas magníficas... Oh, la pobre subió las escaleras a gatas.

—¿Por qué? —dijiste tú.

—Porque no se aguantaba de pie. Ni yo tampoco, dicho sea entre paréntesis... No recuerdo en absoluto cómo pude volver a casa. Ana me despertó y me dio un baño.

—¿Conducías bebido?

—Casi todas las noches conduzco bebido. Para mí es una costumbre. Al principio Ana se preocupaba, pero ahora me deja en paz.

—¿Nunca has tenido un accidente?

—Nunca. El alcohol me estimula, al contrario. Los reflejos son mejores... Lo único que me embota de verdad es el agua.

—Y tu padre, ¿qué dice?

—Papá es un asno. Para él la vida se reduce a una cuestión de aritmética. Una casa no es una casa sino un presupuesto; un campo no es un campo sino cierto número de hectáreas; cuando ve el mar sueña en convertirlo en petróleo... Se imagina que es muy listo porque gana dinero y sus empleados se descubren al verle... Por fortuna, Ana es muy distinta.

—¿Qué hace tu padre?

—Exporta e importa naranjas y cosas así... Algo apasionante, figúrate... Cacao de las islas Galápagos y harina de trigo para fabricar hostias... El muy imbécil cree que más tarde voy a continuar con el negocio. Que duerma, si quiere... El día menos pensado le voy a despertar del susto.

—¿Y tu madre?

—Ana es estupenda. Reprimida e insegura, pero estupenda. Lo que no entiendo es cómo puede soportar a un cretino como él...

Sergio conducía de prisa, sorteando la caótica circulación de las Rondas y, de improviso, torció por la calle de la Cera, en dirección a Hospital.

—¿Te gusta el Barrio Chino? —preguntó.

—No he estado nunca.

—Yo voy todos los días. La única gente interesante de Barcelona se encuentra acá... Putas, carteristas, maricones... Los demás no son personas, son moluscos.

A través de la ventanilla del MG habías contemplado por primera vez la ciudad sucia y desharrapada, con las fachadas de las casas raídas y los andrajos de sus habitantes aireándose en los balcones. El desahogo ruin de la década de los cincuenta no se manifestaba aún en las zonas bajas y, sustraído de pronto al ozono leve y estimulante de los barrios residenciales, tenías la impresión de zambullirte en un mundo distinto, profundo y más denso, sintiendo que el oxígeno se enrarecía en tus pulmones, timorato e incierto como animal doméstico arrebatado bruscamente a su elemento natural cotidiano. Tabernas sombrías como guaridas de ladrones, cafetines oscuros y malolientes, sórdidas tascas con tapas y bebidas de procedencia dudosa se sucedían a lo largo de las calles míseras y, en las esquinas, mujeres de origen y profesión inclasificables vendían barras de pan de estraperlo, cigarrillos americanos, encendedores, embutidos que, al menor signo de alarma, ocultaban en sus faldas, escotes, ligas, en abierto y perpendicular desafío a las reglas del pudor y la higiene. En tiendas y colmados una mugre secular parecía acumularse sobre los extraños productos del subdesarrollo ibero: las calderas de aceitunas, los garbanzos y alubias cocidos, los inmensos quesos manchegos grasientos, amazacotados, redondos. Proliferando en tan espléndido caldo de cultivo, la españolísima Corte de Milagros —única Corte perdurable y auténtica de vuestra accidentada y sorprendente historia— exhibía sus vicios y defectos en medio de la indiferencia general de la tribu: brazos torcidos, muñones, llagas, ojos velados como espejos ciegos poniéndote en contacto, a tus diecinueve años de existencia vacua, con la estructura real de una sociedad a la que sin saberlo pertenecías, excrecencia paralela e inversa, aquella, a la de vuestra parasitaria casta —voraz, tentacular, madrepórica.

Os detuvisteis en la calle San Rafael. Sergio te había mostrado un escaparate con un rico surtido de preservativos y te ofreció una cajetilla en la que aparecía dibujada la Gioconda. Tu inexperiencia y candidez avivaba su prurito natural de entendido y, mientras caminabais hacia los burdeles de Robadors, te puso al corriente de sus experiencias.

—Las mejoras putas son las más baratas. El otro día fui con una de seis pesetas. Desdentada, sarnosa, un verdadero modelo de Solana.

—¿Te acostaste con ella?

—Le pedí que se desnudara y se lavara en el bidé. Algo extraordinario, te lo juro. Quise hacerle un dibujo pero se cabreó. Me dijo: eh, tú, pardal. Et penses qu'aixó es l'Academia de Bellas Artes?

—¿Qué hiciste, entonces?

—Le di cinco duros y me largué.

—¿Sin tocarla?

—Sin tocarla.

—¿No se enfadó?

—¿Enfadarse?... Para ella era un alivio. Imagina, cien veces al día. Por mucho temperamento no hay quien lo aguante.

(Cuando días atrás pusiste los pies en Barcelona al cabo de siete años de ausencia rehiciste minuciosamente el itinerario de Sergio, intentando revivir las emociones que te inspirara entonces. El decorado había mudado apenas: los prostíbulos estaban cerrados pero en los bares que los sustituían las mujeres proseguían activamente su comercio; los tugurios y tascas eran los mismos de antes y los sempiternos limpiabotas y los mendigos. Pero habías cambiado tú y a tu excitación juvenil sucedía una melancólica actitud de despego. El barrio proseguía su existencia lóbrega, ajeno a ti y al ansia de vivir de tus años mozos. Desmayadamente evocabas la fiesta de la Octava de Corpus —el año 56, meses después de la muerte de Sergio— cuando fotografiaste la procesión en la calle Guardia: gladiadores romanos con alpargatas de payés, una santa Eulalia púber que masticaba chicle, el bostezo circular de un cura, un coro atroz de draculines vestidos de acólito; detrás de éstos, bajo el rótulo legendario que anunciaba las "Habitaciones Madame", las niñas que habían hecho la primera comunión desfilaban disfrazadas de angelito con alas y túnicas de color blanco y parecían encaminarse al meublé con la mística compunción de los adolescentes de Sade a una orgía sacrílega, demencial, fabulosa. Un olvido más denso que el de otras épocas de tu pasado cubría justicieramente aquel período de tu vida. Única prueba visible, las fotos, solamente, escapaban a él; pero, ¿cómo reconstituir con tales elementos los meses, para ti decisivos, de vuestra abolida amistad?)

Después de un recorrido por el barrio, Sergio te llevó a uno de sus bares y os sentasteis en compañía de dos mujeres. Tu amigo se movía en aquel ambiente como si siempre hubiera medrado en él y tú admirabas celoso, su impertinencia, su juventud, su osadía. Las prostitutas le trataban como a uno de la familia y, en un momento dado, recordabas, se apartó a pegar la hebra con un hombre y le compró un sobre pequeño que guardó inmediatamente en el bolsillo.

—¿Te gusta la grifa?
—¿Qué es?
—Una hierba.
—¿Es una droga?
—Sí.
—No he probado nunca.
—Si vienes a mi estudio fumaremos.

Aquel día no fuiste a su estudio ni fumaste la grifa (en realidad, según descubriste después, Sergio no fumaba tampoco: se limitaba a aspirar el humo y exhalarlo en seguida, sin llevarlo jamás a los pulmones). Algo había ocurrido, para ti importantísimo, aunque entonces quisiste ocultarlo. Una de las mujeres te había propuesto ir con ella y accediste ante el temor de que te reconocieran virgen, ignorando también (lo que había reforzado tu arrojo) que se pudiera hacer el amor a la una de la tarde (hasta la fecha lo creías privilegio exclusivo de la oscuridad, sólo posible al tañido armonioso de la flauta y sobre los divanes orientales de las subyugadoras cortesanas de Pierre Louys). La habitación era pequeña, mal ventilada. El lecho sucio. El armario deprimente. Te desnudaste, temblando, sin atreverte a mirar su cuerpo avergonzado como estabas del tuyo propio, maravillado, al fin, al comprobar que el roce experto de sus dedos hacía de ti un hombre que, aunque con torpeza, se tendía sobre ella y, más torpemente aún, la penetraba (siempre guiado por su mano), encendidas las mejillas, rojos los pómulos, fundidos los dos hasta el placer crispado que te había devuelto a la vida tras aquellos segundos inacabables de olvido, de muerte. Recién incorporado de la cama te habías examinado en el espejo y tu reacción fue, simplemente, de asombro.

El hondo amor que desde niño presentías, ¿era éste?

Un convoy mortuorio había desembocado inopinadamente por la avenida y se detuvo junto a un bloque de nichos, a un centenar de metros de donde vosotros estabais. En la comitiva había varios sacerdotes y, mientras los empleados de Pompas Fúnebres descargaban el féretro, observaste sus sortilegios con frondosa incredulidad. La farsa ritual —inventada por otros y mecánicamente repetida por ellos— perseguía a tus paisanos hasta su reducto último. Vicarios de un dios afásico y nulo vivían —prosperaban— a expensas del miedo y desamparo como voraces, suntuosos buitres. La rebeldía de tus años mozos había resucitado intacta y, meditando en el destino póstumo del profesor Ayuso, tenías ganas de vomitar.

—¿Estás cansado? —dijo Ricardo.

—Es la falta de costumbre.

Regresasteis atajando por las escaleras. La panorámica era otra vez magnífica (el mar agitado y metálico, los tinglados y depósitos de la Campsa, la playa libre) y durante el descenso (tu corazón latía con fuerza y debías caminar despacio) te entretuviste en atisbar los epitafios de las lápidas: "LO QUE TÚ ERES, YO HE SIDO, LO QUE SOY, SERÁS." "EL SEÑOR MI DIOS ACOGERÁ A SU SIERVO EN EL PARAÍSO." "NO ES MUERTO SINO QUE DUERME." "DIOS MISERICORDIOSO APIÁDATE DE ESTE POBRE PECADOR." Invocaciones, plegarias, consejos, setencias, vanos señuelos de inmortalidad.

Extrañísima religión la de los tuyos, pensabas, y extrañísimo dios —a quien el fiasco de su propia creación defrauda de tal modo que se cree obligado a bajar al mundo a fin de completarla y corregirla, con el resultado sabido por todos: ¿el fracaso no era otra vez manifiesto? ¿Qué lección moral deducir de esta rocambolesca fábula?

Hornacinas con tiestos, coronas, laureles. La fotografía borrosa de un caballero ceremoniosamente vestido de chaqué. Una alegoría de la muerte, tallada en alabastro, al pie de una columna rematada con una Virgen. Una tumba decorada como un sarcófago egipcio. Un ángel iracundo y solemne, erguido como la estatua de la Libertad de Nueva York.

Violento, abrumador, el cielo concertaba su oquedad opaca junto al ámbito estéril de las losas diseminadas en la hierba. Un sauce desmayaba tembloroso y la amenaza sombría de las nubes parecía cernirse sobre él. Volaron unas hojas anticipándose de modo agorero al otoño. Desde los substratos profundos del monte, a través de la tierra porosa, la muerte filtraba (imponía) su evidencia huera, su apoteosis ruin, su victoria mezquina e inerte.

"NO TRIUNFA EL OLVIDO AUNQUE NOS ARREBATE A LOS SERES ADORADOS. LOS LAZOS DEL VERDADERO CARIÑO NO SE ROMPERÁN NUNCA."

Ricardo te miraba sorprendido y, devuelto de súbito a la deprimente realidad de aquel agobiador verano español de 1963, te recobraste en el cementerio barcelonés del Suroeste hablando en voz alta, a solas, en medio de la desolación de las cruces.

En el duermevela inquieto de la víspera, después de la llegada de Antonio al Mas, Álvaro había intentado rescatar del olvido el rostro familiar y remoto del profesor. Discontinua, huidiza la memoria se limitaba a proponerle una serie inconexa de gestos y ademanes interceptados aisladamente por ella durante la exposición bisemanal de sus cursos. Ayuso caminaba encorvado, subía a la tarima sin apresurarse, hería la mesa con los nudillos para indicarles que se podían sentar. Su mirada, por lo común, era amable y tímida; excepcionalmente, severa y distante. El profesor se expresaba con voz pausada subrayando lo que estimaba importante con una entonación particular y más densa al tiempo que, nerviosamente, tabaleaba sobre los brazos del sillón o deslizaba la montura de sus gafas por el perfilado caballete de la nariz. Encarados con él cuatrocientos estudiantes escuchaban y escribían inclinados sobre los mugrientos pupitres del aula.

De la única vez que lo había visto en privado (su admiración por él no nacería sino mucho más tarde, establecido ya en París, a raíz de los primeros disturbios universitarios del 56 y la actitud valerosa y resuelta adoptada entonces por el profesor en defensa de sus alumnos), Álvaro conservaba asimismo un recuerdo borroso. Ayuso vivía modestamente (de eso estaba seguro) y una pintoresca ama de llaves (tiránica, sin duda) les había servido a Antonio, Ricardo y él una taza de café endulzado con sacarina. En el piso había viejos muebles, cortinas oscuras, una biblioteca que se prolongaba a lo largo de un corredor estrecho, una esmerada reproducción de Caravaggio. Su escritorio estaba cubierto de carpetas y libros y en un ángulo de la mesa había una fotografía antigua de Américo Castro con una afectuosa dedicatoria. Su visita duró varias horas pero, a pesar de sus esfuerzos, Álvaro no había logrado desempolvar de la memoria el objeto preciso de la conversación. Ayuso fumaba un cigarrillo tras otro sentado frente a ellos y un gato de color negro se tendió voluptuosamente sobre sus piernas y permanecía inmóvil en su regazo, orgulloso y esbelto como un personaje heráldico. (Habían transcurrido trece años desde la fecha y su reconstitución minuciosa se detenía ahí.)

Aquel otoño (1950) Álvaro se había inscrito en el seminario de economía política y asistía regularmente a las clases de Ayuso sobre la historia de las instituciones jurídicas medievales. Antonio, Enrique y Ricardo figuraban también entre los alumnos y a menudo estallaban discusiones respecto a los cursos e ideas del profesor. Álvaro las escuchaba sin enterarse, persuadido de que la política era cosa de imbéciles, enteramente absorto en su descubrimiento del barrio chino y la lectura de los libros que le prestara Sergio. Liberado del ojo fiscal de la tía Mercedes saboreaba el ocio de la vida universitaria con la conciencia exaltante de su independencia frente al medio social en que vegetara hasta entonces —inerte, pusilámine, cohibido.

—Al terminar la carrera, ¿qué piensas hacer? —le preguntaba Antonio.

—¿Y tú?

—Yo, oposiciones.

—¿A qué?

—A diplomático.

La idea le había seducido pero Sergio se encargó en seguida de rebatirla, afirmando que la misión de aquel consistía ante todo en sonreír, besar la mano de las señoras y saber pelar bien una naranja.

—Un cretino congénito. Congénito y políglota. Para eso mejor anunciar una marca de dentífrico en los diarios.

Sergio se había presentado de improviso a la salida del seminario de economía y se agregó al grupo de condiscípulos que discutían las teorías de los fisiócratas en el bar.

—Me joden tus amigos —dijo a Álvaro—. Siempre serios, como si vinieran de dar la cabezada en un entierro, hablando de Adam Smith y de clases sociales... Cada vez que bebo un vermú delante de ellos me miran como si dijeran: estás emborrachándote mientras los obreros trabajan doce horas diarias por treinta y seis pesetas y en Andalucía hay un diecisiete por cien de niños tuberculosos, ¿no te da vergüenza?... Pues no, no me da vergüenza. ¿Por quién se toman ellos? ¿Por redentores de la humanidad? —hablaba con expresión fatigada y se encogió de hombros—: Por otro lado, los obreros, ¿qué son? Des bourgeois qui n'ont pas réussi. Obrero o burgués, el que trabaja es un mierda.

Habían salido del recinto de la universidad y se encaminaban hacia el MG con lentitud. Los demás alumnos se habían dispersado ya.

—Sé lo que estás pensando: que si no fuese rico no hablaría así. Tal vez sea verdad. El dinero facilita las cosas y yo no tengo la culpa si mi padre no se retiró a tiempo y si a Ana no se le ocurrió la idea de lavarse... Pero óyeme bien; aun si hubiera nacido pobre creo que tampoco trabajaría. Si uno tiene esta desgracia, ¿por qué, por añadidura, hacer el primo?

En el asiento delantero había una muchacha algo más joven que ellos, hermosa, delgada, morena, de ojos rasgados y azules.

—Se llama Elena —dijo simplemente Sergio.

Álvaro le había tendido la mano pero ella se contentó con juntar las suyas y saludó como un boxeador victorioso al final del combate.

—Encantada.

El MG arrancó a todo correr. Desde el asiento trasero Álvaro contemplaba la nuca grácil de la muchacha, afeitada como la de un chico.

—¿Adónde vamos? —preguntó Elena.

—En casa tengo una botella de coñac —dijo Álvaro.

—Quiero ver gente respetable —dijo Elena—. Señoras de Acción Católica y todo eso... ¿Dónde se las encuentra?

—En los sitios finos.

—Vayamos a algún sitio fino.

—¿Y si buscáramos a Pepe?

—Como tú quieras.

—¿Quién es Pepe? —preguntó Álvaro.

—Un limpia. Perdió el pelo de un sifilazo y se parece a Fránkestein.

—Además canta boleros —dijo Elena.

Bajaban por las Rondas y, al llegar al Paralelo, torcieron por Conde de Asalto. Sergio estacionó en la esquina de San Ramón e hizo sonar la bocina. Al punto un cráneo pelado emergió por la puerta del bar.

—Rápido. Vente con nosotros.

—Tengo la guitarra dentro.

—Igual da. Sin guitarra.

Álvaro se apartó para hacer lugar. El limpiabotas tenía la mirada estrábica y al sonreír mostraba unas encías descarnadas y mondas.

—Vamos a llevarte al Salón Rosa —dijo Sergio.

—Voy sin vestir.

—Es igual. Tú entras con nosotros y nadie te dice nada.

Había sido una tarde borrascosa. En el Salón Rosa, las señoras (sombreros con flores artificiales, caras pintadas, perigallos que se hinchaban de pronto al engullir ávidamente los pasteles) habían observado con inquietud la irrupción del cuarteto (el limpia iba tocado con una gorra de visera de color amarillo rabioso) y, apenas servidas las consumiciones, Sergio cortó un mechón de pelo a Elena con unas tijeras de bolsillo, partió en dos el pan de Viena que le había traído el camarero, lo espolvoreó con sal y, en medio de la hostilidad muda del público (loros ceremoniosos, lechuzas absortas, urracas ennoblecidas por algún título pontificio: una verdadera pajarera) metió el mechón dentro y empezó a comer el sángüich asegurando (a quien quisiera oírle) que no había probado nada mejor en su vida. Luego Pepe quiso cantar el bolero titulado "Tu cintura es flexible como un flan de aguacate", pero el jefe de personal se lo impidió.

—Son ustedes antisemitas —acusó Elena con voz áspera.

Salieron ultrajados y dignos, y caminaron un rato por

el centro escoltados por la aterradora voz del limpia (que interpretaba por fin "Tu cintura es flexible como un flan de aguacate" sin acompañamiento de música). Sergio se encaramaba a las farolas de gas para encender los cigarrillos de Elena y, cuando dieron con el automóvil, propuso vaciar entre los cuatro una botella de pernod.

—Luego volvemos al Salón Rosa y vomitamos.

—Olvídalos —dijo Elena—. ¿Por qué no vamos a un bar de chavas?

—¿A Sans?, ¿o Casa Valero?

—Adonde tú prefieras.

Arrancaron otra vez (después de visitar brevemente varios bares) y, al apearse junto al estadio de Montjuich, Álvaro descubrió que estaba borracho. El aire era denso y algodonoso. La cabeza le daba vueltas.

—¿Qué te pasa?

—Me siento mal.

—Cambia de bebida. Si mezclas es mucho mejor.

Habían entrado en un chiringuito sórdido y Sergio encargó rones dobles. Las mesas estaban ocupadas por andaluces. Álvaro había bebido dos copas sin respirar y, a través de un espeso velo de niebla, asistió a la discusión de Sergio con un individuo con pinta de gitano. El limpia se había interpuesto y porfiaba en separarlos.

—Me jode su risa —decía Sergio.

—Déjeles, ¿no ven que son felices?

—No tienen ninguna razón de ser felices.

—Uzté noj provoca.

—Hay que provocar. La vida entera es una provocación... Hace sesenta siglos los poetas asirios...

A partir de allí el recuerdo era horriblemente confuso. Álvaro tenía la impresión de haber sido expulsado del chiringuito con violencia y, cuando despertó, estaba en un bar del Borne, rodeado de extraños. En la mesa vecina Elena y Sergio dormían a sueño suelto. El limpia se había eclipsado misteriosamente.

—Quina castanya jove... ¿Voleu una mica de café?

Había luz en la calle. El cielo era de color cárdeno y Álvaro apuntó hacia él con el dedo.

—¿Qué es eso? ¿La aurora boreal?

—Amanece —repuso lacónicamente el hombre.

Las preguntas acudían a su cerebro, nuevas entonces, luego consabidas: ¿cómo?, ¿dónde?, ¿cuándo?; y el asco y la depresión y la náusea, viejos como el mundo (pudo haber sido aquella noche y tú no existirías: en el kilómetro 25 de la carretera de Valencia el MG había adelantado sin visibilidad el DKW matrícula B-64841 en la curva conocida como mirador del Coix en el preciso momento en que el Ford matrícula B-83525 venía velozmente en dirección opuesta, obligándole a acelerar para evitar el choque y proyectándole primero hacia la derecha y luego hacia la izquierda, en el tramo descendente de la misma situado en las inmediaciones de Garraf. Perdido el control, el MG había roto la tela metálica tendida entre las balizas y se precipitó de modo vertiginoso por el cantil de 47 metros de altura, dando dos vueltas de campana antes de estrellarse contra los farallones y hundirse definitivamente en el mar).

El sol se había ocultado bruscamente y, desde la meseta de la escalera, oteaste la rápida carrera de un fuera bordo, rasgando, sesgando, con un acompañamiento de fatua espuma, la superficie encrespada del mar. Centenares de gaviotas grises bullían en la desembocadura de las cloacas. Las nubes se condensaban sobre vosotros amazacotadas y turbias. El viento agitaba el capirote de los cipreses y transmitía un temblor alado a las hojas diminutas de los sauces. Todo anunciaba la inminencia de la tormenta.

—¿Qué hora es?

—Las cinco.

—Deben de estar por llegar.

Mientras atravesabais el barrio residencial y aristocrático —los mausoleos gaudianos o modern style: amalgama híbrida de monumento fúnebre y torre de veraneo— buscaste con la mirada el panteón de los Mendiola —copia cabal y relamida, evocabas, del pretencioso Duomo de Milán. Por espacio de unos minutos recorriste inútilmente los silenciosos paseos hostigado por el recuerdo borroso de tus lejanas visitas: la tía Mercedes severamente vestida de luto y el tío César con su sombrero y sus gafas y, entre los dos tú, indiferente y ajeno a la ceremonia que cumplías, consciente de la gratitud del gesto unilateral y sin recurso, convertido por ancestral costumbre en rito estrictamente social y mundano.

¿Qué obstáculo se había interpuesto entre tu madre y tú? Aunque formulada a menudo la pregunta te pillaba desprevenido y no sabías qué responder. Como dos líneas paralelas su existencia y la tuya no habían llegado a cruzarse y, en ocasiones sentías pesar restrospectivo por la aventura no vivida, por el encuentro nunca realizado. Su pudor y tu reserva os habían mantenido distantes y, al filo de tus quince años, no pudiste (o no supiste) inventar la amistad. Ahora (alejado tú de ella en el tiempo y en el recuerdo) era demasiado tarde. Salvo en momentos excepcionales (y cada vez más raros) su imagen (ojos azules y claros, frente amplia, nariz recta inmovilizados en alguna fotografía) había desertado de tu memoria para siempre.

Desde el balcón de la calle de la Piedad, tumbado en el diván de lectura de Sergio, abarcabas una perspectiva sobria y rítmica cuyo recuerdo (aun después de tus numerosos viajes) se mantiene siempre vivo en tu memoria: el ábside de la catedral con sus macizas y elegantes torres; las enigmáticas gárgolas talladas en forma de grifos o hipocampos; las terrazas planas oscurecidas por la pátina del tiempo; las empalizadas de contrafuertes y ventanas; la línea armoniosa y austera de la nave central; la embocadura de la calle de los Condes. Sobre el diván, en ejemplar desorden, los libros de cabecera de tu amigo: Blake, Quincey, Lautréamont, Gérard de Nerval. Al atardecer la luz verdosa de la tulipa impregnaba la habitación de una fosforescencia ambigua. Viejos muebles de época, grabados, esculturas cobraban una dimensión nueva (un fervor súbito) como al contacto con su elemento original y nativo. Las alfombras acolchaban el ruido de las pisadas y, en el silencio de unas calles sin tráfico, las conversaciones adquirían un tono cómplice, las frases una estructura sutil, las preguntas un vuelo equívoco, denso y acariciante. Ana solía recostarse a contraluz y, a pesar de ello, en los escuetos crepúsculos invernales, sus ojos intensos brillaban también, lenitivos y autónomos.

El primer día que te llevó a su casa Sergio os había presentado uno a otro con desenvoltura y Ana retuvo unos instantes tu mano entre las suyas como si quisiera transmitirle por ósmosis algún mensaje privado, particular, único: "Oh, por piedad, no me llames señora ni me trates de usted... Aunque pudiera ser tu madre tengo mi coquetería. Me gusta que la gente me aprecie por lo que soy, no como madre o esposa de alguien. Siempre se lo digo a mi marido: estamos casados, pero tú eres una persona y yo otra distinta... Llámame Ana y tutéame... Si no, no seremos jamás amigos."

Unos días antes (hacía sol, los niños daban de comer a las palomas, la guardia urbana paseaba con su vistoso uniforme y la ciudad entera ofrecía a los incautos un radiante aspecto de felicidad) habías estacionado tu automóvil en la luminosa avenida de la Catedral como uno de los millones de turistas que desde hacía unas semanas se abatían sobre el aletargado y perezoso país y habías examinado, atónito, el movimiento oscilatorio y ágil de los sardanistas que bailaban frente al pórtico, subyugados, diríase, por el ritmo sabio, agudo y vibrante de la tenora que interpretaba nada menos que *La Santa Espina* (la misma *Santa Espina* indisolublemente ligada en tu recuerdo a la odisea de la defensa popular republicana filmada por Ivens y relatada por Hemingway) antes de decidirte a contornear los muros de la Casa del Arcediano y la capilla de Santa Lucía, subir por la calle del Obispo junto a las puertas de Santa Eulalia y

la Piedad, llegar al fin al ábside y detenerte en la entrada
de la calle de los Condes fotografiada (en este sediento
verano del 63) por un siniestro grupo de alemanes despechugados e hirsutos. Volviste la cabeza atrás y elevaste la
mirada hacia la andana de balcones del cuarto piso. En
la que fuera habitación de Sergio las persianas corridas
desteñían sobre el lienzo de la fachada, marchitas y legaño-
sas. Las flores habían desaparecido. La casa parecía definitivamente cerrada y continuaste tu recorrido sentimental
por el barrio sin resolverte a preguntar en la portería. (¿Qué
habría sido de Ana?)

—Sergio me ha hablado tanto de ti que en realidad es
como si ya nos conociéramos.

Estabais sentados los tres, recordabas, en los divanes mo-
riscos del estudio. Atardecía y el sol coloreaba aún las torres
robustas de los campanarios.

—¿Qué tal lo pasaste en Robadors?

La pregunta te pilló de sorpresa, y enrojeciste.

—Le conté a Ana que fuimos de putas —dijo Sergio.

—Mi hijo y yo no tenemos secretos uno para el otro
—explicó Ana con voz dulce—. ¿Te divertiste con tu pareja?

—Casi no me acuerdo.

—Un joven bien parecido como tú debe de coleccionar
sus aventuras por docenas, me figuro.

—Álvaro no —dijo Sergio—. Aunque no lo parezca es
muy tímido...

Por primera vez en tu vida tenías la impresión de avanzar a cuerpo descubierto. Ana reía frente a ti enseñando
sus dientes blancos.

—¿Te sorprende que te hable así? —dijo—. ¿Cómo
te imaginabas que era? ¿Una típica madre española?

—No sé —balbuceaste.

—Toda la vida he sido igual. Muchas veces he querido
cambiar de modo de ser, imitar a los demás, y no he podido.
Mi marido lo dice siempre: si fueses de otra manera creo
que no te querría.

—Papá es un imbécil.

—Ya sabes que no me gusta que hables así de tu padre —protestaba Ana—. Mi marido es completamente distinto de mí y no comprende ciertas cosas, pero es un hombre bueno y leal. En realidad —añadió con voz persuasiva— vale muchísimo más que yo.

—El mundo está lleno de mansos leales y buenos —le cortaba Sergio.

(La conversación se repetía muchas tardes; la defensa por Ana de su marido y los ataques del hijo cada vez más ásperos... Ana elevaba la voz, fingía indignarse y acababa confesando con resignación: "Es terrible. Desde que era niño he intentado anularme para que quiera a su padre y no advierta la diferencia que hay entre los dos. Pero es como yo. La hipocresía le repugna.")

Gracias a ellos habías aprendido a amar tu ciudad (cosa sorprendente en un carácter difícil como el tuyo este amor mantenido a lo largo de los años hacia unos lugares y calles descubiertos sólo al filo de tu juventud, de una ciudad en la que nacieras como quien dice por casualidad y cuya hermosa lengua te resultara siempre, pese a tus esfuerzos, profundamente extraña). Hasta entonces tu conocimiento de aquélla se reducía a unos barrios desahogados y tristes, monótonos y ampulosos edificados después de la demolición de las murallas y el prodigioso florecimiento industrial por una estirpe burguesa recia y emprendedora cuyo aterrador gusto artístico era únicamente comparable en intensidad, te decías, a su desmedido e insaciable afán de riqueza: mediocres chalés de San Gervasio, pisos asfixiados de Gracia, piedad sórdida y pueblerina de Sarriá, lujo irrisorio de Bonanova y Pedralbes, núcleos independientes en su tiempo devorados un siglo antes por el delirio agrimensor, geométrico de Cerdá (las compactas manzanas de viviendas que cuadriculaban el plano, las calles perfectamente paralelas como un bien pautado pentagrama). La Barcelona que te mostraran ellos comenzaba más abajo de la catedral y la luz que bañaba sus casas no la habías encontrado en sitio alguno durante tus viajes: era la de la calle Montcada con sus palacios de mercaderes ricos y ennoblecidos, los alrededores de la iglesia de Santa María del Mar, la calle Carders con su admirable capilla románica, el paseo del Borne. Ana os guiaba con sabiduría instintiva por un dédalo de callejuelas en las que la colada escurría entre los balcones, los gatos husmeaban los cubos de basura y se adivinaba el color del sol en lo alto de los tejados. Tonelerías, boticas decimonónicas, tiendas de herbolarios, artículos de corcho resistían impávidos al paso del tiempo aguardando quizá, te decías, el desquite futuro que por obra y gracia del turismo y la elevación de la cultura media debería transformar un día u otro su anacronismo en excitante y provechosa novedad.

Otras veces Ana os dejaba ir a solas al Barrio Chino y, abstraída, acechaba vuestro regreso en el saloncito, encendiendo un cigarrillo con la colilla de otro. Antes de separaros había dado dinero a Sergio para que fueseis al burdel y, a la vuelta, escudriñaba ansiosa en vuestras caras los vestigios recientes de la aventura.

—Contadme —decía—. ¿Qué tal ha ido hoy?

Sergio refería las incidencias eróticas de la tarde y Ana reía silenciosa y exigía precisiones.

—Ya sé que éstas son cosas que una madre no debería saber —se excusaba—. Pero, ¿qué queréis que haga? Soy incorregiblemente curiosa. Las mujeres, en España, vivimos oprimidas. Si fuese un hombre iría al prostíbulo con vosotros, y en paces.

—¿Por qué no te buscas un amante? —decía Sergio.

—¿Y tú, Álvaro? —preguntaba ella—. ¿Qué has hecho durante este rato?

(Gradualmente Ana había forzado tu resistencia y, al cabo de algunas veladas, le hablabas con la misma crudeza que su hijo. Ella te observaba con ojos brillantes y su armonioso rostro parecía contraerse de atención mientras te oía detallar tus efusiones. —Me hubiera gustado ser hombre —decía.)

En la severa selección de tu memoria algunas escenas emergían con mayor precisión que otras y aquel primer curso universitario se resumía casi en tu recuerdo a la presencia de Ana y de su hijo, a los paseos nocturnos por el Barrio Gótico, a las conversaciones morosas y cómplices del piso de la calle Piedad.

En una ocasión, semanas antes de tu rupura con Sergio, Ana se había desvestido para tomar un baño y te pidió que cerraras los ojos.

—Prométeme que no vas a espiar —suplicó—. Si hay algo que no puedo soportar es que me sorprendan desnuda.

Tú habías vuelto la cabeza púdicamente, con la vista clavada en la lomera de los libros alineados en la biblioteca y sentiste de pronto la presencia cercana y viciosa de Sergio, acostado junto a ti.

—Mírala. ¿Te gusta?

Arriesgaste una mirada hacia la puerta del cuarto de baño: Ana os daba la espalda completamente desnuda y observaste, turbado, la línea generosa de sus caderas, su espalda suave, sus piernas esbeltas y flexibles, perfectas (aquella noche su rostro apareció varias veces en tus sueños ardiente y fresco, reparador y balsámico. Cuando despertaste la excitación no había decaído y, con la mente fija en la provocación tranquila de sus muslos, entornaste los párpados, mientras, de bruces, el cuerpo parodiaba independientemente de tu voluntad, los movimientos nerviosos del coito. El placer llegó al fin, breve como un escalofrío y te arrastraste sonámbulo hacia el lavabo, de espaldas a la mancha húmeda que, como una brusca condensación del absurdo, inauguraba un nuevo día, injustificable y monótono como los otros).

—¿Por qué no te acuestas con ella? —insistió Sergio.

—Déjame en paz.

—Me gustaría que hicieses cornudo a mi padre.

(Cuando días más tarde, en ausencia de tu amigo, os besasteis al fin el rostro te quemaba. Ana había introducido su lengua jugosa entre tus labios y su contacto elemental y magnético te había llenado de dicha. Esbozaste el ademán de derribarla pero ella resistió con firmeza. "No, no —dijo—. Continuemos siendo amigos.")

A partir de esta fecha (sin una razón precisa) tus relaciones con Sergio se habían deteriorado. ¿Estaba celoso de tu intimidad con su madre?, ¿o, sencillamente, con su capricho irrazonable de niño rico, se había cansado de ti? Los doce años transcurridos no te permitían esclarecer definitivamente la cuestión. Lo cierto era, que, de la noche a la mañana, tu amigo había empezado a tratarte con despego y, bajo su máscara habitual de cinismo, barruntabas (presentías) la existencia larvada de alguna herida moral.

—¿Conoces a Elena? —te había preguntado Ana.

—Sí.

—¿Qué piensas de ella?

—No sé. Apenas la he visto un par de veces.

—¿Salís a menudo juntos?

—Oh, no. —Su rostro había demudado y procurabas reparar tu error—: A Sergio y a mí nos aburre.

(Conforme tu amigo se distanciaba de ti y olvidaba sus citas contigo, Ana se había esforzado en sonsacarte acerca de la muchacha: ¿cómo es?, ¿qué estudia?, ¿la juzgas verdaderamente inteligente? Sergio se complacía en haceros sufrir y, en más de una ocasión, lo habías esperado hasta la madrugada en el piso mientras Ana se agitaba en el sillón con impaciencia y abrumaba a Elena con el peso de sus acusaciones y cargos: "Es una aventurera y una intrigante, ¿qué interés puede encontrar en salir con ella?" "No sé." "Tú que la has visto, sé sincero, ¿es tan atractiva como él pretende?" Y cuando su hijo volvía borracho se disputaba a gritos con él como si fuera su amante.)

—¿Por qué le has hablado de Elena? —te había dicho tu amigo.

—Fue ella quien me preguntó.

—Y tú le has respondido... ¿No te has dado cuenta de que está loca y es capaz de hacer cualquier barbaridad?

—Yo no sabía que...

—Creía que a tu edad habías aprendido a callarte.

Cesasteis de frecuentaros y, a escondidas de él, Ana te telefoneaba todos los días, interminablemente, confiándote sus temores respecto a una hipotética boda e informándote de paso que tu amigo jamás venía a dormir a casa: "¿Qué crees que debo hacer?... Ha descubierto que no puedo vivir sin él y se divierte jugando conmigo. Ayer se asomó sólo a pedirme dinero y no quiso siquiera que le besase..." Aquella primavera os habíais visto alguna vez en secreto y Ana tenía los ojos irritados de llorar y parecía haber envejecido de golpe. En cuanto a Sergio había dejado de dar señales de vida y la única vez que topaste con él estaba bebido y te llamó burlonamente "paño de lágrimas de mamá".

—Vete a la mierda —le dijiste.

(Su final fue inopinado, vertiginoso, lamentable. Desvanecida bruscamente su meteórica (y engañosa) rebeldía juvenil, se quitó del alcohol y abandonó a Elena (hoy honesta madre de familia sin duda) para contraer matrimonio con la riquísima y convencional Susú Dalmases. Engordó veinte kilos y se dedicó a la compra de patentes alemanas y a la cría de gatos persas. Según Álvaro pudo enterarse había vendido su espléndida biblioteca a un trapero y se le veía regularmente en las tribunas del Club de Fútbol Barcelona. Evolucionaba por los círculos aristocráticos y su nombre figuraba en la Comisión Ciudadana encargada de organizar el recibimiento triunfal de los prisioneros de la División Azul devueltos por Rusia. Murió físicamente en septiembre de 1955 en las costas de Garraf en un espectacular accidente de automóvil.)

La escalera descargaba en la avenida principal del cementerio y, al acercaros al registro de inscripciones, divisasteis el automóvil de Artigas estacionado junto a los arriates. Antonio aguardaba también con las manos hundidas en los bolsillos, un tanto alejado de los demás miembros del séquito. Los ex alumnos de Ayuso se habían congregado con la familia y claustro de profesores en torno al coche mortuorio —una furgoneta negra sin cruz ni flores ni coronas— y escudriñaste aquellos rostros graves tratando vanamente de adherirles un nombre. En su mayoría eran de promociones más jóvenes que la tuya y los escasos condiscípulos de tu edad te observaban a su vez de reojo —como si estuvieran al corriente de tus avatares—, sin decidirse a estrecharte la mano.

Tras un voluntario destierro de diez años estabas de nuevo entre tu gente y el país seguía igual que a tu marcha, reacio al cambio de rumbo que tus amigos y tú habíais intentado imponerle. El profesor os había convocado alrededor de él como en los viejos tiempos y vuestra presencia cobraba a tus ojos el significado limpio de una profesión de fe. No obstante, te decías, el entierro de Ayuso era el entierro de todos; su muerte, el final de las ilusiones de vuestra dilatada juventud. Recordabas la hermosa época en que, recién liberado de la tutela de la familia, conociste a tus compañeros en las aulas de la universidad. Y allí estabais otra vez —excepto Sergio y Enrique— ahítos de proyectos nunca sidos, envejecidos por años que no fueron y el hombre que había dicho entonces "no me importa morir si alcanzo a ver la caída del Régimen" había muerto, solitario y oscuro, privado del consuelo de su última e irreductible esperanza.

Un miedo opaco se había infiltrado sigilosamente en tu sangre y, mientras la comitiva se encaminaba a buen paso hacia el recinto del abolido cementerio civil, un rayo coloreó de modo brusco el paisaje y, casi al instante, adelantándose al vuelo despavorido de los pájaros, suave, muy suavemente, comenzó a lloviznar.

A fines de invierno de 1951 —corría ya el mes de marzo— Álvaro había subido al tranvía disco 64 que solía tomar para volver a su piso de la calle Muntaner y el deplorable estado de abandono y dejadez del vehículo le llamó súbitamente la atención. Tenía entre sus manos el Manual de Economía Política cuya lectura le aconsejara Antonio y mientras pasaba revista, por enésima vez, a la teoría de la renta de la tierra, los cristales rotos de las ventanillas y el aire frío que se colaba por ellas le hicieron pensar de golpe en el fallecido tío Eulogio y sus habituales diatribas contra la Compañía de Tranvías de Barcelona. ¿Será posible que sean tan descuidados?, pensó.

El día siguiente, de regreso de una tempestuosa entrevista con Ana —era la hora de comer y esperaba la visita semanal de los tíos— el espectáculo se había repetido de modo alarmante: el tranvía disco 58 ofrecía un aspecto destartalado y todos los cristales de sus ventanillas, sin excepción, estaban rotos. Los usuarios del vehículo eran escasos: un hombrecillo con bigote cuadrado enfrascado en la lectura del periódico, una dama severa e imperativa, dos monjas cuyas caras circulares emergían de las tocas almidonadas y blancas como dos mantecadas de Astorga. En la plataforma el cobrador fumaba con gesto arisco y Álvaro creyó leer en el rostro de los transeúntes signos furtivos de hostilidad.

—¿Por qué ha subido? ¿No le da vergüenza?

Al apearse en Vía Augusta una mujer enlutada se había encarado con él y Álvaro contempló con asombro sus ojos airados, su expresión de cólera densa y contenida.

—Perdone —dije—. No sabía que...

Bajaba en dirección opuesta un disco 23 igualmente desprovisto de cristales y dos mujeres se adelantaron hacia la parada cortando el camino a unos jovenzuelos que pretendían subir a él.

—¿Qué pasa?

—El público no sube para protestar contra el aumento de las tarifas.

—¿Y los cristales?

—Desde ayer no queda ni uno sano. La gente echa piedras y los rompe.

La aparición de un factor de anarquía en la promiscua y monótona vida ciudadana constituía una verdadera fiesta. Álvaro examinó regocijado la inhóspita sucesión de tranvías harapientos, contento de saber que bajo la corteza de resignación y conformismo de los suyos latía una rebeldía sorda. A veces, durante sus agitados paseos en automóvil, Sergio le había expuesto sus planes de provocación social condensados en el lema "Oprimir al Pobre y Defraudar al Obrero en su Jornal" y, con el acuerdo de Elena, habían decidido recorrer las zonas míseras de la ciudad con el MG descapotado y encender un cigarrillo ante los mendigos con un billete de mil pesetas. Al llegar a su casa telefoneó a Sergio y le propuso participar en el boicot.

—Cargamos el coche de adoquines y bombardeamos los tranvías.

—Eres un cretino. Esto estaba bien antes, cuando los ciudadanos subían como borregos... Elena y yo nunca imitaremos al populacho.

—¿Qué quieres hacer, entonces?

—La verdadera provocación ahora es ser esquirol e insultar a los peatones.

Su tono hiriente no admitía réplica y Álvaro cortó la comunicación humillado. El tío César había venido a comer con Jorge y las primas y, durante la sobremesa aburrida y solemne, la conversación giró en torno al problema de los transportes.

—La gente está haciendo el caldo gordo a los comunistas. Desde la semana pasada dejo el coche en el garaje y voy al despacho en tranvía, para dar el ejemplo.

—Pepín Soler obliga a sus empleados a mostrarle el billete —decía Jorge—. Y el que no lo tiene, zas, a la calle.

—En su fábrica, los Mateu hacen igual.

Era domingo y, aquella tarde, Álvaro permaneció encerrado en el piso, preparando sus lecciones. Cuando el lunes, día doce, despertó a la hora de costumbre, la vieja criada le servió, aterrada, el café.

—Señorito, esto es la Revolución.

—¿Qué ocurre?

—Todo el mundo hace huelga. La gente apedrea los tranvías y parece que hay muchos muertos.

Salió a la calle excitado. El país vivía pese a su modorra aparente y los mismos hombres y mujeres resucitados de julio del 36 habían invadido las pulcras aceras de la ciudad con una resolución hosca y premonitoria. Comercios, farmacias, bares permanecían cerrados y los destacamentos de la Policía Armada acantonados en los centros estratégicos parecían desbordados por el motín, incapaces, diríase, de mantener por más tiempo el orden.

Al cabo de los años Álvaro conservaba de esta jornada un recuerdo brumoso (tranvías volcados, manifestaciones callejeras, cargas de la policía, coches incendiados). Su conciencia todavía opaca (esto lo supo bastante más tarde) le había impedido captar la trascendencia de lo que hubiese podido ser (y fue para muchos sin duda en un país privado durante lustros del sabor áspero y salvaje de la libertad) uno de los días más hermosos de su vida. Doce años habían pasado desde la fecha sin que la ocasión se repitiera y a menudo (en uno de esos trances sombríos que regularmente atravesaba) Álvaro temía morir sin haber gustado de nuevo (aunque fuese por unas breves horas) el fruto milagroso e insólito (cuando menos en España) que, por inconsciencia juvenil, no aquilatara entonces.

Lanzado el país (eso decían) por las vías de un espectacular progreso, ¿desaparecería él antes de ver el fin del turbio y lamentable engaño?

La comitiva se dirigía a paso rápido hacia la salida del cementerio y, a una veintena de metros de la verja, torció a la derecha en dirección a la zona reservada a los protestantes. Las losas mortuorias descansaban sobre la tierra primorosamente adornadas con flores y jardincillos y, mientras subías por el sendero que llevaba hacia los últimos terraplenes —la llovizna humedecía tu rostro y jadeabas—

te detuviste a descansar y contemplaste las inscripciones de aquellos solitarios que —como tú— habían escogido morir lejos de su país y de su gente, cómplice alerta y secreto de su destino móvil, embarcado con ellos, meditabas, en una misma e irrevocable aventura.

"LET HER BE WITH US ALLWAYS", "SEIN LEBEN WAR LIEBE, GUETE UND STETE HILFSBEREITSCHAFT", "THE RIGHTEOUS SHALL BE HAD IN EVER LASTING REMEMBRANCE". Un epitafio en alfabeto cirílico. Agreste y huraño hasta el fin, muerto cortado de la comunidad hispana por una escritura hermética e incomprensible, ¿qué compatriota extraviado, te decías, recogería su último y desolado mensaje? Pensabas en las lápidas españolas del cementerio del Père Lachaise y el recuerdo de tu visita con Dolores te llenó de congoja: liberales expatriados por alguno de los regímenes de fuerza que de modo endémico gobernaban el decrépito país, cruelmente privados de su tierra por los mismos paisanos que te la habían hecho aborrecer a ti, yacían allá, como brotes amputados del tronco natal, en tanto que los perennes defensores de la razón (¿razón?) a mano armada vivían y medraban usufructuando para ellos y su fauna poder y riqueza, halago y honores con el pretexto de salvaguardar (eso decían) la unidad y la brava independencia de la tribu. Avenidas, estatuas, ceremonias, mausoleos inmortalizaban su odiosa impostura y misas solemnes y expiatorias les aseguraban, más allá de la gloria terrestre, el disfrute de la eterna felicidad.

El despertar cívico de marzo del 51 obró el milagro de sacudirlos de su torpor. Ayuso había desertado de las clases para manifestar su solidaridad con los huelguistas y Antonio y Enrique discutían apasionadamente en el bar y habían terminado poco menos que a puñetazos. Consumada su ruptura con Sergio, Álvaro vacaba de nuevo a sus ocupaciones y aceptó satisfecho la idea de Ricardo de ponerse en contacto con un abogado, viejo amigo de la familia de éste, ex dirigente, dijo, del disuelto partido de Estat Catalá.

Era un cuarto piso de la Rambla de Cataluña: ascensor lento, escalera oscura, un promiscuo olor a cocina subía de los apartamentos inferiores. Dentro, una extensa biblioteca jurídica, una vitrina con incunables y ediciones raras, floreros japoneses, retratos de familia, un polvoriento busto romano en escayola. La alfombra estaba raída y, para disimular sus calvas, alguien había puesto encima un monumental brasero de cobre. La anciana criada se había retirado tras las cortinas y, a los pocos minutos de espera, apareció el abogado envuelto con una bata de cuadros, calzados los pies en zapatillas forradas de piel, el rostro vivo, despiertos los ojos tras el espeso cristal de sus gafas. Se había adelantado hacia Ricardo con expresión cordial y reservada a la vez, como si la dureza de los tiempos que corrían, se dijo Álvaro, le impusiese ante desconocidos una disciplina estricta, cautelosa, prudente.

—Com anèu, minyó?

—Jo bé, i vosté?

—Si no m'haguessin dit el vostre nom no us hagués reconegut. Sou ja tot un home. I els pares?

—Molt bé, gràcies. —Álvaro se había incorporado también y Ricardo se volvió hacia él con una sonrisa—: Li presento un company de la Universitat de tota confiança, Álvaro Mendiola.

—Mucho gusto —dijo Álvaro.

El hombre le saludó sin pestañear. Hubo un silencio de unos segundos.

—El meu amic no és catalá —aclaró Ricardo—. La seva familia és asturiana.

—Asturias... Estuve allí hace muchos años con mi mujer. Tanto ella como yo guardamos un recuerdo magnífico.

—En realidad nací en Barcelona —dijo Álvaro.

—¿No será usté pariente, por casualidad, de un tal Lucas Mendiola que, antes de nuestra guerra, operaba en la Bolsa?

—Era tío mío.

—Sí, ya sé cómo murió el pobrecillo... Qué época, Dios mío... ¿Tomarán un poco de café?

Acomodados en el sofá de peluche le habían oído disertar por espacio de una hora acerca de las perspectivas del laborismo inglés y de la última moción de los sindicatos americanos que condenaba todos los totalitarismos sin exclusiva (guiñó el ojo de modo cómplice). Los regímenes comunistas y los otros, añadió con voz acariciante. Este era un hecho sumamente significativo y, por otro lado, sabía de buena tinta que, desde Londres y París se ejercían presiones, de acuerdo con Spaak, para elaborar una política común respecto (nuevo guiño) a quien ustedes saben. La situación era muy fluida y reservaba numerosas sorpresas. ¿Estaban al corriente de la entrevista del Nuncio con el embajador británico? Una persona de confianza había asistido a ella y, al parecer, el embajador se mantuvo firme. Además, el déficit comercial aumentaba y la banca privada americana no estaba bien predispuesta, como en otoño, a conceder los créditos necesarios, sobre todo, dijo, después del viaje del secretario de Estado por Europa. El embajador en Washington se había reunido con la Comisión de Ayuda Exterior de la Cámara de Representantes y la acogida fue según la United Press (nuevo guiño) glacial. En cuanto a los rumores de un acercamiento con París eran pura invención del Ministerio. El Gobierno francés había pasado perceptiblemente del atentismo a una oposición matizada y en apariencia ambigua pero, en la práctica, discreta y eficaz. ¿Conocían la frase de Auriol al secretario general del PSOE? Ingeniosísima, y la alusión a la fábula de La Fontaine perfectamente clara. En Madrid había escocido y se rumoreaba que el general (ya saben ustedes a cuál me refiero) amenazó con aumentar su ayuda a los nacionalistas marroquíes y terminó por envainársela después de haber consumido una buena dosis de bicarbonato. Vacilante a primeros de año el panorama de la primavera era pues (salvo los imprevistos tan frecuentes, ay, en la dichosa política) francamente esperanzador. Sobre todo si se tenía en cuenta que el médico de cabecera del general en cuestión había cenado con un catedrático de la universidad (siento no poderles dar su nombre, prometí guardar el secreto) y la hipótesis de la úlcera de estómago se confirmaba. Por lo visto los cirujanos aconsejaban la operación y un especialista en la materia había venido exprofeso desde Londres. Algo muy delicado sin duda. Quién sabe (nuevo guiño) si se trataba de origen canceroso. Los bulos que circulaban por Madrid a este propósito ilustraban perfectamente lo precario e incierto de la situación.

—¿Qué piensa usted de los sucesos de estos días? —había aventurado Ricardo.

El abogado se quitó las gafas, alentó junto a sus cristales y los limpió espaciosamente con un pañuelo. Su expresión, creía recordar Álvaro, era ponderada y grave, cauta y circunspecta.

—Las manifestaciones, evidentemente, tienen su importancia. Han expresado ante los demócratas del mundo entero cuáles son los verdaderos sentimientos de la población. Desde este punto de vista no puedo menos que juzgarlas positivas. Lo cual no implica una aprobación sin reservas, y habló aquí a título privado, respecto a su oportunidad.

—Mendiola y yo considerábamos que...

—Los actos de violencia que han acompañado la protesta ciudadana han causado mal efecto entre nuestros amigos. El desorden, y ésta es una lección que aprendí durante nuestra guerra, nunca es rentable. La gente confunde el grano con la paja y tiende a hacer generalizaciones precipitadas y abusivas. ¿Conocen ustedes el editorial del *New York Herald Tribune*?

—No.

—Les aconsejo su lectura. Si lo tuviera al alcance de la mano se lo pasaría. Por desgracia se lo presté a un colega y, como es ley en estos casos, no me lo devolvió —apuntó una sonrisa—: Es un artículo muy ecuánime, que pone las cosas en su sitio. Su autor sostiene, y voy a intentar resumir su pensamiento sin deformarlo, que la administración demócrata debe proyectar desde ahora una política de recambio adaptada a la situación española, sin tener en cuenta las presiones de los grupos militares y de los amigos del cardenal Spellman. Ello evitaría por un lado, y éste es a mi modo de ver el argumento más sólido del autor, la actual dispersión táctica de las cancillerías occidentales y, al mismo tiempo, sería un arma eficaz contra el general ya aludido si, como todo lo deja prever, se propone explotar los sucesos de Barcelona para agitar el espantajo comunista y consolidar así las posiciones adquiridas en el Pentágono. Resumiendo lo dicho: la protesta, para el articulista, es un arma de dos filos que puede volverse fácilmente contra quienes la emplean si no demuestran en lo futuro mayor cordura y sensatez. Según me consta, y esto lo sé por alguien que trabaja en el Consulado de los Estados Unidos, el propio secretario de Estado leyó el editorial antes de que se publicara y le dio la luz verde.

—En la universidad han distribuido octavillas llamando a la huelga... —empezó Ricardo.

—Lo sé, lo sé. Todos los grupos sin excepción me envían su propaganda y la policía la deja pasar puesto que mi correspondencia es censurada y, a pesar de ello, la recibo. Como le dije al señor comisario la última vez que vino a interrogarme: si tanto les molesta que lea estas hojas, ¿por qué no me las retienen?

—Es para el lunes día veintiséis —dijo Álvaro.

—Sí, conozco el llamamiento. Su autor, por cierto ignora la gramática catalana. ¿Llevan ustedes el texto encima?

—No.

—Es lástima. El párrafo final es perfectamente confuso. Cuando lo leí hubiera jurado que su autor no era catalán.

—No faltan más que cinco días —insistió Álvaro.

—En efecto, el plazo es breve y, como de costumbre, nuestros amigos han procedido con precipitación excesiva... Su buena fe está fuera de duda, desde luego, pero, aquí, entre nosotros, ¿creen ustedes que esto es eficaz?

El abogado cogió una pipa de encima del escritorio y llenó su cazoleta de tabaco. Buscó una cerilla, alumbró e hizo una vedija con el humo.

—En mi opinión, y voy a serles sincero, no. La situación no está madura y, al movilizar sus tropas antes de tiempo, la oposición corre el riesgo de perdre le souffle, como dicen los franceses —hizo un vago ademán con los brazos—: Oh, ya sé que la juventud es, por esencia, impulsiva y generosa pero en política, amigos míos, estas cualidades son, a menudo, contraproducentes. La política exige mucha paciencia y, al final, no gana el más fuerte sino el que sabe resistir más.

Hubo una pausa. Oportunamente la criada surgió con una bandeja y retiró las tres tazas vacías.

—Volen un xic de conyac?

—No, gracias.

—Entonces, ¿qué cree usted que podemos hacer?

El abogado fumaba con gesto absorto. Las estatuillas de bronce alineadas en la repisa de la chimenea parecían acechar su contestación y Álvaro desvió la mirada hacia el busto romano en escayola, réplica exacta, evocó de súbito, del que tronara antaño en el despacho lóbrego de su tío Eulogio.

—Amigos míos —dijo con voz pausada—, y el que les habla ha conocido las inquietudes de ustedes y simpatiza por entero con ellas, amigos míos —repitió—, si algún consejo puede darles quien en su juventud cometió los mismos errores que hoy les tientan, este consejo sería: no se precipiten, no malogren sus posibilidades. La política es resbaladiza y el que se aventura en ella sin tomar precauciones cae para no volver a levantarse jamás. La huelga de que me hablan es prematura y, por lo tanto, inútil. Dejen que otros quemen sus naves y manténganse a la espectativa, como fuerza de reserva... ¿Hay que cruzarse de brazos?, me dirán ustedes... Ni tanto ni tan calvo. La verdad se halla siempre en un justo término medio. Existen acciones en apariencia minúsculas cuya continuidad les asegura a la larga una eficacia mucho mayor que otras, a primera vista más espectaculares. Este tipo de acciones discretas, prolongadas, convienen a unos jóvenes con porvenir como ustedes. Hacer acto de presencia, pronunciarse desde ahora pero sin entorpecer con estridencias y prisas el proceso natural de maduración —el abogado se detuvo unos instantes y limpió de nuevo sus gafas—: ¿Conocen ustedes a Nuria Orsavinyá?

—No.

—Vayan ustedes a verla. Es la viuda de Pere Orsavinyá, el que fue amigo y colaborador de Companys... La semana próxima es su setenta y cinco aniversario y un grupo de íntimos hemos organizado una pequeña fiesta en su honor. Casals nos tiene prometido un mensaje y se leerán adhesiones de numerosas personalidades exiladas en Francia y en México. El proyecto de la huelga es absurdo, créanme... Reúnanse mejor con nosotros. La torre de los Bonet es muy espaciosa y la dueña les recibirá con mucho gusto. Es el día veintitrés, a las siete de la tarde. Conocen la casa, sin duda... La de los abetos, al final del paseo Bonanova... No lo piensen más, y decídanse... El jerez de su casa es famoso... Les presentaré a otros jóvenes de su edad. Allí estarán ustedes como en familia.

De la aplacada tierra ascendía un hálito elemental y denso y, rezagado ya del grueso de la comitiva, te demoraste unos segundos a respirar su aroma. Sucediendo al bochorno de la mañana el viento soplaba furtivo y acariciante. Meteóricas nubes se escurrían veloces hacia el sureste. Antonio te aguardaba al pie de la escalera y, cuando llegaste junto a él, apuntó a una pareja de individuos, para ti desconocidos, que acompañaban el séquito un poco distanciados de los otros.

—Policías —dijo simplemente.

—¿Cómo lo sabes?

—Los vi a los dos cuando pasé por Jefatura. El calvo me arreó un derechazo en el estómago.

—¿A qué han venido? ¿Tienen miedo de que resucite?

—Esta mañana se presentó un inspector en el piso con una orden del gobierno civil prohibiendo los discursos... Dijo que, si había incidentes, yo apecharía con la responsabilidad.

—¿Por qué tú?

—Es la pregunta que le hice yo a él.

—¿Qué te respondió?

—Lo de siempre... Que más vale prevenir que curar.

Así, pensabas, Ayuso ha vivido con dignidad años difíciles, destierro, cárcel, persecuciones, ostracismo, olvido voluntario, armado con la única verdad de su palabra, sin claudicar jamás en el combate todo para acabar así, cubierto de tierra, cemento y ladrillo bajo la custodia de ellos, cuerpo indefenso al fin, definitivamente entre sus manos.

Subiste temblando la escalera. Desde arriba podías abarcar con la vista los jardines arropados de hierba del cementerio protestante y, más lejos, los huertos y cañizares del llano, grises y esfuminados por la llovizna. La comitiva había alcanzado el recinto laico, profanado con saña por las gentes de orden en la orgía de sangre que siguió a su victoria después de tres años de sucia guerra y, esforzándote en ocultar tu emoción, espigaste los nichos que habían escapado a su furor destructivo, perdidos en medio de las lápidas y hornacinas del impuesto rito católico. De los epitafios maquillados entonces bajo una espesa capa de cal afloraban irrisorios (patéticos) mensajes de fraternidad y esperanza que los españoles del tiempo futuro descifrarían quizá con asombro (si el reino de los Veinticinco Años de Paz se perpetuaba), como los actuales historiadores y eruditos al reconstituir los palimpsestos del medioevo: VIVIÓ COMO HOMBRE RACIONAL Y PERFECTIBLE MURIENDO CON LA SOLA ASPIRACIÓN DE UN MÁS ALLÁ LUMINOSO Y PROGRESIVO; estrellas de David, leyendas de teósofos, vestigios de alguna vieja inscripción masónica; EL ATENEO SINDICALISTA A SU CAMARADA AGUSTÍN GIBAHELL, 1 FEBRERO 1933; el retrato de un piloto de la fuerza aérea republicana muerto en el campo de batalla pocos días después del alzamiento militar; A SALVADÓ SEGUÍ, ASSASSINAT EL 10 MARC 1923 ALS 36 ANYS, LA SEVA COMPANYA. Te aproximaste a la lápida, adornada con flores artificiales y un ramillete de siemprevivas y examinaste la imagen del infortunado Noi del Sucre, legendario defensor de la clase obrera barcelonesa acribillado a balazos en cobarde emboscada por los pistoleros de la Patronal. La fotografía lo representaba de busto, vestido con una chaqueta negra y una bufanda de seda blanca, con un melancólico aspecto, pensabas, de veterano compositor de tangos. ¿Qué azar misterioso había preservado su memoria de la forzada y nocturna clandestinidad?

Los empleados del servicio fúnebre buscaban lentamente el nicho entre los números desteñidos de la pared y, acodado en la baranda de la escalera, observaste el decorado insólito que se ofrecía a tus ojos en el terraplén inmediatamente inferior: tres grandes losas de color gris, paralelas y anónimas, sobre las que una mano solícita había depositado manojos de flores silvestres, toscamente sostenidos por piedrecillas. La lluvia que resbalaba por las superficies desnudas añadía al cuadro una nota subrepticia de irrealidad.

¿Quiénes eran aquellos muertos y qué remota maldición expiaban? Antonio miraba también confundido y alguno susurró detrás de vosotros: "Son en Ferrer Guardia, Durruti i Ascaso."

—¿Y Companys? —preguntó Antonio.

—Companys está mes amunt.

Volviste la cabeza para evitar a los amigos el espectáculo de tu rostro céreo. Así, te decías, el encono les persigue hasta la tumba, de nada les vale la derrota ni el precio monstruoso que pagaron, la lucha contra su memoria continúa, su muerte en la ignorancia es cotidiana. La desaparición física no era más que el primer paso. Los ángeles guardianes del orden secular estaban allí para velar por el cumplimiento celoso de las reglas: envuelto en la oscuridad y el silencio el profesor descendería a los abismos del olvido, burlado y esquilmado de su muerte por los mismos paisanos que, tenazmente, le persiguieran y humillaran en vida. Los sepultureros introducían la caja en las fauces abiertas de la pared y, como sus hermanos subterráneos del abolido cementerio civil, sería borrado para siempre de la historia y el recuerdo por haber apostado, como apostabas tú, por la rigurosa y estricta nobleza humana.

Llovía aún cuando, recogidos y mudos, abandonasteis el recinto de vuestros compatriotas secretos y clandestinos —la frondosa cosecha de muertos anónimos sin cruces, sin flores, sin coronas. Bajabas despacio las gradas musgosas de la escalera y, como en el boulevard Richard Lenoir seis meses antes, tu corazón latía desacompasado.

CAPÍTULO III

No se te olvide nunca: en la provincia de Albacete, siguiendo la comarcal 3212, a una docena de kilómetros de
Elche de la Sierra, entre el cruce de la carretera de Alca-
raz y la bifurcación que conduce al pantano de la Fuensanta, se alza a la derecha del camino, en medio de un
paisaje desértico y árido, una cruz de piedra con un zócalo tosco

R . I . P .

AQUI FUERON ASESI

NADOS POR LA CANA

LLA ROJA DE YESTE

CINCO CABALLEROS

ESPAÑOLES

UN RECUERDO Y UNA O

RACION POR SUS ALMAS.

Viniendo de la llanura lineal de La Mancha, tras los trigales y ejidos del monótono campo albaceteño, alberizas
y canchales se suceden bajo el desolado esplendor del
sol. Senderos abruptos rastrean las frecuentes paradas
de colmenas y, a trechos, el forastero divisa algún
rebaño de cabras con su pastorcillo, como figuras con-
vencionales de un belén de corcho. La vegetación crece
apenas —matojos de romero y tomillo, espartizales secos y
desmedrados— y en agosto —a lo largo de aquellos caminos polvorientos, ignorados aún por los turistas— arde el
suelo y escasea el aire, ajeno todo a la vida, piedra inerte,
cielo vacío, puro calor inmóvil.

La primera y única vez que visitaste el país habías estacionado el coche junto a la cuneta y, encaramado en la
cresta del cerro, observaste silencioso la cruz conmemorativa, las lomas erosionadas y desnudas, las montañas in-

formes e incoloras. En 1936 tu padre y cuatro desconocidos —sus nombres y apellidos aparecían escritos también en la lápida— habían caído allí tronchados por las balas de un pelotón de milicianos e inútilmente trataste de reconstituir la escena con la mirada fija en el panorama último que se ofreciera a sus ojos antes del estrépito de los fusiles y el consabido tiro de gracia: un colmenar, una choza en ruina, el tronco retorcido de un árbol. Era a comienzos de agosto —el día cinco, según las actas encontradas luego— y el decorado, te decías, debía de ser aproximadamente el mismo que contemplaste entonces: el páramo aletargado por el sol, el cielo sin nubes, las colinas ocres humeando como hogazas recién salidas del horno. Alguna culebra asomaba quizá prudentemente su cabeza entre las piedras y del suelo ascendía, como una queja, el denso zumbido de las cigarras.

Te habías inclinado, recordabas, y recorriste con la mano la superficie rugosa de los esquistos con la esperanza absurda de avanzar un paso en el conocimiento de los hechos, pesquisando las huellas y señales como un aplicado aprendiz de Sherlock Holmes. Había llovido mucho desde el día de la ejecución (incluso en aquella estepa recocida y avara) y las manchas de sangre (si las hubo) y los impactos y esquirlas de los disparos (¿cómo encontrarlos, al cabo de veintidós años, en medio del pedregal baldío?) formaban parte ya de la estructura geológica del paisaje, fundidos definitivamente a la tierra e integrados en ella, horros, desde hacía casi un cuarto de siglo, de su primitiva significación y culpabilidad.

El tiempo había borrado poco a poco los vestigios del suceso (como si no hubiera sido, pensabas) y el monumento fúnebre te parecía a intervalos un espejismo (criatura súbita de tu ofuscada imaginación). Otras violencias, otras muertes habían desaparecido sin dejar rastro y la vida adocenada y somnolienta de la 'tribu proseguía, insaciable, su curso. Los ejecutores de tu padre se pudrían igualmente en la fosa común del cementerio del pueblo y ninguna lápida solicitaba para ellos un recuerdo ni una oración. Evocados unos y olvidados otros, fusilados del verano del 36 y de la primavera del 39 eran todos, juntamente, verdugos y víctimas, eslabones de la cadena represiva iniciada meses antes de la guerra a raíz de la matanza acaecida en Yeste en pleno gobierno del Frente Popular.

De vuelta al Mas —tras la amargura del entierro de Ayuso y el paseo sin rumbo por Montjuich— el escenario del fusilamiento se había impuesto de modo paulatino a tu memoria, entreverado con numerosas imágenes e impresiones de la excursión a Yeste el año del rodaje de los encierros y de vuestra interpelación por la guardia civil. Los hechos se yuxtaponían en el recuerdo como estratos geológicos dislocados por un cataclismo brusco y, tumbado en el diván de la galería —la lluvia seguía cayendo fuera sobre la tierra borracha de agua— examinaste la amalgama de papeles y documentos de la carpeta —periódicos antiguos, fotografías, programas —en una última y desesperada tentativa de descubrir las coordenadas de tu extraviada identidad. Fotocopiados por Enrique en la hemeroteca barcelonesa los recortes de *ABC, El Diluvio, Solidaridad Obrera, La Vanguardia* referentes a los sucesos de mayo del 36 se amontonaban en heterogénea mezcla con los clisés de los encierros tomados por ti en agosto del 58. Con ayuda de unos y otros podías no obstante reconstituir las incidencias e imaginar las situaciones, zambullirte en lo pasado y emerger a lo presente, pasar de la evocación a la conjetura, barajar lo real con lo soñado. Pese a tus esfuerzos de síntesis los diversos elementos de la historia se descomponían como los colores de un rayo luminoso refractado en un prisma y, en virtud de un extraño desdoblamiento, asistías a su desfile ocioso simultáneamente como actor y como testigo, espectador, cómplice y protagonista a la vez del remoto y obsesionante drama.

Se reunían a la sombra de los plátanos de la alameda, más allá de los corros de mirones que, con unánime gesto de entendidos, aquilataban ociosamente las habilidades y proezas de los jugadores de bochas durante las muy francesas, interminables y veraniegas partidas de pétanque.

Eran una docena de familias burguesas que, huyendo del terror y desorden de la zona republicana, se habían refugiado en el ámbito apacible de una pequeña estación termal del Midi a la espera del desenlace de la contienda que compatriotas de uno y otro bando ventilaban duramente entre sí en la Península. El tío César, su difunta esposa, la tía Mercedes, la madre de Álvaro les conducían por las tardes (a él a Jorge y a las dos primas) para reunirse allí, al pie de la estatua ecuestre del mariscal Lyautey, con las familias de sus demás compañeros de juegos: el señor y la señora Durán (papás de Pablito), los padres de Luisito y Rosario Comín, Conchita Soler y su hija Cuqui, doña Engracia (mamá de Esteban) y otros caballeros y damas de nombre ya olvidado por Álvaro: ellas, vestidas con viejos trajes de verano adaptados a la moda del día; ellos, con arrugadas chaquetas de hilo blanco y sombrero a lo Maurice Chevalier. Mientras los chiquillos corrían por entre los toboganes y columpios del parque infantil, los adultos se acomodaban en la terraza florida del Café de la Poste y, ante una taza de chocolate con bizcochos o un escueto té con leche (pues los tiempos que corrían eran malos y no estaban las cosas para lujos), comentaban, morosos, las noticias y bulos procedentes del Cuartel General del Generalísimo acerca de los últimos crímenes comunistas y el avance victorioso del Ejército Nacional.

Por espacio de varias horas niños franceses y niños españoles jugaban separados unos de otros bajo la mirada condescendiente y bonachona de un bigotudo *gardien de la paix*. Álvaro y los suyos habían fabulado una novela de aventuras en torno a las actividades delictivas del designado Espía Rojo y la persecución y castigo del culpable, diariamente mimados en diferentes versiones, constituyeron la principal distracción del grupo durante aquel lánguido y caluroso verano de 1937. Al anochecer los mayores se recogían a sus hogares y, excitados todavía por los episodios de la captura, Álvaro y sus primos regresaban cabizbajos al vetusto y sombrío chalé de la Avenue Thermale: una casa de dos plantas con tejado de azulejos y marquesina de vidrio en forma de quepí, situada al fondo de un melancólico y húmedo jardín inglés.

Concluida la cena, la madre y las tías retiraban los cubiertos de la mesa (el presupuesto no daba para criadas) y cerraban con llave las latas de conserva y paquetes de comida que el riquísimo tío Ernesto enviaba regularmente desde Cuba. Era la hora del rosario dirigido por la voz áspera de la tía Mercedes (piedad y estrecheces donde hubiera antes esplendor y rapiña): las letanías se sucedían entrecortadas por breves y sordos Ora pro Nobis hasta el final liberador de la oración especial para el retorno del padre (desaparecido en Yeste desde hacía un año) que anunciaba el ansiado momento de santiguarse y escabullirse corriendo hacia el jardín.

La madre y los tíos iban a escuchar el boletín informativo de Radio Burgos a casa de madame Delmont e, instalado en alguna beatífica ínsula, Álvaro les oía discutir en francés sobre la toma de Badajoz y la rendición de Santander, los bombardeos aéreos de Madrid y la ayuda generosa de los italianos. "Musssolini est un homme étonnant", decía madame Delmont abanicándose. "Il porte le génie sur son visage. Ça fait longtemps que je le dis. Il va nous sauver tous de la pourriture démocratique."

Fue ella —la tarde en que recibieron la comunicación oficial de la Cruz Roja y la madre de Álvaro se desvaneció— quien acudió a buscarle al parque infantil de la alameda y lo estrechó, sollozando, entre sus brazos. La caza del espía había entrado en su fase culminante y Álvaro contemplaba irritado el rostro bermejo y lloroso de la mujer, sin comprender el alcance de lo ocurrido. Compatriotas y extraños, mayores y chicos observaban, mudos, la escena insólita: los aspavientos teatrales de madame Delmont y la expresión de asombro del niño de siete años sobre quien inopinadamente —parecía imposible en la dulce Francia: hacía sol y los pájaros cantaban incluso— se había abatido la tragedia. —Mon Dieu, pauvre petit. Les Rouges ont assassiné son papa.

Continuasteis en dirección a Yeste. Pasada la cruz conmemorativa el terreno se altea y el camino es escabroso. La comarcal 3212 sube, baja, culebrea, se aferra a las escarpas del monte, asoma vertiginosamente sobre el llano. Los espartizales alternan con alberos mondos, orillados a trechos por alguno que otro mato de encina. Enebro, lentisco, romero, tomillo medran como pueden en el infecundo páramo. Unos kilómetros después esquistos y rocas desaparecen y, de improviso, la carretera se desboca.

Conservabas varias instantáneas captadas por el objetivo de la Linhof: trigales amarillos, colinas rosadas y ocres, casucas blancas, la línea avariciosa de una acequia jalonada de árboles frutales. Tras el panorama desnudo y uniforme de la meseta la inesperada variedad de colores regala y cautiva la vista. El viajero descubre una hondonada extensa, enardecida por la perenne caricia del sol. Las reservas forestales del Estado comienzan poco más lejos y la vegetación se enriquece de modo brusco. Hay árboles, boscajes, espesuras, umbrías. En la otra vertiente del paisaje el verde escala y recubre progresivamente la montaña hasta la apoteosis cimera de los pinos.

La comarcal atraviesa perpendicularmente el valle y, al subir la pendiente, bordea las tapias de un cortijo contiguo a las propiedades familiares liquidadas por tu madre inmediatamente después de la guerra civil. Al cabo de un centenar de metros se llega a un cruce de caminos y Dolores, Antonio y tú tomasteis el de la izquierda siguiendo la carretera que conduce al pantano de la Fuensanta.

El bosque ciñe la cresta de los cerros y, a momentos, se percibe la superficie azul del embalse entre las ramas de los pinos. El forastero experimenta una sensación de extrañeza, como si lo hubieran trasplantado de repente a un lago de los Alpes. A lo largo del trayecto se alinean varios chalés construidos con arreglo a la moda de los años treinta, rodeados de jardines con rosales, adelfas, mimosas y bugambilias. Es el ex barrio residencial de los ingenieros y técnicos de la presa y, de ordinario, no se divisa un alma. Las viviendas parecen deshabitadas y cuando pasasteis junto a ellas, te vino a las mientes un documental de título y autor olvidados, que habías visto en un programa de la cinemateca parisiense, acerca de una ciudad colonial del Medio Oriente evacuada durante una epidemia de tifus. De una chimenea surgía, como un desafío a la imaginación, un leve penacho de humo. A la vera del camino hay setos de tuyas y cipreses y, en un recodo, una capilla fabricada conforme al estilo arquitectónico de los chalés. Quisisteis visitarla, pero estaba cerrada. La carretera baja todavía medio kilómetro a la sombra de los pinos, y, anunciado por un rumor prolongado y hosco, aparece, de pronto, el dique de contención del embalse.

Estacionaste el automóvil al final del sendero y os acodasteis en el pretil, sobre el salto de sesenta y ocho metros de altura por el que el agua, al caer, descomponía los colores del espectro a la luz del sol, como un alado y tembloroso arco iris. Vistas de cerca las aguas del pantano son de una tonalidad verde mate. El dique, los barracones, el paisaje entero pintaban absolutamente desiertos. A la derecha existe un túnel excavado en la roca y os dirigisteis a él sin hacer caso del cartel prohibitivo. En las paredes había unas inscripciones borradas que vanamente trataste de descifrar. De espaldas al salto el silencio era completo. Evadidos del espacio y del tiempo caminabais en la penumbra como unos sonámbulos. Al otro lado del túnel la luz hería violentamente los ojos.

Salisteis al raso. Al borde del embalse hay un edificio

sin puertas ni ventanas y un hombre de una cincuentena de años vacaba a sus ocupaciones. La perspectiva, allí, abarca una gran extensión de pantano. Se distinguen playas, cantiles, promontorios, islotes. Lejos, el agua se tiñe poco a poco de azul y, en la orilla opuesta, los pinos crecen prietos y salvajes.

—Buenos días. ¿Es usted el guardián?

—Sí señor.

—Andábamos por acá de visita —Antonio sacó una cajetilla de cigarrillos y ofreció una ronda—: ¿Mucho trabajo?

—Poco —repuso el hombre.

—Mis compañeros y yo buscábamos el transformador. . .

—Pierden ustedes el tiempo. Esto está muerto.

—¿No hay transformador?

—No señor. Cuando las obras proyectaban instalar uno pero llegó la guerra y abandonaron el proyecto.

—¿Para qué sirve el embalse entonces?

—Para regar. Toda el agua de la vega del Segura viene de aquí.

—Es raro que no aprovechen la fuerza como en los demás embalses —dijo Antonio—. ¿Siempre hay agua?

—Siempre. En invierno más y en verano menos pero, poca o mucha, siempre hay.

—Es raro —repitió Antonio.

—Nadie se ocupa en eso.

—En otros lados construyen pantanos —observó Dolores.

—Sí, pero éste no lo hicieron ellos. —El hombre había desviado la vista.

—¿No?

—No. Éste se construyó durante la República.

Hubo una pausa. El guardián fumaba con gesto absorto y apuntó vagamente hacia la presa.

—Ustedes son demasiado jóvenes para acordarse, pero yo sí me acuerdo —os había vuelto la espalda, con un ademán instintivo y, súbitamente, añadió—: El pantano éste costó mucha sangre.

—¿Durante la guerra?

—Durante la guerra, y antes... ¿Han estado ustedes en Yeste?

—Ahora mismo vamos.

—¿Van ustedes a ver el encierro?

—No sabíamos que había encierro. Nos enteramos en Elche. Es pura casualidad.

—La gente joven se distrae como puede —dijo el hombre—. En mis tiempo éramos de otra pasta.

—¿Hizo usted la guerra? —preguntó Dolores.

—La guerra, y lo de después... Tres años en las trincheras y cuatro en un campo.

—¿Cree usted que en Yeste nos informarán?

—¿Sobre qué?

—Sobre lo del treinta y seis.

El hombre hundió las manos en los bolsillos y, con una sonrisa, oteó la presa desierta, la vegetación espesa de las montañas.

—Si les interesa hablar de toros y encierros, todo lo que ustedes quieran... Pero de lo otro, no... Unos porque no saben y otros porque tienen miedo. Nadie les dirá una palabra.

La noticia cundió hasta los más apartados rincones: había trabajo en Yeste. Avisados por familiares y amigos los hombres acudieron en masa desde Madrid, Barcelona, Francia, Marruecos. Mensajes y cartas hablaban de sueldos elevados, de empleo asegurado por espacio de muchos meses. Tras años opacos de estrechez y penuria parecía abrirse de pronto una era de progreso y de bienestar. Al iniciarse las obras de construcción de la presa habían regresado al pueblo a vuelta de dos mil emigrados.

Ingenieros y técnicos recorrían el término municipal con estadillos y planos, practicaban sondeos y excavaciones, tenían misteriosos conciliábulos con los representantes de las fuerzas vivas. En un principio los hombres que conducían la pinada por los meandros del Segura habían observado con escepticismo el grupo de ciudadanos que, equipados con teodolitos y moderno instrumental planimétrico, medían pacientemente los hocinos y angosturas del río entre los quebrados de la montaña. Aislados por la geografía en aquellos parajes remotos habían aprendido de niños a mirar con desconfianza a los enviados de la capital: curas, sacamantas, guardias civiles, recaudadores. ¿Qué se le importaba a ellos de los proyectos de los topógrafos? Armados con sus bicheros habían continuado la tarea sin tomarse la molestia de averiguar el objeto de la visita. El simple sentido común les advertía que su aparición no podía significar nada bueno. ¿Maquinaban apoderarse quizá, como otras veces, de los bosques y propiedades comunales? La caída del rey no había cambiado las cosas. El poder central seguía manifestándose exclusivamente en forma de anatemas y órdenes y, como por casualidad, el interés de unos y otros redundaba siempre en beneficio de los caciques.

A medida que avanzaban los cálculos el rumor favorable de los informados había tomado consistencia y el recelo de los indígenas cedió paso al asombro. Tras tantos siglos de olvido, la República, ¿iba a acordarse de ellos? Resultaba difícil de creer. Las autoridades, no obstante, lo afirmaban así. Se trataba, explicaban, de rebalsar las aguas del Tus y el Segura a fin de garantizar durante los tiempos de seca el riego de la huerta murciana. Una empresa de interés nacional provechosa para todos. Mientras duraran las obras el paro desaparecería de Yeste y la economía del pueblo experimentaría una gran mejora.

Hubo asambleas, reuniones, debates, mítines. Los pineros que transportaban la madera por vía fluvial, los campesinos que cultivaban las tierras ribereñas habían elevado tímidamente sus objeciones ante la Comisión gubernativa. Eran hombres montaraces y rudos —analfabetos en su mayoría— que vivían enriscados en sus casucas y chozas de la sierra como en la época en que sus antepasados de la Orden Militar de Santiago defendían las fronteras del reino contra las incursiones de los moros. Leñadores de Orcera y Siles, colmeneros de Molinicos y Riópar, carboneros de Létur y Bonanche, destiladores de romero de Jartos habían bajado en bandadas desde sus reductos y se apiñaban silenciosos frente a los miembros de la Comisión con sus alpargatas y gorras, calzones de pana y chalecos levantando la mano y carraspeando espaciosamente llegada la hora de las preguntas.

—Mi hermano y yo conducimos pinos por el río. Cuando terminen las obras, ¿podremos seguir con nuestro trabajo?

—El transporte se hará por carretera.

—¿Y nosotros?

—Ustedes trabajan en el embalse y no se preocupan por lo que venga después —el vocal de la Comisión se expresaba con voz persuasiva—: Para eso estamos nosotros. Para cuidar del porvenir de ustedes. El Ministerio de Obras Públicas tiene en cartera una serie de proyectos de reconversión y los aplicará en el momento oportuno.

—¿Y los que cultivamos la huerta? En el ayuntamiento me dijeron que la iban a anegar.

—Estableceremos nuevas zonas de regadío en los terrenos comunales. Todo el mundo será indemnizado.

—Mi pueblo está a veinticinco kilómetros y no hay coche de línea. ¿Cómo iré a dormir a mi casa?

—Para los que viven lejos hemos previsto la construcción de una serie de barracones donde podrán dormir y guisar. Los de Yeste serán transportados gratuitamente por los camiones de la empresa.

—En caso de accidente, ¿nos pagarán?

—Todos los obreros beneficiarán de la legislación social aprobada por el Ministerio del Trabajo.

—La comida, ¿dónde la mercaremos?

—La empresa instalará para ustedes un economato y una cantina.

—¿Cuánto durarán las obras?

—Aproximadamente dieciocho meses.

Las respuestas del vocal caldeaban la atmósfera fría de

la sala, disolvían las dudas y las sospechas, tranquilizaban definitivamente los ánimos. Cuando el turno de las preguntas cesó los hombres abandonaron el pueblo satisfechos. Habían acabado los tiempos de endémico paro, los jornales a mata hombre del cacique, la dura necesidad de ir a buscarse los garbanzos fuera. Atrás quedaban humillaciones, miseria, injusticias; la eterna ronda anual de unas estaciones siempre iguales.

Imagínalos mientras se alejan por veredas y trochas, subiendo los caminos abruptos de las sierras, encaramados en lo alto de sus riscos: son ellos, tus paisanos, los mismos que un día agobiador del mes de agosto apuntarán a tu padre con sus fusiles en el lugar en que hoy se alza la siniestra cruz conmemorativa. Contentos de vender al fin su pobre fuerza de trabajo. Ignorantes de que el telón se acaba de levantar y, para ellos como para ti, empieza la representación de un drama urdido con sangre, sudor y lágrimas: vuestro destino común de españoles irrisorio y sombrío.

Estabais sentados en la galería y el picú transmitía el lamento sereno de Kathleen Ferrier interpretando *Kinder-Totenlieder* de Mahler. Antonio había ido a la cocina a prepararse un cuba libre. Fuera continuaba lloviendo.

—¿Te acuerdas del trayecto? —preguntó Dolores.

—No.

—Al volver de la presa pasamos junto a una playa de arena y yo me quise bañar desnuda.

—Es posible.

—Llevábamos varias horas sin hablarnos porque la noche antes no quisiste hacer el amor conmigo. Tu dichoso Jumilla me había excitado y, al acostarnos, me rechazaste con brusquedad.

—Excelente tu memoria. En efecto, así fue.

—Me dijiste: si tantas ganas tienes baja a la calle y búscate un hombre.

—Es lo que hiciste, ¿no?

—Estaba decidida a hacerlo. Me vestí, salí al Paseo de Albacete y comencé a timarme con todos los tipos —Dolores se había acurrucado contra ti y deslizó una mano por tus cabellos—: A los cinco minutos se había detenido la circulación.

—No exageres.

—No exagero. Los hombres me miraban como perros y me asusté. Nunca he podido acostumbrarme al subdesarrollo de los españoles.

—¿Qué hiciste?

—Volví corriendo al hotel y me bebí otra botella de Jumilla.

Reísteis los dos a la vez. La víspera —antes de ir al entierro del profesor— os habíais amado ella y tú como en los viejos tiempos y al sentir los latidos de tu propio corazón mientras recorrías con la lengua el vientre suave de Dolores, sus muslos firmes, su sexo escondido y jugoso, pensaste en el aviso agorero del tobogán de la Bastille y el episodio tragicómico del fallecimiento del Presidente Félix Faure en brazos de su amante. ¿No era acaso el orgasmo una pequeña muerte?

Antonio había vuelto con su cuba libre y se acomodó en un cojín por el suelo. Su aparición cerraba el paréntesis de vuestro intermedio personal y, acompañado por la voz sedante de la contralto, soñaste de nuevo con la vista extraviada en las fotografías en colores del embalse que habías captado tú mismo, años atrás, inclinado sobre el trípode de la Linhof.

Las obras comenzaron en el tiempo previsto. Mientras una primera brigada de trabajadores procedía a la apertura de una zanja lateral de desagüe, los barreneros agujerearon la masa rocosa del lecho y en el intervalo de unas pocas semanas la volaron con dinamita. El fragor bárbaro de las explosiones había hecho vibrar las quebradas angostas multiplicado teatralmente por un eco iracundo. Los pinos arraigados al borde del tajo se estremecieron y un movimiento de pánico desbarató la fauna silvestre del monte. Jabalíes, zorros, ardillas y liebres huyeron a emboscarse a zonas más remotas. Gavilanes y urracas anidaron en las umbrías al otro lado de la sierra. En los meandros del río y azudas de riego del valle centenares de truchas plateadas flotaban exangües, víctimas del brutal cataclismo.

Despejado el terreno, un ejército de peones, ayudantes, técnicos, albañiles había rellenado los huecos abiertos por los barrenos con pesados bloques de hormigón armado. Los hombres iban y venían atareados por los andamios y el imperio de las máquinas —orquestación coral de ruidos ásperos y desabridos— eclipsó definitivamente el zureo de las palomas, el canto agudo de las abubillas, el claro y fresco rumor del agua. Camiones, grúas, perforadoras, pistoletes zumbaban sordamente de la mañana a la anochecida. La altura del dique de contención alcanzó una cota de veinte, treinta, cuarenta metros. Los trabajadores contemplaban su propia obra asombrados.

Transcurrieron los duros meses de invierno y, con la primavera, el paisaje pareció rejuvenecer. Una savia lozana y pujante inyectaba nueva vida a los pinos del bosque y aves vistosas e ingrávidas se cernieron cautelosamente sobre el pantano y continuaron su perezoso vuelo hacia los picos. El sol brillaba como un ascua de oro. Encima del verdor desnudo del monte el cielo permanecía transparente y azul.

La luz convocaba a los obreros de madrugada. Los equipos trabajaban sin descanso bajo la mirada censoria de los capataces. El nivel de las aguas rebalsadas subía y, juntamente, la altura vertiginosa del dique. La comida y jornales de los hombres fueron objeto de laboriosas discusiones con los representantes de la Comisión y estallaron huelgas y manifestaciones de protesta encabezadas por socialistas y comunistas. Hubo, asimismo, numerosos accidentes (vale muy poco la vida de un español pobre): el cuerpo de la víctima, vestido con sus ropas de trabajo (las de calle servían para la familia) era expuesto durante veinticuatro horas en la capilla ardiente de la empresa, antes de ser trasladado (gratis) al cementerio del pueblo. Viuda e hijos recibían en estos casos una pequeña indemnización.

Cuando terminaron las obras el agua había anegado ya el puente de la carretera (Obras Públicas había construido otro cincuenta metros más arriba), las huertas ribereñas del Tus y el Segura, las viviendas y aljibes del valle, las ruinas del viejo molino de aceite. Al acto inaugural asistieron el Ministro y los diputados provinciales (entre éstos el propio cacique). Se pronunciaron discursos, hubo brindis y vivas a la República, los trabajadores comieron a cuenta de la empresa y los empleados de la cantina distribuyeron vino y aguardiente sin tasa. Según testimonios fidedignos las personalidades fueron despedidas con aplausos.

De acuerdo con las promesas del vocal los propietarios de la vega habían sido resarcidos por el Gobierno y, confiadamente, pineros, campesinos, carboneros, leñadores se recogieron a esperar a sus casas.

Corría el año de gracia de mil novecientos treinta y cuatro.

Veinticuatro años después —en pleno Cuarto de Siglo de Paz y Prosperidad— habías contemplado la superficie inmóvil del embalse, las frondosas pinedas de la sierra, las columnas de humo de los hornos de destilación de romero, los calveros y claros de monte que señalan la existencia lejana de algún solitario rancho de carbón. La carretera se adapta a las ondulaciones caprichosas del terreno y, conforme os acercabais a Yeste, una emoción anticipada y confusa se había adueñado de ti.

El sol deshumanizaba el paisaje inerte y el canto elemental de las cigarras cubría a trechos el ruido monótono del motor. Nubecillas vedijosas bogaban sobre las hazas ocres del valle del Tus. Había habitaciones campesinas con los muros en ruina y numerosas paradas de colmenas se alineaban decrépitas en medio de la solana. A la entrada del pueblo os demorasteis unos minutos en el cementerio comunal. Epitafios odiosos y vengativos recordaban al visitante las ejecuciones del verano del 36. El panteón en donde reposaran los restos de tu padre antes de su traslado al cementerio barcelonés del Suroeste se erguía entre la hierba salvaje, a la sombra de un ciprés espigado y airoso. Al identificarlo agradeciste a tu madre la sobriedad de la inscripción. Ninguna lápida evocaba en cambio a las víctimas del tiroteo del 29 de mayo, cuya lista —publicada en la primera plana de *Solidaridad Obrera* del 3 de junio de 1936— tienes fotocopiada ante ti:

"Jesús Marín González

Justo Marín Rodríguez, secretario de la Juventud Socialista

Andrés Martínez Muñoz, de 40 años, gestor de Yeste

Nicolás García Blázquez

José Antonio García

Jacinto García Bueno, de 25 años, secretario de la Casa del Pueblo

Antonio Muñoz

Manuel Barba Rodríguez

José Antonio Ruiz

Miguel Galera Fousladi, de Boche

Fernando Martínez, de La Graya

Antonio "el Gilo"

Jesús "el Calceta", de Yeste

Balbino, de La Graya

"El Polilla", de Yeste

Juan "el Bochocho", de 60 años

Otros dos cadáveres no reconocidos."

Los fusilados de la primavera del 39 —definitivamente extirpado del país el cáncer rojo— se habían esfumado también sin dejar huella.

Muertos no, inexistentes. Negados por Dios y por los hombres. Concebidos —diríase— en un sueño falaz, desdibujado, remoto.

La espera se alargó durante dieciocho meses. Los hombres habían consumido poco a poco sus pobres ahorros y, mientras el Gobierno estudiaba (eso decía) un ambicioso plan de obras hidraúlicas y el traslado de los menesterosos a Hellín, pineros, campesinos, carboneros, leñadores se vieron obligados a entramparse de nuevo. Los técnicos hablaban de desmontar, terraplenar y abancar las pendientes, de construir acequias de riego aprovechando los desniveles del Tus. El transporte de pinos por carretera resultaba ruinoso. A intervalos regulares la prensa gubernamental prometía soluciones inmediatas. Cuando llegó la crisis económica el nuevo Ministro dio carpetazo a los proyectos. Una tras otra las Comisiones regresaron a Madrid. A primeros de 1936 había en Yeste más de dos mil familias sin trabajo.

Debidamente indemnizado por sus tierras anegadas (la suma concedida, se rumoreaba, era muy superior al valor real) el cacique no permanecía por ello inactivo. Un buen día, hojeando el boletín informativo de la provincia, el pueblo se enteró con estupor de que el municipio le había vendido, por acuerdo unánime del pleno, la casi totalidad de los bosques comunales. Los hombres que carboneaban en las pedanías cercanas fueron conminados a partir inmediatamente por la fuerza pública. Hubo protestas acalladas en seguida por el envío de refuerzos de la guardia civil. Al anunciarse la convocatoria de las elecciones de febrero el cacique hizo saber por medio de sus agentes y portavoces que, en razón de los intereses supremos de la patria, volvía a presentar por segunda vez su candidatura de diputado. En el pueblo la situación social era explosiva.

La campaña electoral fue violenta y, a pesar de las presiones y amenazas, el Frente Popular obtuvo mayoría en el municipio. Cuando se divulgó la noticia de su triunfo en las principales ciudades de España los hombres se reunieron en masa frente a los balcones del Ayuntamiento y ovacionaron a los vencedores. (Uno de tus primeros recuerdos infantiles —¿o era una creación posterior de tu imaginación sobre la base de una anécdota repetida a menudo en familia?—: has ido a misa con los tuyos a la capilla del convento de las Josefinas y, al salir, os dirigís a pie a la mesa electoral del barrio. En la puerta un hombre tiende unas papeletas a tu padre. La tía Mercedes se santigua y dice muy alto: "¿Por ustedes? ¡Jamás!" La historia era sin duda cierta, pero no podías garantizar tu calidad de testigo.)

Aunque el nuevo ayuntamiento había nombrado una Comisión gestora con el encargo de activar los planes de regadío y reducir el problema del paro, la gente de la capital tomaba las cosas con calma: había que tener un poco de paciencia, exhortaba, el Frente Popular debía enfrentarse con cuestiones mucho más urgentes, todo se arreglaría a su debido tiempo. Día tras día los peones bajaban del monte a hacer plaza y regresaban a sus casas con las manos vacías. Ninguna tienda quería fiarles. El hambre amenazaba a centenares de familias.

Sucedieron tres meses de espera y buenas palabras. Pero los braceros no podían esperar más. El hambre no sabía ni tenía por qué saber de paciencias. Si el Frente Popular no resolvía su situación la resolverían ellos (así eran entonces tus paisanos).

A mediados de mayo pineros, campesinos, carboneros, leñadores entraron en los montes del cacique y empezaron a talar árboles.

Había cesado de llover. Te incorporaste, cogiste la botella de Fefiñanes y llenaste tu vaso hasta el borde. Dolores examinaba con atención los papeles de la carpeta y te mostró una hoja impresa que milagrosamente había escapado indemne al registro y requisa de vuestros enseres por el concienzudo sargento de la guardia civil. Era el dibujo de un toro someramente perfilado con tinta negra y te acomodaste a leer en el brazo del sofá.

AYUNTAMIENTO DE YESTE — PROGRAMA OFICIAL DE FIESTAS

Día 20

A las 5 de la tarde,
Gran Cabalgata Juvenil de Apertura de Feria,
Con asistencia de la Banda de Música y la Comparsa de
Gigantes y Cabezudos

Día 21

A las 7 de la mañana,
Floreada Diana por la Banda de Música
A las 5 de la tarde,
Festejos populares en el Real de la Feria
A las 8,
Concierto, por la Banda de Música en el Kiosco de la plaza
A las 11,
Verbenas

Día 22

A las 7 de la mañana,
La Banda de Música recorrerá las principales calles de la
población interpretado *Alegres Dianas*
A las 10,
Solemne Función Religiosa y Procesión, en honor del San-
tísimo Cristo de la Consolación
A las 5 de la tarde,
Concursos Populares, con importantes premios
A las 8,
Concierto, en el Parque
A las 9.30,
Quema de un Gran Castillo de Fuegos Artificiales, a cargo
de la firma "Pirotécnica Zaragozana"
A las 11,
Verbenas Populares

Día 23

A las 6 de la mañana,
Gran Diana
A las 7,
Procesión, en honor a la Santísima Virgen de los Dolores,
Santo Rosario, a continuación, *Santa Misa*
A las 11,
Típico Encierro, con ganado del acreditado ganadero Don
Samuel Flores
A las 5 de la tarde,
Grandiosa Novillada, cuyos pormenores se anunciarán en
programas especiales
A las 11,
Sensacional Verbena con Gran Fin de Fiesta

—¿Qué día llegamos? —preguntó Antonio.
—El veintidós. Era la víspera del encierro, ¿te acuerdas?
—Lo que no olvidaré nunca es el regreso a la fonda, con
los guardias —dijo Dolores—. La gente nos miraba como
si fuéramos marcianos.
—Lo divertido vino después —dijiste tú.
—Cuando me echaron mano en Barcelona salió a relucir
de nuevo el documental —dijo Antonio.
—Si se proponían hacerme famoso lo consiguieron.
—¿Qué se habrá hecho de los carretes?
—Los tienen archivados en Madrid.
—No bebas más —dijo Dolores.
—Volvamos a Yeste —respondiste tú.

Había animación a la entrada del pueblo: reatas de mulas,
carros, motocicletas, caballos. La multitud ocupaba la calzada de la carretera y el automóvil se abría paso con lentitud, objeto del pasmo y curiosidad de los mirones. A lo
largo del trayecto reinaba una insólita actividad. Los mozos ponían talanqueras en la boca de las calles, los vecinos

adornaban los balcones con banderas y colgaduras. De tiempo en tiempo se oía el redoble vivo y rápido de un tambor. Antes de llegar a la plaza el alguacil os había obligado a volver atrás y estacionasteis en una costanilla, a pocos metros de la fonda.

El sol caía a mazo sobre las viviendas rústicas de la calle mayor. Los pantalones entallados de Dolores provocaban la mirada descarada de los hombres, la reprobación muda y envidiosa del mujerío. La gente os tomaba por extranjeros y algunos observaban tu cámara de 16 mm. con recelo y hostilidad. Filmaste unos planos con los preparativos del encierro, una vieja montada en un asno, la esquina de un edificio con el cartel: "Calle de Norberto Puche Fernández, caído gloriosamente en Rusia." Los chiquillos os seguían pegados como sombras y preguntaban con voz aguda si trabajabais para el Nodo.

Quisiste visitar el castillo donde encapillaron a tu padre, pero estaba cerrado. El guarda se había ido con las llaves y nadie supo dar razón de su paradero. Durante un rato vagabundeasteis por callejas y angostillos buscando en vano los cimientos de la casa solariega que tu madre heredara de un tío abuelo en los tiempos lejanos y para ti misteriosos de su admirable belleza y su juventud (casa en la que probablemente fuera detenido tu padre en el 36, al pillarle allí el alzamiento de los militares y la movilización popular en defensa de la República). Vendida por motivos sentimentales unos meses después de la victoria de Franco había cambiado al parecer varias veces de dueño antes de ser demolida, al fin, por su último adquisidor (un negociante enriquecido gracias al estraperlo). Tu madre conservaba sobre la cómoda una instantánea de ella apareada con la postal fechada el doce de julio que le enviara el marido desde Yeste. ("El viaje fue bueno y llegué sin novedad. La situación es más tranquila. Mañana veo a los representantes de la Gestora. Espero regresar el domingo. Abrazos", o algo por el estilo); pero fotografía y postal se habían extraviado a su muerte y tus registros e indagaciones posteriores habían sido infructuosos. Mutilada, descabal, tu historia reciente se perdía ya en las arenas movedizas de la conjetura.

Fuisteis a hacer boca a la fonda. Tratantes de ganado, regatones, viajantes de comercio, campesinos de las pedanías lindantes comían, bebían, fumaban, discutían en una habitación exigua y ruidosa, aromatizada por una cocina violenta y agreste: hogazas de pan, costillas asadas, potaje de garbanzos, espeso vino tinto. En la barra del bar un hombre de una treintena de años no os quitaba la vista de encima.

—¿Son ustedes de Madrid?

—No, de Barcelona.

—¿Cronistas taurinos?

—Aficionados solamente.

Lo invitasteis a vuestra mesa y hablasteis de toros. Explicó que era chófer de autobús, que andaba de vacaciones en el pueblo, que tenía la familia en Cataluña.

—¿Es usted de Yeste?

—Como quien dice —sonrió—: De una aldea que le llaman La Graya.

El corazón te dio un vuelco. Aunque procurabas disimularlo llevaste no obstante la conversación al tema del pantano, a lo sucedido en la pedanía dos meses antes de la guerra civil.

—¿No fue allí donde hubo un levantamiento?

—Sí, señor. Mejor dicho, en el camino entre Yeste y La Graya, a unos dos kilómetros de acá. Si les interesa conocer el sitio les acompaño.

—De acuerdo —dijiste tú.

Volvisteis con él al coche y atravesasteis el pueblo, herido a aquella hora por el bochorno canicular de la siesta. Las casas enjalbegadas reverberaban, había ristras de pimientos y panojas de maíz en la mayoría de los balcones. Al salir a despoblado los pinos cubren bruscamente el teso del cerro. La carretera atalaya la cara azul del pantano de la Fuensanta, la depresión verdosa del valle del Segura, los campos del llano tendidos como retales de diferentes colores. Poco a poco el pueblo se achica, acurrucado bajo la mole del castillo y el forastero contempla atónito los lienzos oscuros de las murallas con sus torres, matacanes, saeteras —toda la geometría inexorable concebida antaño como un esplendoroso desafío, losa de piedra ahora, perdurable e inerte, sobre el destino de sus resignados habitantes.

—Es allá, en aquel recodo.

Frenaste al borde de la cuneta y te apeaste con la cámara de 16 mm. La luz avasallaba el paisaje vacío, las cigarras zumbaban en los olivos mareadas de sol. Desde el pueblo —según supiste luego— un guardia civil —ojo avizor del orden de los tuyos— os vigilaba con sus prismáticos.

La finca se denominaba La Umbría y pertenecía a la pedanía de La Graya. Propiedad comunal de tiempos inmemoriales había pasado poco a poco a manos del cacique en la época en que sus testaferros disponían a su antojo del ayuntamiento de Yeste y, desde entonces, los hombres que habitualmente carboneaban en ella se veían condenados sin remedio al paro o la emigración. Las obras del embalse habían aliviado su situación de modo momentáneo. Inaugurado el pantano se abrió un periodo de espera alimentada en parte por la derrota del cacique en la consulta electoral de febrero y las renovadas promesas de ayuda de los dirigentes del Frente Popular. Los miembros de la Gestora se esforzaban, sin éxito, en vencer la resistencia de las autoridades de la provincia. Puestos en el disparadero, agotada ya su paciencia, los habitantes de La Graya entraron en los bosques de La Umbría y comenzaron la tala de árboles.

La decisión se tomó por unanimidad. Hombres, mujeres, viejos, chiquillos se habían reunido frente a la habitación de los guardas forestales armados con hoces, bastones, hachas, cayados, bicheros.

—Vamos a carbonear en La Umbría.

—Sabéis muy bien que don Edmundo os lo tiene prohibido —el jefe de los guardas permanecía en el tranco de la puerta con la escopeta terciada a la espalda.

—Don Edmundo no tiene calor en la cara. Esos bosques son comunales. En adelante haremos carbón con los pinos y sembraremos en los planes.

—¿Se lo habéis dicho a don Edmundo?

—Te lo decimos a ti.

—Si no lleváis autorización...

—Nos autorizamos nosotros mismos. Por eso hemos venido a hablarte. Aquí vamos todos claros. Queremos saber con quién estás tú.

El guardia forestal había examinado el rostro resuelto y audaz de sus paisanos. Algunos esgrimían sus armas, amenazadores.

—Si os ponéis así...

—Nosotros no reclamamos más que lo nuestro.

—Cuando don Edmundo se entere...

—Deja a don Edmundo en paz. Esos montes han sido siempre de la pedanía. Si te dice algo dile que se entienda con nosotros.

—Yo me lavo las manos.

—Nosotros no tenemos nada contra ti ni contra tus compañeros. Si el viejo se pone farruco iremos a ver al alcalde.

—Os vais a buscar un lío. Don Edmundo tiene mejores padrinos que vosotros.

—Tú no te apures. Esto es asunto nuestro.

—Haced lo que queráis. Yo he cumplido con mi deber poniéndoos sobre aviso.

El mismo día los habitantes de La Graya subieron al cerro y empezaron a clarear el monte para establecer sus hornos. El eco de los hachazos sonaba en el valle alegre como una música. Meses y meses de paro forzado habían acumulado una energía que se desfogaba airosamente acompañada de voces y tonadas, balada ancestral y primitiva de hombres acostumbrados desde siglos a una existencia áspera y libre, de un individualismo salvaje e indómito. Caían los pinos, zumbaban las sierras, se activaban los picos y palas en torno a los tocones recién cortados. Mujeres y niños de la pedanía participaban con entusiasmo en la faena: limpiaban la maleza del bosque, podaban las ramas, levantaban y armaban conos de leña que, sometidos a fuego lento, debían convertirse en carbón. En las calvas del monte azadones y escardas rozaban el suelo con brío, arados rústicos removían la superficie de la tierra, manos volanderas y ágiles arrojaban puñados de simiente en los surcos. Era una auténtica carrera contra reló. Los perros iban de un lado a otro con la lengua fuera y observaban, esbeltos, el trabajo armonioso de la comunidad.

Durante dos semanas el sol cobijó propicio la unidad recobrada del hombre y el paisaje, la tarea abnegada de los serranos, la hermosa y sabia disciplina de los útiles en manos de los leñadores. Sus rayos se colaban raudos por entre el follaje de los árboles, se posaban sobre las opulentas seras de carbón, herían las piedras musgosas de la orilla del río, centelleaban fugaces en el filo de un hacha. El humo de los hornos se elevaba hacia el cielo, tranquilo y sutil. La paz del trabajo útil y a todos provechoso parecía haberse instalado para siempre en el valle cuando al atardecer del 28 de mayo, sin conocimiento previo del alcalde de Yeste, diez parejas de la Benemérita con un brigada y un sargento apuntaron por la revuelta del camino y ocuparon militarmente la pedanía de La Graya.

Olivares, campos de maíz y cebada, una atarjea de desagüe, ninguna lápida conmemorativa.

—Yo era muy chico cuando hubo el tiroteo —dijo el chófer de autobús—. Pero si quieren saber lo que ocurrió conozco a uno que estuvo allí. Le dicen el Arturo.

—¿Vive en Yeste?

—Sí, señor. Trabajaba con los de la Gestora. Después de la guerra fue condenado a muerte y lo indultaron. Cuando salió, no parecía el mismo hombre. Ahora se dedica a componer carros.

Volvisteis al pueblo tras una somera visita a las pedanías del valle del Segura: La Graya, La Donar, los Paules. El sol estaba a punto de tramontar y la multitud invadía de nuevo la calle. El chófer os guió por una cuesta empinada al domicilio del aperador. Una mujer aguardaba inmóvil en el vano de la puerta. Con voz suave explicó que su marido acababa de salir de casa.

—Lo encontrarán tal vez en la feria —dijo—. Si quieren dejar un mandado. . .

—No vale la pena —dijo el chófer—. Los señores tenían interés en hablar con él.

—Pregunten en el bar del Morillo. A esta hora suele parar allí.

Escudriñasteis el pueblo de un extremo a otro. Pastores de Arroyo Frío y Pañarrubia, colmeneros de Raspilla y Llano de la Torre, gañanes de Tus y Moropeche, labriegos de Rala y El Arguellite discurrían por la feria en escuadrones compactos y sudorosos, se detenían a armar jarana a la entrada de las tabernas, asediaban los puestos de churros y patatas fritas, consumían a cucharetazos inmensos lebrillos de lechanís. Las jóvenes caminaban de bracete risueñas y alegres, fingían huir de los requiebros de los hombres, ondeaban el cuerpo con su virginidad recoleta y preciosa tenazmente defendida como un sagrario. Os detuvisteis a beber en una tasca. Dolores tentó la suerte en la rueda de la fortuna, Antonio probó su puntería y obtuvo como premio una bolsa de caramelos. Estabais en la España de los Taifas, petrificada e inmóvil en el moroso transcurrir de los siglos (el turismo masivo no había llegado aún, ni el Plan de Desarrollo de vuestros esclarecidos tecnócratas) y, mientras bebes (ahora) un sorbo helado de Fefiñanes, intentas delimitar y ceñir la imagen abigarrada y en exceso prolija del pueblo en fiesta (ocupado por sus propios habitantes y centenares de forasteros de la comarca) con la visión cruel y lúcida de tu doble experiencia de español y de emigrado, con treinta y dos años a cuestas de escamoteada (no vivida) historia civil.

La oscuridad recata la pobreza pintoresca del lugar y las luces de la feria alumbran débilmente un paisaje lívido y desconsolado...

Bebiste un nuevo sorbo de Fefiñanes.

Míralos: son hijos de los héroes de Guadalajara y Belchite, Brunete y Gandesa. Circulan despechugados, en cuadrillas y bandas, con cayadas y pitos, botas de vino y sonajas, tirando por la calle de en medio y molestando a los transeúntes con más erres y ruido que carro por pedregal, animados todos (diríase) por un ideal exigente e imperioso (¿libertad? ¿dignidad? ¿o simple exhibición ab absurdo de veinte y pico años no de paz sino de letargo, no de orden sino de sueño, torpor en lugar de vida...? Detente, no desbarres), un verdadero ejército popular (diríase) equidistante de la moderna grey fanática de los Beatles y los milicianos revolucionarios del 36.

Los maletas matan el tiempo en el quiosco de bebidas ante un botijo de agua serrana. El público rodea admirativo el grupo de adolescentes voluntariosos y anónimos que se juegan diariamente el tipo por un puñado de reales. Hombres hechos y derechos, canosos padres de familia les prodigan consejos expertos, les soban cariñosamente la espalda, les ofrecen una modesta ronda de picadura. Oyéndoles hablar se les tomaría a todos por émulos de Arruza o Manolete (a la hora de la verdad algunos lucharon tal vez con Líster o Durruti). Los maletas les escuchan en silencio, con ojos insomnes, atontados todavía por el calor y la fatiga. La mayoría de ellos viaja a pie, duerme al raso, sigue como puede el duro trote de los encierros (Lietor, Aina, Elche, Peñascosa, Ferez, Letur, Molinicos, Bogarra, Paterna, Socovos...).

—¿Te acuerdas de Arturo? —dijo Dolores.

Le habíais encontrado al fin en un bar de la plaza en el momento de la iluminación del castillo de fuegos artificiales, aturdidos por el fragor de las explosiones, bañado el pueblo por una pródiga lluvia de chispas.

—Estos señores querían conocerle —dijo el chófer.

El hombre te observaba con expresión atenta. Era delgado y alto, de nariz fina y ojos negros muy vivos en medio de su rostro cansado.

—Pues sí, viví todo eso —había mucha gente alrededor de vosotros y alteró perceptiblemente la voz—: Si quieren, otro día. . .

—Nos vamos mañana —dijiste tú.

—Pasen a verme después de la novillada. En mi casa estaremos más tranquilos. Mi mujer les servirá una taza de café.

No lo volvisteis a ver. Cuando el día siguiente fuisteis a la cita el Arturo no estaba. De vuelta a la fonda os aguardaba el sargento de la guardia civil.

Te serviste otro vaso de Fefiñanes.

—No bebas más —suplicó Dolores.

Al caer la tarde ocho parejas de guardias habían irrumpido en los ranchos de La Umbría con el fusil al hombro. En la pineda imperaba un denso silencio acentuado aún por el contrapunteo de las botas sobre los pedruscos del atajo. Prevenidos por las familias la mayor parte de los hombres habían buscado refugio en el monte. La columna de los civiles avanzaba con precaución, como si temiera una emboscada. Los tricornios despuntaban, brillantes, en medio de la espesura. Cuando asomaron al claro los guardias se desplegaron estratégicamente en guerrilla y, receloso, el cabo examinó los muñones amarillentos de los pinos, el llano limpio y arado, el fumeteo de los hornos de carbón, los conos y haces de leña listos para el transporte. Seis leñadores permanecían en sus puestos indiferentes y como ajenos a su presencia brusca.

—¿Quién manda ahí?

Hubo una pausa. Los hombres proseguían la tarea sin

inmutarse. El cabo adelantó unos pasos y se plantó frente
al más robusto.

—He preguntado quién manda ahí.

—Ya lo he oído.

—¿Qué esperas a contestar?

—Acá no manda nadie.

—¿Nadie?

—No, señor.

—Igual da. Tú me respondes por los demás.

—Lo mismo es uno que otro —repuso el hombre—. Todos somos parejos.

—¿Quién os ha dado permiso para hacer carbón?

—Los bosques son de la pedanía.

—Eso lo vamos a ver —el cabo paseaba la mirada por
los hornos, las fajinas de leña, la tierra recién sembrada—:
¿Habéis hablado con el dueño?

—Hemos avisado a los de la Gestora.

—La Gestora no corta ni pincha. Te pregunto si tienes
autorización de don Edmundo.

—No, señor.

—Bien, pues ya os estáis largando ahora mismo aprisa
y corriendo.

—Ya le de dicho que el monte es de la pedanía. Si no
trae orden escrita del alcalde. . .

—Tú canda el pico y obedece.

—Enséñeme antes la orden.

—¿La orden? —El movimiento del brazo fue rápido. El
hombre encajó el golpe sin pestañear—. Tómala la orden.

—Ni mis compañeros ni yo nos movemos.

—Si no salís de buen grado, saldréis a la fuerza.

Una hora después, en la pedanía, los testigos habían re-
ferido la escena. La lluvia de injurias, puntapiés, culatazos. El ensañamiento con los hombres caídos. La extinción
violenta de los hornos. El pisoteo rabioso de los sembrados.

Los seis detenidos habían atravesado las calles de la aldea, con las manos ligadas, hasta el edificio de la casa-cuartel. Los civiles se quitaron sus capas y tricornios y se sen-

taron a comer a la luz de los candiles. Los vecinos merodea-
ban por los alrededores al amparo de la oscuridad. Las
mujeres iban a preguntar por sus maridos, discutían a gritos con los guardias. La excitación había aumentado al
propalarse el rumor de que maltrataban a los presos. Varios
grupos se presentaron en la puerta del cuartelillo y alterca-
ron acaloradamente con los centinelas. Los guardias de dentro salieron con sus mosquetones y el gentío retrocedió. Por
orden del brigada los civiles se retiraron al interior de la
casa-cuartel. Según testimonio posterior de los guardias un
cabecilla incitaba a la multitud al linchamiento.

Los vecinos de La Graya enviaron emisarios al alcalde
de Yeste, al presidente y miembros de la Gestora, a los habitantes de las pedanías cercanas. Todos habían pasado la
noche al sereno iluminados por el albedo de la luna, al acecho de los movimientos y voces de los civiles atrincherados
en la casa-cuartel. Por caminos y trochas serranos, orien-
tándose por las estrellas, pineros, campesinos, carboneros,
leñadores convergían puntualmente en su auxilio. La región
entera velaba de pie.

El canto desabrido del gallo se había anticipado unos
minutos a la aurora. Casi en seguida empezó a pintar el día.

Violeta, amarillo, rojo, como los colores de la República,
amanecía el viernes veintinueve de mayo.

La representación del drama estaba a punto de comenzar.
Grabados en la memoria tenías el decorado áspero de la
sierra de Yeste, los veintidós civiles destacados en la pedanía de La Graya, los carboneros presos acusados de la tala
de árboles, la muchedumbre silenciosa de paisanos reunidos allí para manifestar su solidaridad con los detenidos y,
como un trujamán que mueve los hilos de la trama, tú, Álvaro Mendiola, residente habitual en el extranjero, casado,
treinta y dos años, sin profesión conocida —pues no es
oficio ni profesión sino tormento y castigo vivir, ver, anotar, retratar cuanto sucede en tu patria—, evocabas, fas-

cinado, aquel pasado remoto e irrevocable que se desenvol-
vía de nuevo ante ti, pensando una y mil veces: si fuera
posible volver atrás, si las cosas hubieran ocurrido de modo
distinto, si milagrosamente pudiera modificarse el desenlace... Soñabas despierto en una España real, en unos compatriotas elevados a la dignidad de personas, en una existencia humana impuesta frente a los voraces enemigos de
la vida... Orador te sentías y, borracho, les arengabas
de lo alto de un tablado harapiento con la elocuencia miserable del charlatán y el tribuno: Desde siempre esperáis
vuestra oportunidad. Saltad sobre la ocasión. No la desa-
provechéis. La muerte no importa. Unos instantes —unos
breves instantes— de libertad valen —lo sabemos ahora—
toda una eternidad de siglos.

Cuando la columna sale del cuartelillo son las ocho de la
mañana. Los leñadores caminan maniatados entre sí y,
envueltos en sus capas y tocados con sus tricornios, los
guardias llevan calados los mosquetones. Los vecinos se
demoran un momento a la espectativa y mientras la cuerda
de presos sigue la carretera forestal al margen del río en
dirección a la cárcel de Yeste, la escoltan a prudente distancia. Los hombres van armados con hachas, bastones,
bicheros. El terreno es solitario y escarpado y corre el rumor de que para dar un escarmiento, los civiles se proponen aplicar a los detenidos la ley de fugas.

Las dos comitivas avanzan separadamente, a una cincuentena de metros una de otra. El silencio es absoluto. El sol
corona ya la cresta de la sierra y las perdices vuelan ame-
drentadas. En los recodos del camino aparecen grupos de
campesinos. Sin decir palabra observan la cuerda de presos y se incorporan a la columna de los paisanos. Son diez,
veinte, cuarenta, cien. De las pedanías contiguas asoman
por atajos y sendas con los útiles de trabajo en el cinto.
Las mujeres acuden también, reconcentradas y hostiles. Un
zagal apunta con una honda al guardia que va en cabeza:

la piedra le roza, marrando el blanco, y el muchacho se eclipsa inmediatamente en la espesura.

En un claro del bosque cuatro miembros de la Gestora se adelantan a parlamentar con los guardias. Son las nueve de la mañana y la cuerda de presos está todavía a cuatro kilómetros de Yeste. Los vecinos se aproximan a oír la discusión y, al verse cercados, los civiles levantan el seguro de sus fusiles. Los insultos llueven sobre ellos. Los de la Gestora se interponen, exhortan a los paisanos a mantener la calma. Bajo su tricornio azabache el sargento transpira abundantemente.

—Si avanzan un paso más, disparo —dice.

—Obedecedle —ordenan los de la Gestora.

Los vecinos retroceden pero no se dispersan. Nuevos grupos se descuelgan a trancos por la ladera, se detienen a la orilla de la carretera y engruesan el torrente de los paisanos. Los de la Gestora solicitan la libertad provisional de los detenidos. El sargento no cede. Con un pañuelo de cuadros se enjuga el sudor que le resbala por la cara. Los vecinos amagan con sus armas rústicas. Falta aún una buena hora de recorrido y, a simple ojo, los asediadores son más de cuatrocientos.

La comitiva imanta poco a poco los colmeneros de Boche, los leñadores de Jartos, los carboneros de Rala. La cuerda de presos abandona el camino maderero del Segura, serpentea con lentitud montaña arriba por un agreste sendero de carro. A cada paso surgen más hombres, como brotados directamente del suelo. El sol empieza a pegar duro, guardianes y presos jadean. Los de la Gestora han enviado un enlace al pueblo y anuncian que su presidente y el alcalde van a entrevistarse con el teniente de los civiles. Los paisanos se muestran escépticos y, animados por la continua afluencia de refuerzos, se arriman otra vez a los guardias.

Son las diez de la mañana cuando apiñadas al pie del castillo, como rebaño asustado en torno al pastor, se divisan las primeras casas de Yeste. El monte clarea a intervalos y, bajo la carretera, la pineda descabeza en un olivar sembrado de cebada. En la revuelta, armados igualmente con sus útiles, trescientos vecinos acechan la llegada de la comitiva. El sargento observa en silencio la legión cada vez más densa de los que siguen y la masa compacta de los que aguardan. Mecánicamente desabrocha el barbuquejo del tricornio y se enjuga el sudor con la mano. Las voces, los gritos hieren de todas partes. Los paisanos de Yeste le cortan el camino con sus cuerpos.

—¡Despejen!

Ninguno obedece. Un millar de hombres rodea la columna de los civiles. El sol enciende el rostro airado de los campesinos, arranca destellos del cerrojo, alza y boca de los fusiles, reluce juguetón y travieso en el charol de los veintitantos tricornios.

—¡Despejen!

Inopinadamente la multitud se aprieta, retrocede, abre paso a una pareja de guardias que vienen destacados desde el pueblo. El sargento conferencia con ellos y los miembros de la Gestora se acercan a discutir. Según les dicen, su presidente se ha comprometido a conducir en persona a los acusados ante el juez de paz a cambio de su liberación inmediata y el teniente ha dado orden de soltarlos. Un gran clamor acoge la noticia del triunfo. El sargento obedece y, al tiempo que los civiles desatan a los presos, los parientes y amigos de éstos se precipitan a abrazarlos, paisanos y guardias se mezclan y hay un intercambio de injurias que pronto degenera en riña. Los miembros de la Gestora tratan en vano de intervenir. Los civiles se ven desbordados por el gentío y, de improviso, se despojan de sus capas y se echan el fusil a la cara.

Al sonar la descarga son las diez y media de la mañana. Una cigüeña se mece voluptuosamente en el aire y, alarmada por la violencia del tiroteo, sesga el cielo veloz y se refugia en la espadaña de la iglesia de Yeste.

El campanario da las once con lentitud. La muchedumbre aguarda pacientemente. Balcones, zaguanes, ventanas, salidizos están de bote en bote. En talanqueras y tablados no cabe un alma. Encima de los tejados, encaramados en los faroles, aupados en los lugares más inverosímiles cuelgan racimos de mozos y hombres maduros que se mantienen en imposible equilibrio, igual que funámbulos. Hace meses y meses que esperan la hora, la necesaria reparación de sus jornales de hambre, el desquite anhelado y feroz contra la brutalidad del destino. El sol cae sobre ellos a plomo y lo soportan sin inmutarse. Algunos se cubren el cráneo con un pañuelo, las mujeres se protegen con descoloridos paraguas. Los más impacientes pasean por la plazuela armados con sus bastones y varas de fresno, prestos, diríase, a cualquier eventualidad. Una misma comunión ante el peligro los une a todos y únicamente te excluye a ti, el extranjero que los observa y filma.

En la boca de los callejones median burladeros toscos, camiones, talanqueras, empalizadas. Los gañanes tienden el hilo de la traca entre los balcones y postes de alumbrado y algunos encienden cohetes y luces de Bengala que rehilan vertiginosamente antes de estallar. En el centro los torerillos aguardan la ocasión de lucirse con sus improvisadas muletas, sus capotes sucios y ajironados. Hacinadas tras las ruedas de los carros o bajo la batea de los camiones las mujeres chillan. Emisarios venidos del campo anuncian la llegada inminente de los mayorales. Hay falsas alarmas, gritos, empujones, atropellos. La atmósfera se caldea, el gentío se arremolina, la temperatura se pone al rojo.

Cuando los bichos surgen por la calleja los peatones huyen escapados. El novillo es pequeño y negro y corre escoltado por media docena de mansos que agitan ruidosamente sus esquilas. Los boyeros vienen detrás y, mientras dos maletas citan al alimón, golpean a los bueyes rezagados en los corvejones. El novillo parece asombrado por el espectáculo, husmea el suelo con el hocico, no se decide a embestir, consulta a los cabestros con la mirada. Un hombre pasa rápido delante de él y le propina un estacazo en el lomo. El animal muge, da media vuelta, pretende cornearlo. El público aplaude. Los maletas azuzan al novillo, adelantan pasito a pasito con gran empaque pero el movimiento brusco de los bueyes les pone en desbandada. Los mozos los relevan con sus blusas y mandiles mugrientos. Al punto que los bichos avanzan abren un boquete en el respetable. Resuena un grito, el concurso se resquebraja y dispersa. Cada quien escapa como puede colándose en los portales repletos, trepando por las rejas de las ventanas, gateando hacia los balcones y las cornisas, huyendo del toro hasta descularse. Inesperadámente novillo y cabestros vuelven grupas y tiran cuesta arriba precedidos por el redoble de los cencerros, el correcorre de los mozos, el bárbaro aullido —híbrida mezcla de terror y éxtasis— de la enfervorizada multitud. Los peatones se embocan en los zaguanes, se aferran a los racimos humanos de las ventanas, se aplastan inmóviles contra el suelo. Los gañanes esgrimen sus bieldos, bastones, estacas y, apenas pasan los bichos, se precipitan detrás y los fustigan salvajemente en el lomo, la grupa, los corvejones, los ijares. En unos segundos la calle se despuebla. Un buey campanea a un incauto, lo pisotea sin empitonarlo, prosigue su loca carrera en medio del tañido de las esquilas, desaparece con los otros de tu campo visual.

Rescata esta imagen del olvido: la asamblea acecha la bocacalle en silencio y dos hombres apuntan por un zaguán con una bandera roja. Su color se destaca intenso en el polvo ocre, resalta sobre el blanco enlucido de las paredes. La flama del sol parece enardecerlo aún mientras ondea y vibra en el aire como por efecto de un espejismo. Es el grito de la antigua y amordazada libertad, del viejo tiempo en que la esperanza de los tuyos se cifraba en su símbolo elemental y hermoso. Tú asistías, alucinado, a su despliegue insólito al cabo de tantos años sidos y no vividos, vacíos y privados de su sustancia con la misma emoción con que en la cinemateca presenciaste los documentales de Ivens y Karmen sobre la guerra civil: la defensa de Madrid, la lucha en el Jarama, los acordes conmovedores de "La Santa Espina". Los dos hombres caminaban con la bandera entre los aplausos de la multitud y la sangre te zumbaba en las sienes. Cegado por el sol denso y obsceno, borracho y delirante habías saludado la milagrosa irrupción del símbolo con lágrimas en los ojos, perdido todo dominio sobre ti mismo, murmurando, con qué amor dios mío, qué dulzura: pueblo, oh pueblo mío recobrado...

No, no era una bandera roja sino una capa de brega. Te habías servido otro vaso de Fefiñanes y lo apuraste de un sorbo.

Desde el tablado en que filmas el encierro contemplas el regreso del novillo con los cabestros y los mayorales. Los dos hombres sueltan la capa de brega y huyen de estampía. La boyada está de nuevo en la plazuela. El espectáculo se repite y, para animarlo, el maestro de ceremonias prende fuego a la traca. Cuando los petardos estallan las explosiones se suceden como el tableteo de una ametralladora, el aire se llena de humo, los niños se llevan las manos a las orejas, las mujeres gritan histéricamente. Los bichos corren desorientados y, con agilidad pasmosa, un mozo enmaroma un cabo de la traca entre los cuernos del novillo. Al encenderla, el animal se asusta, gira sobre sí mismo como una peonza, embiste, intenta deshacerse del hilo con quiebros y derrotes que provocan el gozo y arrobo de la muchedumbre. Algunos petardos estallan en la espalda del héroe, le chamuscan la camisa, la sangre empapa los jirones de la tela. El mozo desdeña la solicitud de los que le auxilian y se planta otra vez frente al toro enarbolando una estaca. Las detonaciones continúan de modo ininterrumpido.

Cuando el carrete de la película termina un promiscuo olor a pólvora, sudor y sangre flota acrimoniosamente sobre la plaza.

Compuesta de la doble y contradictoria versión de los protagonistas del suceso he aquí la síntesis informativa divulgada posteriormente en los periódicos imparciales.

Al sonar las primeras detonaciones hay un movimiento de pánico. Los paisanos tratan de arrebatar los fusiles a los guardias y los acometen con sus hoces y sus cuchillos. En tanto que el grueso de la multitud se desbanda los hombres más audaces forcejean con los civiles y emprenden con ellos un violento cuerpo a cuerpo. Un campesino logra apoderarse del mosquetón de uno de los números y dispara sobre él. El guardia Pedro Domínguez Requena se lleva las manos a las cartucheras y las retira empapadas de sangre. Al caer, un paisano le hunde en el cuello un gancho de conducir pinos. El delegado del ayuntamiento de Yeste Andrés Martínez Muñoz, primer teniente de alcalde y presidente de la oficina de colocación, implora inútilmente una tregua. El brigada le hace fuego a bocajarro diciendo: "¡Toma, por ser de la Gestora!" Desde tierra suplica vida salva en nombre de sus hijos y el brigada le remata con tres balazos. "De éste no os ocupéis —grita—, que no sana." Otros dos hombres yacen en el suelo de bruces, uno de ellos con la cabeza destrozada. Para disparar más libremente algunos números emplean sus pistolas. Un grupo de tres consigue zafarse de los vecinos y escala el monte mientras el cuerpo a cuerpo prosigue en la carretera. Los heridos se arrastran como pueden y su sangre escurre sobre el polvo. Un paisano se dirige hacia un guardia blandiendo un hacha. Otro número le descerraja un tiro a quemarropa y el paisano cae fulminando. Los tres civiles se han apostado tras una peña y enfilan la carretera con el fuego de sus fusiles. Los vecinos que aún permanecen en ella huyen cuesta abajo por los campos de cebada, en dirección al olivar. Un destacamente de la Benemérita acude del pueblo en auxilio de los suyos. Los civiles quedan dueños del terreno y, descuidando a heridos y moribundos, se lanzan a perseguir a los fugitivos. Decenas de hombres corren por el declive, enteramente al descubierto. Las detonaciones se suceden como el crepitar de una traca. Tres paisanos se refugian en una atarjea por la que apenas cabe el cuerpo de un hombre y los guardias bajan hasta la boca, matan a dos y hieren gravemente al tercero. En otra alcantarilla descubren a un campesino herido de dos balazos. A voces, el hombre suplica que le rematen. Uno de los civiles le dispara dos veces, en el brazo y en la pierna. "¡Toma, toma!" grita. "Así durarás más tiempo."

Cuando los periodistas llegan al lugar unas horas después del tiroteo se divisa todavía cuajarones de sangre en la boca de la atarjea. En la otra alcantarilla hay un reguero negruzco de varios metros de longitud. Entre los zarzales una boina nueva, un pañuelo y varios trozos de paño manchados de rojo revelan los esfuerzos de las víctimas por restañar la hemorragia. Olvidados en medio del campo yacen cuatro cadáveres. Una mujer llora arrodillada junto a uno de los cuerpos. El hombre herido en el brazo y la pierna agoniza aún, perdiendo sangre y escupiendo baba. El sol brilla implacablemente y hormigas y moscas se disputan el inesperado festín bajo la presencia agorera de los buitres que, en círculos tenaces y concéntricos, planean sin prisa sobre los olivares.

Gorras, boinas, calzones de pana, blusas, mandiles, pañuelos anudados al cuello, chalecos sucios, alpargatas: mozos, adultos, viejos, chiquillos se amontonan en las trancas horizontales de las talanqueras al acecho del portal en donde está enchiquerado el novillo. Es un público elemental y hosco sin turistas lectores de Hemingway, señoritos con sombrero cordobés y cigarro habano, bellezas de barrera con peineta y mantón, anglosajonas frígidas en busca de emociones rudas y agrestes. Para aliñar el tiempo los mozos aguzan espaciosamente sus varas. Otros empinan el brazo para beber a caño el vino espeso de la provincia. El chorro entra por la boca abierta con geométrica exactitud y, a veces, el bebedor hace arabescos y filigranas que provocan la admiración de la asamblea. Las botas pasan de mano en mano y, en el ruedo, los vendedores de cerveza y gaseosa pregonan su mercancía. Los maletillas aguardan la aparición del bicho ejecutando pases de salón con las muletas y adoptando los desplantes desdeñosos y viriles de las figuras consagradas.

Desgraciadamente para ellos su apostura resiste poco: cuando el toril se abre el novillo sale flechado y su estampa de maestros parece fundir de súbito bajo el ardor despiadado del sol. El bicho embiste, desgarra una capa de brega de un derrote, cornea con rabia las tablas del burladero, encaja asombrado los varazos y golpes que le propinan desde el palenque. En cuanto se aproxima a ellos, los hombres se estrujan y aúpan unos a otros fundidos en una masa tentacular y polícroma. Los de las trancas inferiores se aferran a los de arriba como pueden y por donde pueden y los racimos humanos cuelgan sobre los pitones del bicho como los condenados sobre las llamas del infierno en las ilustraciones de *La divina comedia* de Gustavo Doré. Al otro lado de las talanqueras las mujeres se hacinan de pie, en cuclillas, sentadas en el suelo, con el rostro mudado de placer, insultando al toro, azuzando a los hombres con sus chillidos.

El objetivo de la cámara capta, moroso, las incidencias y ritos de la muerte del animal: los pases fallidos de los maletas, los bastonazos de los boyeros, el arrobo dichoso del público. Apenas se vuelve el novillo, los mozos corren a varearlo, los espectadores le lanzan piedras, un gañán le tira furiosamente del rabo. Los golpes llueven sobre él sin perdonar sitio alguno: los cuernos, el testuz, el morrillo, el lomo, el vientre, los corvejones. La costumbre impide matarle de una estocada: hay que prolongar el juego hasta el

límite, apurar su agonía hasta la hez. El mayoral intenta
apresarle las astas con una soga pero el bicho desconfía,
retrocede, acula la grupa a la puerta del toril. Varias veces
el hombre le echa el lazo sin éxito. El toro babea y arroja
sangre por la boca. Envalentonándose, los maletas lo citan
con sus capas de brega. Como el animal no se mueve el
público lo bombardea con toda clase de proyectiles. Un
individuo asoma por un portillo situado tras él y le infiere
un tajo profundo en la base del rabo con una cuchilla de
carnicero. La sangre mana a borbotones y el bicho muge
de dolor. El concurso recompensa con aplausos la audacia
e ingeniosidad del artista. El mayoral prueba de nuevo con
el lazo pero la soga resbala sobre los pitones. Las tentativas se repiten y los hombres encaramados en las rejas vecinas golpean al animal con sus fustas para obligarle a des-
alojar. El toro humilla el testuz, rastrea la tierra con el
hocico, camina unos pasos, clava las pezuñas en el suelo,
dobla las patas, se arrodilla, se sienta, se incorpora, vuelve
a caer, vomita más sangre.

Su impotencia aviva el regocijo de la multitud. Dismi-
nuido, el bicho asiste a su propio derrumbe como a una
pesadilla violenta y abrumadora. Cuando el mayoral le
aprisiona por fin los cuernos un aullido ronco saluda la
hazaña. Al punto los gañanes castigan al toro con ahínco,
halan de la cuerda para ligarle al farol, un hombre canoso
pasa junto a él y le hunde un punzón en la grupa. Mientras docenas de manos sostienen el cabo de la cuerda, el
gentío baja del palenque. Unos mozos se agarran al rabo
del bicho y tiran con tanta fuerza de él que, medio des-
prendido ya por el corte de la cuchilla, lo arrancan de
cuajo. El novillo parece insensible al nuevo desastre y observa el espeso caldo humano con ojos sanguinolentos...

Misericordioso, el carrete de la película se detiene aquí.

¿Dónde estás?, ¿qué estrato de la memoria te importuna?
La violencia engendra nueva violencia, las imágenes bruta-

les se cruzan... Estos sucesos ocurren a kilómetro y medio de Yeste y entre las once y las doce de la mañana. No obstante hay testimonio de personas heridas en el pueblo y por la tarde. Una mujer a la que dan la voz de alto, la obligan a echar el cuerpo a tierra y, hallándose en esta posición, hacen fuego sobre ella... Se tambalea, se arrodilla, vuelve a caer en medio de los insultos, los golpes, los bastonazos... Un obrero regresa de su trabajo a las diez de la noche cuando el pueblo presenta un aspecto completamente normal y, sin que medie aviso alguno, es herido asimismo por una descarga... Un tupido bosque de piernas le rodea y le propina rabiosos puntapiés... Nicolás García Blázquez que por orden del alcalde se traslada con una camioneta a recoger los cuerpos de las víctimas es obligado a apearse a causa de su camisa roja y muere de los disparos que le hacen... Cuando el matarife lo acaba con la cuchilla los mozos se precipitan encima del cadáver, lo palpan, lo manosean como si fuera una reliquia y exhiben triunfalmente sus pañuelos manchados de sangre... El hombre que yace en el olivar, herido en el brazo y la pierna, ¿agoniza aún?

—Por favor, su documentación.

Dolores se ha ido a dormir y la botella de Fefiñanes está vacía. El viento silba evasivo entre las ramas de los eucaliptos. Te incorporas y vuelves a poner el *Kinder-Totenlieder* en el picú.

A las cinco de la tarde Gran Cabalgata Juvenil de apertura de Feria con asistencia de sus documentos *la Banda de Música y la Comparsa de Gigantes y* residen ustedes en el extranjero con qué autorización *Cabezudos* cuándo entraron la última vez en España *Día 21 a las 7 de la mañana Floreada Diana por* desde qué año vive en París *la Banda de Música* a qué han venido ustedes al pueblo *a las 5 de la tarde Festejos Populares en el Real de la Feria* esta cámara de cine es suya pueden decirnos por qué desde su llegada se han puesto en contacto con *a las 8 Concierto por la Banda de Música en el Kiosco de la plaza* sólo los encierros qué fueron a hacer ayer por la carretera de La Graya se detuvieron ustedes en el lugar donde *a las 11 Verbenas* personas de toda confianza les oyeron hablar con el Arturo de la República y de la guerra no saben ustedes qué clase de elemento es no me harán creer que un tipo fichado en toda la comarca por su desafección a *día 22 a las 7 de la mañana la Banda de Música recorrerá las principales calles de la población interpretando Alegres Dianas* hemos seguido sus pasos uno por uno desde que entraron en el pueblo y sabemos perfectamente con quién se han relacionado *a las 10 solemne Función Religiosa y Procesión* ahora mismo de dónde vienen ustedes pueden explicarme qué interés tienen en frecuentar a un individuo que lleva sobre su conciencia *en honor del Santísimo Cristo de la Consolación* traen ustedes algún permiso para hacer cine nosotros no sabemos qué han fotografiado ni con qué intención han fotografiado hasta que la Autoridad superior decida sobre el caso nos vemos en la obligación de *Santísimo Cristo de la Consolación* guardar la cámara y las películas con nosotros *de la Consolación* ustedes pueden continuar el viaje si quieren a condición de presentarse *Con-so-la-ción* siempre que la Autoridad lo estime oportuno.

Cuando Antonio se recoge a su vez decides salir al jardín. Ha escampado y las estrellas se sustraen del caos de la noche y centellean en la oscuridad igual que rescoldos. El viento las aviva y parece acendrar su brillo. Los eucaliptos orean sus hojas leves y la frescura del aire te despeja.

Durante varios minutos permaneces acodado en la baranda del mirador. Cielo y mar se confunden allá en el horizonte marino. Las últimas luces de la aldea se han extinguido una tras otra. Un silencio intacto ampara el dormido paisaje. Única conciencia del ámbito velas, evocas, imaginas, deliras tú.

Los faros del automóvil barren el adoquinado de la carretera e iluminan de un brochazo a los hombres de la FAI que cierran el paso con sus revólveres y sus fusiles.

—¡Alto! ¡Manos arriba!

El viejo Ford frena de modo brusco a pocos metros del puesto de control. Las linternas enfocan el rostro aturdido del chófer. A su lado otro hombre de edad madura parpadea también.

—¿Por qué no han parado antes?

—No les habíamos visto —balbucea el chófer.

—Hala, afuera los dos... Los carnés.

El conductor baja la mano derecha y la lleva al bolsillo del pantalón. Sin que medie palabra el jefe de la patrulla le golpea con la culata del revólver. Sorprendido el hombre gime y se tambalea.

—Tú quieto, ¿me oyes?

El jefe recoge las dos carteras, saca los documentos, los muestra a un mozo vestido con un mandil.

—¿Qué dice aquí?

—Lucas Mendiola Orbaneja...

—¿Profesión?

—Agente de Cambio y Bolsa.

El mozo deletrea como un escolar. Uno de sus compañeros examina entre tanto el interior del vehículo y forcejea con la manija del portamaletas trasero.

—Eh, mirad —dice—. Hay algo que se mueve.

Los del control se acercan a ver. Brazos arriba los dos hombres tiemblan como azogados.

—¿Qué coño llevas ahí?

—Ranas.

—Toma, burgués cabrón.

El disparo le alcanza en medio del pecho. El tío Lucas se derrumba como un monigote, con una expresión de infinito e irrevocable asombro.

Su compañero cae de rodillas junto a él. Los músculos de sus mejillas titilan de pánico.

—No me maten, por Dios. Les juro que es la verdad.

Uno de la patrulla arroja el saco a tierra y lo desata de un tirón. A la luz burlona de las linternas docenas y docenas de ranas emergen de pronto y con torpe e irrisoria agilidad brincan sobre el cuerpo aun caliente del tío, por la carretera manchada de sangre.

Cuántas veces, en vida de tu madre, reunido el cónclave familiar a la sombra de los eucaliptos, habías oído contar el final lamentable del tío Lucas, víctima de su insaciable glotonería y sus extravagantes pruritos de gastrónomo, el mismo día, nada menos —oh maravillosa intuición histórica de tu estirpe— del asalto popular contra la Jefatura de Policía y el accidentado levantamiento y captura del general Goded. Milagrosamente salvo gracias a la entereza y valor de un puñado de hombres decididos a impedir la sovietización de España frente a la conjura internacional de la masonería y el judaísmo, escuchabas, estremecido de horror, las historias de asesinatos e incendios, torturas y chekas, mientras Pepín Soler, testigo obeso y cincuentón del crimen, mimaba una vez más la escena de la muerte del tío y, sin perder el punto de la calceta destinada a los negritos de las misiones, la tía Mercedes evocaba con voz compungida el episodio fulgurante de la desaparición de tu primo Sergio. (Vestido de punta en blanco, con sombrero flexible y corbata de seda, le había dado la ventolera de exhibir públicamente su estampa de dandy en los tiempos en que la bandera roja y negra de la FAI ondeaba en los balcones, circulaba en la carrocería de los taxis, coloreaba la fachada de los inmuebles, y hombres y mozos vengativos, surgidos nadie sabía de dónde, lucían con arrogancia sus pañuelos rojos, sus cartucheras rudas, sus variopintos trajes de miliciano. Los camiones se encaminaban al frente atestados de voluntarios y el conductor de uno de ellos —lo imaginabas

con barba y bigote, como en los noticiarios que viste en
París— había frenado junto a él.

—Eh, tú, muñeco.

—¿Yo?

—Sí, tú... Dime, ¿adónde vas tan bien vestido?

—De paseo.

—Ah, ¿te gusta tomar el aire?

—Sí, señor.

—Pues anda, súbete ahora mismo en la caja que te llevamos con nosotros.

El primo Sergio había obedecido bajo la amenaza del
revólver y partió al frente con los del camión. Nunca más
se supo de él. Su madre, prima carnal de Agustín, Eulogio, Mercedes y César, removió en vano cielo y tierra para
averiguar su paradero. Con toda probabilidad murió en las
trincheras, víctima del bombardeo artillero de los nacionales. Tenía solamente diecisiete años.)

¿Qué había sido de tu padre?

Concluida la guerra e instalado tú en Barcelona, la familia había llevado a cabo las pesquisas necesarias a la iden-
tificación del cadáver y, en presencia de tu madre y los
tíos, sus restos mortales fueron discretamente exhumados
del cementerio de Yeste. Los componentes de la patrulla
que le diera el paseo se habían eclipsado, muertos unos,
exilados otros y la historia ya antigua de sus últimos días
permanecía envuelta en un lienzo de bruma del que nadie,
sin duda, conseguiría rescatarla.

Sin documentos, sin pruebas, sin testigos podías decorar
a tus anchas los fastos de la detención en la demolida casa
materna, el careo probable con las víctimas de los sucesos
del veintinueve de mayo, la espera asolada de la muerte
tras los muros desnudos del castillo. Encapillado con los
demás propietarios y los ex testaferros del cacique, ¿se había rebelado por fin? Su rostro severo y triste, marcado
desde niño por los estigmas de una rígida educación puri-

tana, parecía encubrir a veces un tormento secreto, una duda tenaz y soterrada que en aquellos instantes aflorara quizás y se impusiera como una evidencia brusca, barriendo de una oleada creencias y dogmas, leyes y principios, todo aquel trabajoso y precario castillo de arena edificado por otros y habitado resignadamente por él. Las fotografías lo mostraban de ordinario ensimismado y taciturno, como hostigado en la entraña por un presentimiento agorero y premonitorio. ¿Había pensado en ti, el niño frágil, abandonado para siempre en manos de las mujeres?, ¿en la esposa abnegada con la que compartiera diez años inútiles de paz y de mentira?, ¿en el dios de los suyos remoto y mudo, ausente y problemático? Muerto nulo y absurdo como todos los de su bando (¿quién había ganado a quién?, ¿a cuáles honraba aquella victoria cruel e infanticida?), imaginabas, con precisión lenta y horrible, el ruido seco de las pisadas en los corredores del castillo, el último café bebido a sorbos cautelosos, la breve y arisca sentencia del Comité local (justos pagando por pecadores); su salida entre dos campesinos armados, los insultos vengadores del pueblo, la subida a empujones y golpes en la batea del camión...

El paisaje de la sierra de Yeste es hermoso en agosto. La comarcal 3212 serpentea por en medio de los bosques madereros, domina el agua azul del pantano de la Fuensanta, baja, bordea la orilla, vuelve a escalar, deja atrás los pinos, atraviesa el llano. Los canchales empiezan poco después y poco a poco la vegetación desaparece. Los alberos suceden a los espartizales. El sol llamea blanco e incoloro. Toda vida se extingue.

La cruz conmemorativa se alza en un recodo áspero y, al apearse del camión, tu padre contempla el mismo panorama que contemplas tú: en primer término, un colmenar, una choza en ruina, el tronco retorcido de un árbol; más lejos, el páramo aletargado por el sol, el cielo sin nubes, las colinas humeando como hogazas recién sacadas del horno. Alguna culebra asoma quizá prudentemente su cabeza entre las piedras. Del suelo asciende, como una queja, el hondo zumbido de las cigarras. El pelotón está frente a él y un condenado se orina de miedo cuando el jefe de la patrulla levanta el brazo y los campesinos apuntan con sus fusiles...

¿Cómo explicarlo? A menudo en las fases de depresión y zozobra (tan frecuentes en ti), la muerte de aquel desconocido (tu padre) y la imposibilidad material de vuestro encuentro (fuera del vínculo azaroso y gratuito de su paternidad) te roen por dentro como la imagen de una ocasión perdida, el pesar de una cosa no hecha, el espectro de una aleve e incurable nostalgia. Piensas que en otro país, en otra época la historia común de los dos hubiera sido distinta y, poco o mucho, os hubierais llegado a comprender. Ahora vuestra comunión se reduce a este segundo estricto e irremplazable. Con la negra boca de los fusiles delante de ti tratas en vano de apresar el tiempo.

Bruscamente sonó la descarga.

Por espacio de tres años un vendaval de locura había soplado sobre la piel del toro —así llaman algunos al solar yermo y baldío, ámbito de vuestro conglomerado actual de Reinos Taifas— completando la obra destructora emprendida siglo a siglo, con tesón y paciencia, por tus antepasados ilustres. Poseídos de oscuros e inconfesables instintos, íncubos y súcubos a la vez de sus aborrecidos apetitos y sueños, habían procedido con orden y minuciosidad a la poda cruel e inexorable de sí mismos, a la expulsión y exterminio de los demonios interiores, sin detenerse ante motivo o consideración de índole alguna, arruinando, por turno, en aras del imposible exorcismo, el comercio, la industria, la ciencia, las artes. Aplastado, barrido, conjurado mil veces, el fantasma renacía siempre con etiquetas aleatorias y, con él, el empeño tenaz de suprimirlo, de bajar un peldaño más en la escala de la barbarie, felices, los tuyos, de afirmar frente al mundo su torva concepción de la patria como duro y resistente cantil contra el que infructuosamente se estrella y muere el agitado mar de todas las historias.

Siendo niño habías asistido sin comprender al espectáculo de la lucha demente y fratricida, aterrado primero por los crímenes y atrocidades de los unos, indignado más tarde por aquéllos (cuidadosamente blanqueados) que realizaran los otros, antes de caer cabalmente en la cuenta de que todos (los de los vencidos, como los de los vencedores, los excusados como los injustificables) obedecían a las leyes de un mismo ciclo clínico en el que, al frenesí y desatino de las crisis, suceden largos períodos de calma, embrutecimiento y modorra...

A cubierto de la ruidosa ola turística que, como maná del cielo, caía sobre el dormido y perezoso país en este abrasado verano de 1963 (la radio había anunciado, exultante, la entrada de cien mil vehículos por la frontera del Perthus durante el último fin de semana: franceses, suizos, belgas, holandeses, alemanes, ingleses, escandinavos que venían a ver corridas de toros; beber manzanilla; tenderse al sol como saurios; comer pizza y hot-dogs en flamantes cafeterías bautizadas con nombres carpetovetónicos y castizos tales como Westminster, Orly, Saint-Trop, Whisky Club, l'Imprévu, Old England y otros; iniciar por fin al pueblo español en el ejercicio indispensable de los valores industriales y crematísticos, convirtiéndolo de golpe, por obra del radicalismo proverbial vuestro, en un fértil y lozano semillero de trepadores y chorizos) pensabas (desleída ya tu borrachera) en Ayuso y tu padre, en los muertos inútiles del 36 y del 39, en la amarga generación de los tuyos, condenada a envejecer sin juventud ni responsabilidades. Acodado en la baranda del mirador podías percibir el eco lejano de la caravana de automóviles que, como un río, circulaba día y noche por la carretera de la costa, absorberte otra vez en la quietud y el silencio del jardín familiar, desempolvar de tu memoria algún recuerdo tardío, meditar aún mientras estabas a tiempo.

Sabías que, a tu muerte, lo pasado se aniquilaría contigo. Dependía de ti, únicamente de ti, salvarlo del desastre.

En la pequeña estación termal del Midi la primavera era fría y los chiquillos que jugaban en el parque infantil, más allá de la alameda de plátanos, vestían aún como en invierno, arropados con abrigos, bufandas y guantes. Desde hacía dos años Álvaro y sus amigos vagaban libremente por la calle en guerra continua con la banda de niños franceses que, a la salida de las clases, venía a hostilizarlos con piedras y tiragomas. Una débil tentativa de escolaridad realizada por la madre de Álvaro había topado, para alivio de éste, con la desaprobación rotunda de madame Delmont: "A l'école laïque? Vous êtes folle. Un athée, un mauvais patriote, voilà ce qu'ils feront de lui. Si vous ne pouvez pas lui payer le Collège du Saint-Esprit autant qu'il n'apprenne rien... Ah, si Mussolini était là." Y el tío César y la tía Mercedes habían abundado en sus argumentos con saludables reflexiones acerca de los peligros del bilingüismo y el final ya inminente de la guerra civil salvadora.

Durante los últimos meses Álvaro había asistido a las reuniones de la colonia española que, inevitablemente, acompañaban la divulgación de toda noticia importante: la ruptura del frente del Ebro, la liberación de Barcelona, la desbandada del ejército republicano (quince años después, en la cinemateca de la rue d'Ulm, Álvaro había visto con emoción las dolorosas imágenes de la derrota, de la caravana de centenares de miles de personas, hombres, mujeres, niños, ancianos que, a pie, con sus miserables enseres a cuestas huían en dirección a la frontera del Perthus, éxodo masivo numéricamente comparable sólo al actual, en sentido inverso, de los turistas de todas las edades y países que, en automóvil, con remolques y carromatos, parecían huir escapados de alguna silenciosa y tranquila hecatombe ante las mismas peñas, los mismos árboles, el mismo paisaje que fueran escenario del gran cataclismo de febrero del 39).

Poco a poco los componentes de la colonia habían regresado a España al quedar franco el paso por Irún y el señor y la señora Durán, los padres de Luisito y Rosario Comín y otros cuyos nombres no recordaba Álvaro aguardaban el epílogo de la tragedia en San Sebastián, Burgos o Salamanca. De allí habían enviado a los Mendiola boinas carlistas, gorros de Falange y hasta una camisa azul con el yugo y las flechas bordados en rojo que el tío César había acaparado para él y usaba a menudo en público, en la misa de los domingos o la terraza florida del café de la Poste. Siguiendo los consejos del tío las mujeres hacían media para los soldados y enviaban regularmente sus jerseys, pasamontañas y calcetines a unos españoles (o italianos) agradecidos que contestaban con bonitas tarjetas postales y cartas románticas, destinadas a avivar probablemente el entusiasmo y beatitud de las madrinas (la tía Mercedes había conservado la fotografía de su protegido, el ingeniero Sandro Rossi, sobre la mesita de su dormitorio hasta la fecha aciaga de la proclama de Badoglio y la cobarde y traidora rendición de Italia a los Aliados).

El día del último comunicado del Cuartel General de Burgos, Álvaro y sus primos corrían por el jardín de doña Engracia mientras los adultos descorchaban botellas de espumoso en el salón y, después del brindis, oían con atención religiosa un disco en el que había sido grabada la voz del Caudillo. Contagiados de la excitación de los mayores, los niños jugaban por enésima vez a la captura del Espía Rojo, empinaban cometas, perseguían al gato a pedradas y, agotado el repertorio habitual de sus distracciones, habían inventado un concurso de tiro de pipí apuntando en fila el seto de tuyas a una distancia reglamentaria de cuatro metros. Alguien (¿Jorge?) llevaba las de ganar cuando, prevenida sin duda por una de las primas, Conchita Soler irrumpió dando gritos en el jardín (en Madrid, a la misma hora, una multitud en delirio acogía al ejército vencedor).

—¡Niños! ¿Qué hacéis ahí, enseñando vuestras vergüenzas, ahora que han ganado los nuestros?

Volviste la espalda al mar. La oscuridad paliaba la disposición familiar de los árboles en el jardín —la alada frondosidad de los eucaliptos, el temblor grácil de los cipreses— cobijando el paisaje entero bajo su sombra ancha y difusa. Provisionalmente abolida en apariencia, la vida latía no obstante menguada y sorda. El viento soplaba impregnado de aromas vegetales. De vez en cuando una ráfaga desprendía de las ramas ya ahítas un efímero collar de gotas de lluvia. Aguzando el oído podías percibir el lejano croar de las ranas, el resorte disparado y mecánico de los grillos, toda la misteriosa red de complicidades y cábalas del sutil universo nocturno. Solitaria en medio del caos, la lámpara de la galería velaba, propicia, el sueño de la comunidad.

Regresaste a casa, guardaste los papeles en la carpeta, apagaste la luz. El viejo reló de pared dio la hora mientras orientabas tus pasos por la penumbra. Tenías sed, abriste otra botella de vino, la mediaste de un trago. Querías olvidar el transcurso del día, la realidad, los recuerdos, las ensoñaciones. Aproximarte a la cama de Dolores, oír su respiración, palpar su cuerpo, deslizar los labios sobre su vientre, bajar al sexo, demorarte en él, buscar un refugio, perderte en su hondura, reintegrar tu prehistoria materna y fetal.

Ojalá, te decías, no hubieras salido nunca.

CAPÍTULO IV

Tus esfuerzos de reconstitución y de síntesis tropezaban con un grave obstáculo. Merced a los documentos y pruebas atesorados en las carpetas podías desempolvar de tu memoria sucesos e incidentes que tiempo atrás hubieras dado por perdidos y que rescatados del olvido por medio de aquellos permitían iluminar no sólo tu biografía sino también facetas oscuras y reveladoras de la vida en España (juntamente personales y colectivos, públicos y privados, conjugando de modo armonioso la búsqueda interior y el testimonio objetivo, la comprensión íntima de ti mismo y el desenvolvimiento de la conciencia civil en los Reinos Taifas) pero, a raíz de tu voluntaria expatriación a París y tu existencia errabunda en Europa, la comunión anterior se había desvanecido y, extirpado tú del solar ingrato (cuna de héroes y conquistadores, santos y visionarios, locos e inquisidores: toda la extraña fauna ibera) tu aventura propia y la de tu patria habían tomado rumbos divergentes: por un lado ibas tú, rotos los vínculos que te ligaran antaño a la tribu, borracho y atónito de tu nueva e increíble libertad; por otro aquélla, con el grupo de tus amigos que persistían en el noble empeño de transformarla pagando con su cuerpo el precio que por indiferencia o cobardía habías rehusado pagar tú, alcanzando su madurez a costa de los indispensables errores, adultos ellos con el temple conciso que te faltaba a ti: la dura experiencia de la cárcel que nunca conociste; la conciencia estricta de los límites de vuestra dignidad enajenada. Vacía tu memoria por diez años de destierro, ¿cómo rehacer sin daño la perdida unidad?

Desde entonces (anota bien la fecha: octubre de 1952) la historia ajena de tus amigos se yuxtaponía a la tuya propia y, para abarcar ambas a un tiempo, te era preciso alternar los datos: barajarlos como si se tratara de naipes de diferente juego, simultaneando lo vivido con lo escuchado (Barcelona y París, París y Águilas), sin llegar jamás a fundirlos del todo. El diario de vigilancias de la Brigada Regional de Investigación Social (confiado a Antonio por su abogado defensor después del proceso), expedientes y actas del Juzgado de Instrucción que viera la causa, asociaciones de ideas y recuerdos no filtrados aún por el severo tamiz de la memoria (pertenecientes a épocas distintas, sin ningún denominador común) interpolaban de modo caótico el relato de Antonio sobre su detención y confinamiento (rehecho luego por ti con ayuda de Dolores). Sometida a los cánones imperiosos de lo real tu imaginación se resarcía componiendo con morosidad las situaciones, limando las aristas del diálogo, atando cabos y rellenando huecos, manejando con soltura su influjo catalizador.

En la clara y luminosa jornada de verano (la solanera del estanque impregnada de aromas vegetales, el fresco y oreado jardín, la galería atestada de cojines y fundas de disco variopintas y heteróclitas), reunidos los tres como la víspera habíais proseguido la elíptica y sinuosa conversación mientras el sol matizaba con distributiva justicia viñedos y pinos, alcornoques, olivares. Bandas de gorriones rasgaban un cielo tenue y liso, ligero, transparente. La suave trabazón de las colinas os protegía de la loca caravana de vehículos que circulaban por la costa y en el silencio insólito del lugar, como en los viejos tiempos, reinaba, dueña y señora, la palabra.

Folio 61. Diligencias — Habiéndose apreciado por ciertos síntomas el recrudecimiento de las actividades comunistas y teniendo en cuenta los informes que señalan la presencia en Barcelona de algunos elementos dirigentes del Partido venidos a estructurar la organización y a convertirla en cabeza rectora del P.S.U.C. en la clandestinidad de acuerdo con las directrices de su Comité Central radicado en países

lado del telón de acero, el Jefe Superior de Policía da instruc-
ciones para que se extremen las medidas de vigilancia y el
Jefe de la Brigada Regional de Investigación Social dispone
que por el grupo segundo de la misma a las órdenes del ins-
pector Florencio Ruiz García y compuesto por los funciona-
rios Eloy Sánchez Romero, Mariano Domínguez Soto, Juan
Domingo Anechina, Francisco Parra Morlans, Melchor Gar-
cés Mallorquí, José Luis Martínez Solsona, Eduardo García
Barrios, Mamerto Callosa López, José Marías Lozano,
Máximo Olmos Martín, Enrique Gutiérrez Agesta, y
Dámaso Trueba Morube auxiliados como secretario por
Aurelio Gómez García se monten los oportunos servicios de
vigilancia y observación para tratar de localizar a los ele-
mentos infiltrados del exterior así como sus actividades, ges-
tiones, contactos y viajes.

Hacía largo tiempo que no rompía las suelas por allí. Los
dos últimos años de oposiciones había pasado el verano
en el extranjero perfeccionando idiomas y cuando, recién
admitido en la escuela, se disponía a visitar a su madre poco
antes de las fiestas de Navidad, la policía se presentó en la
pensión a las seis de la mañana y, tras poner la habitación
patas arriba y confiscar la totalidad de sus libros, lo llevó,
esposado, a los calabozos de Jefatura y de allí —setenta
y dos horas más tarde— a la galería de presos políticos
de la cárcel Modelo: dieciocho meses de reposo forzado y
soledad en compañía, soñar despierto en la celda y vagabundear por el patio de modo incansable, con el oído
atento a los rumores de fuera —la voz de una mujer llamando a su chico, el ruido familiar del tranvía— hasta
el juicio secreto de los dieciséis encartados y la inopinada
fijación de residencia. La prisión atenuada le había pillado desprevenido: durante el período de detención el pueblo se había convertido en su único punto de mira, en un
objetivo arduo, difícil, inalcanzable. A más y mejor se
acordaba del sol pugnaz, del mar quieto y azul, del rever-

bero de la luz en las casas enjalbegadas. De su niñez en los muelles y la Pescadería, acechando el regreso de los hombres, cuando disponía libremente de su tiempo e iba, en bote, a calar palangres en el Hornillo. La decisión del juez había destruido de golpe aquella apasionada espera al transformar en lugar de castigo el refugio tantas veces soñado. Frustrado doblemente en su deseo de escapar al mundo, a medida que se acercaba al pueblo en el incómodo coche de línea pensaba con inquietud creciente en su madre y en el derrumbe de sus ilusiones respecto a su futuro: en la llegada, no como brillante alumno de la escuela diplomática —imagen que ella asociaba ingenuamente al Cadillac último modelo propiedad del Cónsul general de España en Alejandría con el que don Carlos Aguilera solía visitar a la familia durante sus vacaciones anuales—, sino como reo condenado a tres años de cárcel que venía a cumplir el resto de la pena escoltado por una pareja de civiles.

Pasado el primer momento de euforia —el encuentro con Ricardo, Paco, Artigas y los demás amigos del grupo, la nerviosa preparación del viaje, el paseo de despedida por las Ramblas— su excitación había decaído paulatinamente y las diligencias y formalidades de cada etapa del camino —la obligada presentación a las autoridades en Valencia, Alicante, Murcia— le habían abocado poco a poco a un lamentable estado de abulia, cansancio y desasosiego. En Lorca el sargento de la guardia civil había leído y releído su hoja de ruta escudriñándole con quieta sospecha y, en un arranque de celo no previsto en el programa, decidió confiarle a la solicitud de dos números —un gañán andaluz y un gallego ya viejo— que permanecían a su lado amodorrados, contemplando el paisaje desierto, tocados con sus tricornios de charol y con el mosquetón entre las piernas. El autocar bajaba y subía por los badenes de una carretera cuyo trazado conocía de memoria y que en el duermevela de la celda se entretenía en imaginar a menudo con todos sus pormenores: cumbreras de la sierra lavadas y como esculpidas por la erosión, albarizas salpicadas de matos de encina e higueras enanas, ramblas orilladas de adelfas y pitas, bardales de chumberas, cortijos blancos. La última vez que había ido allí —durante el rodaje del documental de 16 mm. sobre la emigración— Dolores conducía el Dofín, mientras, desde la ventanilla, Álvaro flimaba las mieses agostadas, los olivares secos, las chozas abandonadas por sus moradores, los arruinados aljibes y depósitos de agualluvia. Después del cruce de Mazarrón la vista se despeja. La labor sonámbula de muchas generaciones ha abancado cuidadosamente la ladera del monte y, entre jorfe y jorfe, hay almendros y olivos rodeados de paratas circulares. Conforme el terreno baja el campo reverdece y cobra vida. Los mozos de una hacienda cercana apozaban un naranjal. Más lejos había parraleras granadas y huertos sembrados de tomate y lechuga. Cuando el mar surgió al fin comprendió bruscamente las razones profundas de aquel peregrinaje al pasado, al decorado mítico y fabuloso de su niñez: el pueblo aparecía milagrosamente blanco en la atmósfera luminosa e intacta y, a la izquierda, las montañas recortaban sus formas obtusas en un cielo sereno, moteado a trechos por una algodonosa baba de buey; el color del mar era de un azul intenso bajo la escarpa casi vertical de Cope y el islote del Fraile emergía su poderosa grupa, medio oculto tras el cercano penacho de las palmeras. Cuando sus amigos vinieron para el rodaje del documental recordaba que estacionaron el automóvil en lo alto de un repentillo y, abarcando el paisaje africano —pitas, nopales, norias, molinos— que se extiende hacia las salinas de San Juan de los Terreros, Álvaro había encendido un cigarrillo y, encarándose de improviso con él, había exclamado: "¿En qué país naciste, charnego?, ¿en medio de una tribu de tuarégs?"

El autocar avanzaba en línea recta a través de los tempranales y, al cruzar el paso a nivel, le sorprendió la palpitación desacompasada del corazón. Una mujer montada sobre un asno se defendía del sol con un paraguas descolorido, docenas de niños correteaban medio desnudos por la calle y perseguían un perro a cantazos. Casi en seguida el chófer torció a la derecha, en dirección a la carretera de Almería. No obstante el calor la gente estaba de casinillo en la acera y los ociosos de costumbre hacían el arrimón junto a los bares. Al llegar al cruce el autocar redujo su velocidad hasta inmovilizarse del todo y Antonio se apeó con la maleta, acompañado de los guardias civiles. El viejo surtidor de gasolina se había transformado en una estación de servicio, una muchacha rubia fumaba apoyada en el guardabarros de un automóvil descapotado. Los corros de curiosos habían interrumpido las conversaciones y les examinaban en silencio.

—En marcha —dijo el gallego.

Escoltado por los tricornios, Antonio se encaminó hacia el cuartelillo. Sentía las miradas del pueblo fijas en él y, con una acongojada sensación de culpa, pensaba en el inevitable encuentro con su madre.

Diario de Vigilancia. Sábado 2 de noviembre de 1960 — Sobre las 11'15 horas funcionarios encargados del descubrimiento y observación de las actividades comunistas clandestinas fijan su atención en la Avda. José Antonio de esta capital en un sujeto de 45 o 50 años de 1.68 de altura aproximadamente, fornido, ancho de hombros, andar balanceante, pelo castaño, frente amplia, coronilla descubierta, cara alargada de abultados rasgos. Se encamina a la calle Entenza cargado con una caja de regulares dimensiones. Bautizado por el nombre convenido de Gorila entra en el taller de automóviles Pereda en el número 81 de dicha calle. A los pocos momentos reaparece con un individuo al que llamaremos Azul y se dirigen al bar Pichi sito en el chaflán de Diputación. Salen del bar, vuelve Azul al taller y a las 12'55 va Gorila al kiosco de periódicos existente en la Avda. José Antonio frente al cine Rex. Contacta con dos individuos. Estos le entregan una maleta de color marrón claro y marchan con él al bar Mariola, en el cruce Diputación-

Rocafort. Sale Gorila al cabo de unos minutos con la maleta, va al taller de Azul, la deposita en él, camina hacia la parada de autobuses y, al comprobar que los coches no paran allí a causa de las obras, continúa por la calle Sepúlveda hasta Muntaner; en el cruce con Ronda San Antonio toma un taxi y se traslada al número 51 de la calle de Almansa, en el barrio de Las Roquetas. Penetra en dicha casa y se mantiene la vigilancia.

Mientras tanto los dos individuos que entregaron la maleta y habían quedado en el bar Mariola salen unos minutos después, suben en un Seat 600, Matrícula B—143271 y desaparecen. Más tarde este coche es localizado al final de la calle Calabria, en la acera de los pares, junto a un vallado. Los dos sujetos, bautizados con los nombres convenidos de Rubio y Mozo, son de las siguientes señas: Mozo de unos 30 años, 1'70 de altura, complexión normal y pelo castaño; Rubio, unos 40 años, de 1'75, pelo rubio, corto y claro, complexión fuerte, aspecto extranjero. Poco después se comprueba que el Seat 600 se halla inscrito en la Jefatura de Policía de Tráfico a nombre de Enrique Casanova Miret de 32 años, abogado, vecino de Barcelona, calle Londres 101, sin antecedentes. El llamado Azul es de 1'73 de altura, fuerte, cara alargada, pelo liso, vestido con indumentaria de mecánico. Al andar no estira por completo uno de los brazos.

Volviendo a Gorila, no se le vio salir de la calle Almansa por ser sitio peligroso para acercarse mucho en servicio de observación. No obstante se le recupera sobre las 18'15 en las cercanías del taller de Azul en unión de otro individuo bautizado Gitano, de edad aproximada a la de Gorila, un poco más alto que él, delgado, pelo negro, aspecto agitanado. Entran ambos en el taller de Azul y, no encontrándolo, marchan a Consejo de Ciento 145, finca nueva de color cemento. Permanecen un rato en la portería, desaparecen durante cierto tiempo y de nuevo bajan a la portería. Sobre las 19'15 salen acompañados de Azul, van los tres al bar Pichi y están en él 25 minutos. Vuelven al taller de Azul y se despiden de éste. Gitano y Gorila se dirigen a la

*parada de autobuses de Avda. José Antonio, esperan un
coche y, como se demora, cogen un taxi y van a Almansa 51
de donde ya no salen pese a mantenerse la vigilancia hasta
principios de madrugada.*

*Este mismo día son identificados: Azul como Enrique Me-
dina Soto, domiciliado en Barcelona c/Consejo de Ciento 145; tiene antecedentes de haber servido de apoyo a la
Agrupación Guerrillera de Cataluña; detenido en 1948 estuvo en los penales de Ocaña y Burgos; salió a la calle en
enero de 1956 y el 3 de octubre de dicho año quedó en
libertad definitiva; ya en esta situación fijó su residencia
en Barcelona y se relacionó otra vez con elementos del
P.S.U.C., como consta en las diligencias que fueron ins-
truidas a Miguel Prieto Vernet en 1958. El llamado Gitano
resulta ser Manuel Morera Torres, domiciliado en Barcelona c/Almansa 51; condenando en el 46 en Madrid por organización clandestina permaneció siete años en Ocaña y el
Dueso; liberto en 1953 se estableció en Barcelona en 1954.*

En tu primera y única visita al lugar habías estacionado
el automóvil en la embocadura de la calle y la madre acudió
a recibiros, consciente de su importancia. Dolores vestía
unos tejanos muy ceñidos y un chicuelo apuntó hacia ella
con el dedo y dijo: "Antonio viene con una francesa."

Era a comienzos de agosto del año 58 y el pueblo andaba
de fiesta. La madre había porfiado en prepararos un gazpacho de su especialidad y, cuando terminasteis la cena, el
cielo estaba estrellado. Después del bochorno de la canícula la brisa era reparadora. Durante unos minutos habíais
recorrido las callejuelas del pueblo amparados con la oscuridad de la noche. De la explanada del muelle subía un
confuso runrún de música entreverado con la voz rasposa
de un locutor y el demencial galope de una aireada proyección cinematográfica: "Helen, los Sioux", con el inconfundible acento del chuleta madrileño. La respiración desacompasada de la feria impregnaba la atmósfera de una

vida penetrante y sutil. Los moradores del cerro convergían por pequeños grupos al centro de la población y, al desembocar en la plaza, el panorama cambiaba de modo súbito. Palmeras y ficus parecían más verdes que de ordinario a la luz de los focos y un río de gente ocupaba la calzada de la calle como un ejército endomingado y feliz, bruscamente abandonado por sus jefes.

A la entrada de la feria las autoridades habían elevado un arco triunfal. Conforme os aproximabais al muelle el bullicio y la confusión aumentaban. Las fuerzas vivas mataban el tedio en los salones vetustos del Casino y, con la cámara imaginaria de un Eisenstein, escudriñaste aquellos ancianos obesos que incrustados en sus butacas (en estrecha simbiosis con ellas) acechaban el ir y venir de las mozas, orondos e inmóviles como budas.

A la izquierda, encaramados en un escenario decorado en forma de concha, unos músicos vestidos con americanas azules y corbatas de lazo rojas interpretaban un bolero empalagoso y dulzón. Algunas parejas evolucionaban holgadamente por la pista en medio de la envidiosa curiosidad de los mirones apiñados a lo largo de la barrera divisoria. Era el baile de los señoritos, a cinco duros por barba y Antonio os habló de la época en que, sin un céntimo en el bolsillo, se acercaba a espiar con los chiquillos de su edad, fascinado también por el espectáculo de un universo (para él, entonces) afelpado y muelle, remoto e inaccesible.

A la derecha otra orquesta desfogaba su entusiasmo en la ejecución (capital, dijo Dolores) de un cha-cha-cha. El chuleta madrileño sostenía un dúo dramático con Helen, cercado por una banda de sioux (la terraza del cine de verano lindaba con la feria y el volumen del sonoro era positivamente aterrador). El bar de Constancio estaba de bote en bote. Entrasteis en él y Antonio os presentó sus amigos. Cuando os fuisteis, creías recordar, andabas un poco borracho.

Fue la eterna conversación sobre el sexo y la aperreada vida del oficio ante una caña de cerveza y un platillo de aceitunas que conocerías más tarde, a medida que el rodaje del documental avanzaba, hasta la extrema saciedad. En tu primer contacto con el Sur la vitalidad ruda y silvestre de aquellos hombres te cautivaba (hasta el punto de irritar a Dolores) y, reanimado por la reciente experiencia de Antonio (referida prolijamente por él), el recuerdo de tu velada bautismal en el pueblo renacía del olvido como un fénix, densa, cegadora, brillante. Al enterarse de tu residencia los pescadores querían saber si tenías amistades influyentes en el extranjero y, supersticiosamente, te pedían que anotaras sus señas.

—Si se empareja la ocasión me voy con usté adonde ordene. Al que me saque de acá le beso, bueno: hasta las suelas de los zapatos.

—Para vivir en este pueblo hay que endoblar jornales o mover el rabo cuando pasan los señorones.

—Solamente de mi barrio se han marchado más de diez.

—Los españoles vamos siempre como el caracol, con la 'casa a cuestas.

(Tu oreja se habituaría pronto a la letanía pero no tu corazón. Consciente de la imposibilidad de resolverles personalmente sus problemas sentías no obstante al escucharlos, a pesar de la ominosa costumbre, el sentimiento confuso, diríase, de una espuria y subrepticia culpabilidad.)

Cuando despertasteis, el día siguiente, la explanada estaba vacía. La luz avasalladora del Sur mediatizaba el mar azul e inmóvil, las montañas erosionadas y desnudas, el cielo liso como una pared. Antonio os aguardaba en el bar de Constancio y, con la recién adquirida Pathé de 16 mm., salisteis a filmar en dirección a la almadraba.

Domingo, día 3 — A las 8'45 salen Gorila y Gitano de casa de éste y se trasladan en autobús al final de la calle Mallorca, en las inmediaciones de la Sagrada Familia. En la portería del 530 contactan con un individuo bautizado Ramallets. Van los tres al bar Compostela y toman un café.

*Ramallets vuelve a su casa. Gitano y Gorila se dirigen en
tranvía a la estación de M. Z. A. El primero coge un tren
en dirección a Mataró; el segundo va en autobús a Sicilia
390 y no reaparece hasta la hora de comer. A las 14'30
regresa a su domicilio, recoge a su esposa y entran en un
bar. Mientras tanto Gorila se apea en la estación de Ocata-
Teyá, tuerce por una de las bocacalles que desembocan en la
carretera, se interna en ella y comienza a buscar una casa
determinada. Vuelve sobre sus pasos y pregunta a una mujer.
Baja luego a la carretera, sigue hasta Masnou, sube por
la calle Gral. Godéd y llama al timbre de la casa número 71,
en cuyo interior permanece más de dos horas. Sale a las
14, regresa en tren a Barcelona; frente a la estación toma
el autobús hacia Las Roquetas y a las 13'55, entra en Almansa 51, domicilio de Gitano. Se identifica Ramallets como
Ismael Rodríguez Cepeda, residente en Barcelona c/Mallor-
ca 530, portería. Se identifica a la persona titular de Gral.
Godéd 71, Masnou, como Lucía Soler Villafranca, sin antecedentes.*

*Lunes, día 4 — A las 8 sale Gitano de su casa en direc-
ción a su trabajo. Se supone que Gorila permanece alo-
jado en aquélla pues no se le ve en toda la mañana. Aparece a las 14'35 y va en autobús a la calle Ausias March
63, oficinas de transportes La Catalana. Entra en un bar
próximo, vuelve a las indicadas oficinas y, frente la parada de tranvías, hace contacto con un individuo bajo,
grueso, con muchas canas, cara ancha, sonrisa jovial. Charla
con él cinco minutos y se separan. Gorila se dirige a la
estación de M. Z. A., penetra en el vestíbulo, consulta el
horario de los trenes. A las 15'45 llega Lucía Soler Villafranca, a quien llamaremos Graja. Van juntos a plaza Palacio y toman un autobús hasta Urquinaona; se apean en
el chaflán de Ausias March, suben por Bruch y se detienen
ante el número 23. Entran en él a las 16'30 y a los 10 minutos salen acompañados de una mujer morena, vestida de
negro, de estatura semejante a la de Gorila, peso mediano.
Andan a la portería de Bailén 35, reaparecen en seguida y*

se despiden de la mujer. Gorila y Graja se encaminan a Avda. José Antonio y se les pierde de vista en Lauria. A las 18 se recupera a Gorila con Gitano en el bar Pichi. Van al taller de Azul cogen la maleta que dejó Gorila el sábado y marchan los tres al bar Mariola. Pocos minutos después se separan de Azul y a las 19'20 Gorila y Gitano se trasladan en taxi a casa de este último.

Se identifica el sujeto con quién habló Gorila frente a transportes La Catalana, y al que bautizamos Nikita, como Ramiro Sauret Gómez c/Princesa 40, Barcelona. Antes de la guerra pertenecía a la C.N.T. y durante la Cruzada fue vocal del Comité de Control de dicha Sindical. Ingresó después en el P.C. siendo encarcelado en Valencia por los casadistas; detenido el 16-4-39 recibió una condena de 12 años y salió a la calle al cabo de 3 y medio. Recién liberado enlaza de nuevo con el P.C. clandestino y en marzo del 44 se le condena a 20 años como secretario de organización del P.S.U.C. El 5 de mayo de 1959 realizó su primera presentación en esta Brigada como liberto procedente del penal de Burgos, situación en la que se encuentra ahora.

"Vamos a ver si nos entendemos. Has jugado y has perdido... Estás en nuestras manos y podemos hacer de ti lo que se nos antoje... Hasta matarte... No serías el primero que desaparece..." El hombre le miraba fijamente, casi con ternura: "Ya sé lo que estás pensando. Tengo que mantenerme firme... No hablar... No denunciar a mis compañeros..." Le tendía una mano blanca cubierta de vello y la abandonó cariñosamente sobre su hombro: "Tonterías, aquí habla todo el mundo. Unos tardan más y otros menos... Los listos sin necesidad de que les toquemos un pelo y los tontos con las toallas mojadas o las corrientes eléctricas... Vamos a ver si tú eres de los listos o juegas al duro... En cualquier caso, al final, hablarás."

De repente, con gran alivio, se encontró en el patio de la cárcel, en medio de los comunes. El inspector se había eclipsado y los otros reclusos jugaban al fútbol con una pelota de trapo. Casi en seguida el oficial los convocó para el recuento. Era la hora de la comida y sus compañeros hacían sonar los cubiertos en los platos de aluminio. Esperaba oír su nombre para responder presente y el grito se estranguló en su garganta.

Durante los primeros meses de detención los sueños evocaban invariablemente su vida de ciudadano libre —paseos vagabundos, lugares despejados, espacios abiertos— como si, rehusando en bloque la efectividad de la cárcel, el subconsciente se aferrara de modo ciego a una existencia anterior que la negaba y la destruía. Pero, al cabo de un tiempo, la prisión se había infiltrado en sus noches hasta adueñarse por entero de ellas y reducir la variedad de sus paisajes a un decorado monótono y obsesivo: el patio, la celda, los calabozos de Jefatura. Si soñaba en su pueblo, era un pueblo con alambradas; si veía a su madre, su madre estaba presa. La decisión del juez no había calado todavía en su subconsciente. En virtud de un proceso inverso al de la detención el destierro a su país natal era una cortina de humo que ocultaba engañosamente una realidad más profunda: quisiéralo o no, su universo natural seguía siendo la cárcel.

Fermín le aguardaba en el bar de Constancio, acodado en el mostrador. Su ex compañero de equipo juvenil de fútbol había engordado un tanto desde la última visita de Antonio y le sonrió amistosamente.

—Enhorabuena, Lenin. En cuanto me enteré que andabas libre me vine hacia acá corriendo... ¿Qué tal te encuentras?

—Jodido pero contento —dijo Antonio.

—Bueno, pues óyeme bien. De ahora en adelante olvidas lo que has hecho y te quedas aquí, con nosotros. Así no volverás a meterte en líos. En el pueblo te cuidaremos.

—¿Qué tal va el trabajo?

—El que tenía antes lo dejé, ¿te lo han dicho? El año

pasado me establecí por mi cuenta... Un taller de reparación de motos y automóviles. Luego te lo enseñaré.

—Lo celebro.

—Tengo dos aprendices y, entre los tres, nos barajamos
bien. En verano cierro a medianoche y ni siquiera doy
abasto. Ahora ya no es como antes. Cada día vienen más
coches y todo quisque quiere su moto. Si a uno le falta
dinero para pagarla a tocateja se la merca a plazos.

Se sentaron junto a la ventana, de cara al muelle y Constancio sirvió tres tazas de café. Fermín era un muchacho
despierto, con inquietudes políticas y, durante algún tiempo, su idea fija había sido marcharse a Francia. Al rodar
el documental sobre la emigración Álvaro le había dado
sus señas en París y, como de costumbre, había prometido
buscarle trabajo.

—¿Cómo van tus amigos? —preguntó de pronto, adivi-
nándole el pensamiento—. ¿Terminaron la película?

—No lo sé —repuso Antonio—. Anteayer vi a Ricardo
en Barcelona y no me dijo nada... Dolores sigue en París
y creo que Álvaro se fue a Cuba.

En contra de lo que suponía, Fermín no hizo ningún
comentario. Sus ojos brillaban como rescoldos.

—¿Te acuerdas, cuando jugábamos al fútbol, la tarde
que ganamos al equipo de Vera y tuvimos que salir del
campo a puñetazo limpio?... El gol de la victoria lo metió
Ángel de penalti un minuto antes de que acabara el encuentro...

—Eran los buenos tiempos —dijo Antonio—. ¿Qué se
ha hecho de los demás?

—Ángel recaló en Alemania y, en cinco años, ahorró
medio millón de pesetas... Un señor potentado, imagínate.
Esta primavera vino con un Folsvaguen y, nada más en
aperar el cortijo de su familia, lleva gastados veinte mil
duros. Si quieres iremos un día a Pulpí con mi moto. Es
un buen tipo. Estoy seguro que se llevará un alegrón.

—Yo lo envié a Barcelona y de allí se largó al extranjero
—explicó Constancio—. Ahora se dedica a exportar tomates.

—Si pinta que llueva se va a forrar los bolsillos —dijo Fermín.

—¿Y Lucio?

—Ese casi no asoma los bigotes por el pueblo. —La mujer de Constancio hablaba con voz cantarina—: Está tan ennoviado que sus amigos ya ni le ven. Si se acerca algún domingo sólo viene aquí de entra y sal.

El teniente le había puesto en guardia contra los ex presos y Antonio preguntó por el Rojas.

—Por ahí anda —dijo Fermín—. Precisamente ayer me crucé con él en el baile.

Constancio se levantó a servir a un cliente. Como Fermín callaba, insitió: —¿No le han vuelto a molestar?

—El pueblo es chico y todos saben de qué pie cojea. Aunque quisiera moverse no podría.

—¿Trabaja en la almadraba?

—No, ahora va en "El joven Carlos", al arrastre. Pero, con lo que gana, no puede mantener a la familia.

—La pesca no es ya un oficio —dijo la mujer.

—Ese anochecerá el mejor día y échale un galgo... Su cuñada me dijo que estaba arreglando los papeles para irse fuera.

Un automóvil de tipo americano atravesaba lentamente la explanada del muelle. Al volante había un hombre con uniforme azul y, amontonados en el asiento trasero, Antonio distinguió dos muchachas rubias y una cáfila de chiquillos con sombreros tejanos. Tras describir un silencioso semicírculo el coche se detuvo frente a la puerta del cine. Sin hacer caso del chófer que, con la gorra de plato en la mano, se había precipitado a abrirles la portezuela, las jóvenes consultaron el programa a través de la ventanilla. Sus caras descoloridas e insulsas reflejaron en seguida una viva contrariedad. Al cabo de unos momentos, con la misma suavidad con que antes había frenado —dócil como un bello animal doméstico— el vehículo se puso de nuevo en marcha y desapareció de su campo visual envuelto en una nube de polvo.

—Es el Cadillac de don Carlos Aguilera —dijo la mujer de Constancio—. Su familia llegó anteayer de Egipto.

Hubo una pausa. Los carabineros se habían asomado a beber un trago con el práctico del puerto y Fermín cambió un guiño de inteligencia con Antonio y se incorporó.

—Anda —dijo.

Tras una ojeada fugaz, el sol se había ocultado entre las nubes y, hacia la isla del Fraile, la oscuridad era más densa que nunca.

—¿Adónde vamos? ¿Al Balneario?

Fermín lo llevaba del brazo y se detuvo a alumbrar un cigarrillo.

—Por las mañanas suele estar muerto —repuso—. Además, el personal no es el mismo de antes. El nuevo barman y su ayudante los trajo don Gonzalo desde Madrid.

Antonio se acordó de Lolita, el año en que la invitó a las procesiones de Lorca y, de vuelta al pueblo, detuvo el coche de Álvaro junto a un olivar y se acostó con ella al sereno. Preguntó qué se había hecho de ella.

—¿La hija de Dámaso?

—Sí.

—A esa se le pegó el arroz y se tuvo que casar aprisa y corriendo para darle un padre a la criatura.

—¿Quién es el marido?

—Un come y calla que la chulea y se le pule los cuartos. La muy zorra sigue entendiéndose con el otro, y él, como si nada... ¿Te interesa verla?

—No —dijo—. Es simple curiosidad.

—Recuerdo que en una época ella se timaba contigo. Entonces estaba la mar de bien. Ahora no. Ha engordado mucho y ya no se pinta ni se arregla. Por el camino que va acabará por largarse a Barcelona y hacer la vida.

—¿Y la hija de Arturo?

—Esa riñó con el novio y se fue del pueblo —Fermín caminaba ensimismado—: Hay que ver cómo son las cosas. Ninguna de las chavalas de mi edad vale ya la pena... Casi todas se han casado y tienen hijos y empiezan a parecerse a sus madres. Y las jovencitas que me gustan me encuentran aburrido y prefieren festejar con los tipos de veinte años que fuman rubio y saben bailar el mádison...

—Estamos pasados de moda —dijo Antonio.

—Sí, y lo que es peor aún, las cosas se componen por sí solas, como si ni tú ni yo existiéramos. Mientras estabas a la sombra lo pensaba muchas veces: cuando Antonio salga lo encontrará todo distinto. El país ha cambiado sin necesidad de nosotros, ¿te das cuenta?

—En la cárcel he tenido tiempo de reflexionar —repuso.

—Los tipos mejores se van a Alemania y los que quedamos, no decimos ni pío. Unos más, otros menos, nos las apañamos para ir tirando... La gente cree que respira y, en realidad, ellos continúan mangoneándolo todo.

Para consolarle le habló de los que, habiendo hecho la revolución y perdido la guerra, vivían desde entonces condenados al recuerdo estéril de su juventud, pero Fermín no dio su brazo a torcer:

—Nuestro caso es peor que el suyo. A lo menos ellos han tenido una juventud, como tú dices. Nosotros ni eso. Nos hemos preparado para algo y no ha pasado nada. Envejecemos sin conocer responsabilidades, ¿comprendes?

Habían llegado a la plaza y Fermín se detuvo y señaló los corros' de ociosos que conversaban frente a la terraza del bar.

—La mayoría de ésos eran republicanos y se volvieron la chaqueta después de la guerra. Luego se hicieron falangistas y, cuando las cosas se les pusieron feas, rompieron el carné. Ahora se dedican a vender playas a los alemanes. Pase lo que pase siempre quedan encima, como el aceite.

—¿Quieres tomar un café?

—¿Aquí? —Fermín sonrió con amargura—. Bien se ve que vienes de lejos... La gente importante ya no frecuenta estos parajes, ¿no lo sabías?'

—¿Dónde se reúne?

—Este verano han abierto dos cafeterías con música y camareras uniformadas que saben dar las gracias en francés.

Según cuentan el dinero es de don Gonzalo... Ven, la más elegante está muy cerca.

—Enséñame antes el taller —dijo Antonio.

Lo acompañó en dirección al mercado mientras Fermín desfogaba su cólera contra las fuerzas vivas del pueblo. En el primer cruce había un anuncio con el nombre y apellido de su amigo y, al doblar la esquina, Antonio divisó un muchacho pelirrojo que, instalado en medio de la acera, examinaba cuidadosamente la llanta de un automóvil. Dentro del local otro chiquillo iba y venía de un lado a otro con un destornillador y unos alicates.

—¿Algo nuevo? —preguntó Fermín.

—Manolo vino por los platinos —repuso el pelirrojo—. Me dijo que volvería esta tarde.

Antonio se asomó a dar un vistazo a las piezas de recambio y Fermín le puso al corriente de las diversas facetas del negocio. El dinero del traspaso se lo había adelantado la Caja de Ahorros merced a una carta de recomendación del alcalde y, durante unos minutos, habló como un experto de créditos, intereses y letras.

—El día en que menos lo pienses —concluyó, riendo zumbonamente— me verás sentado en los salones del casino, con los señoritos.

—Para eso te hace falta engordar unos kilos —repuso Antonio.

Fermín quería mostrarle la nueva cafetería, pero pretextó una cita y se despidió de él. Las nubes se condensaban sobre la sierra oscuras y amazacotadas y, a intervalos, la lucerada repentina de un relámpago iluminaba teatralmente el paisaje adelantándose unos segundos al tableteo lejano e intermitente de los truenos. La soledad volvía a ceñirle como en los peores momentos de su detención y los límites imprecisos de su libertad le aparecieron de pronto más crueles que los barrotes de la cárcel. Al arrancarle del cómodo maniqueísmo de la prisión, el destierro le introducía en un universo maleable y ambiguo. En adelante podía errar por el pueblo, emborracharse en las tabernas, zambullirse en el mar como cualquier hijo de madre y sentirse no obstante cautivo en lo más profundo de sí mismo, insensible al espejismo de aquel azar gratuito e inesperado.

Las embarcaciones de recreo se balanceaban suavemente y reconoció en seguida el yate de don Gonzalo. La niebla envolvía la isla del Fraile y esfumaba las covachas miserables de la Punta. Las gaviotas volaban bajo, calaban en busca de una presa, se cernían de nuevo en el aire, volvían a caer. En el extremo del dique un hombre miraba el mar con gesto absorto y, antes de que alcanzara a vislumbrar el motivo, el corazón le dio un vuelco.

Muchos años atrás —¿quince, veinte?— Antonio había ido a la escollera a coger erizos y divisó a lo lejos, de espaldas, la silueta de un individuo encorvado y pobre que, como un espantapájaros, observaba la línea del horizonte con la chaqueta y los pantalones hinchados, frenéticamente escurridos por el viento. Su desamparo solitario le había impresionado de tal modo que, mientras se aproximaba a él, pensó inocentemente: "Si este hombre fuera papá me suicidaría."

Fue su primera experiencia del dolor moral, el eslabón inicial de una larga serie. Aquella noche, repasando la lista de las humillaciones paternas desde su salida del campo de concentración —el rencor silencioso de la madre, la búsqueda inútil de un empleo, la voluntad premonitoria de sustraerse a las miradas del prójimo—, lloró con la cara apretada sobre la almohada y la herida abierta entonces no cicatrizó jamás. La vergüenza mutua de su encuentro se remontaba al año en que tío Gabriel pagó su pensión de bachiller en un internado de Murcia. Antonio no se había suicidado como dijera pero, unas semanas después del paseo por el espigón, su padre desapareció para siempre. Una noche, la madre y él lo esperaron en vano a comer. Fue Antonio quien lo descubrió al día siguiente, con su chaqueta y pantalones astrados, columpiándose imperceptiblemente en el aire, colgado de una viga.

Martes, día 5 — Gorila sale a las 14'30 en unión de Gitano y se trasladan en autobús a plaza Palacio. Entran en un bar, Gorila va a la estación M.Z.A., compra un billete, regresa al bar y, no hallando a Gitano, vuelve sobre sus pasos. A las 16 horas coge el tren en el andén número uno. Llega a Mataró a las 16'40, se encamina al centro de la población, se para frente a un kiosco de la Avda. Clavé y contacta con un hombre que está en el interior del mismo; habla con él y pocos minutos después aparece otro individuo que saluda con efusión a Gorila. Charlan un rato los tres juntos. Al del kiosco se le llama K 1 y al otro K 2. Gorila y K 2 toman un café en el bar La Maresma, salen y se detienen frente a otro kiosco. K 2 entra en él con mucha confianza, charla con la dueña y se la presenta a Gorila. Sobre las 18'45 éste se separa de K 2, marcha por una bocacalle y a unos 15 metros le sigue K 2 con un saco que parece de lona penetrando los dos por fin en Gral. Aranda 12, bajos. A las 19'20 la mujer del segundo kiosco lo cierra, va a comprar carne y se dirige también a la dirección mencionada. Como el lugar no ofrece condiciones para los funcionarios del servicio de observación se levanta la vigilancia.

Miércoles, día 6 — A las 16'15 Gorila llega a la estación de M.Z.A. procedente de Mataró. Coge el tranvía, se asoma al taller de Azul, reaparece con éste y se dirigen al Pichi. Azul va y viene del bar al taller en cinco ocasiones. A las 18'50 sale Gorila y marcha a la calle Viladomat. Enlaza con Nikita a las 19'05, pasean juntos, charlan, visitan dos bares de la Avda. Mistral. En el cruce Borrell-Floridablanca, Nikita saca unos papeles de la cartera y, tras leerlos ambos, los guarda Gorila. Se separan en Urgel-José Antonio y Gorila se traslada en taxi a casa de Gitano en donde entra a las 20'30.

Identificado K 1 como Jorge Todó Salichs, condenado el 4-5-46 a seis años de cárcel por actividades clandestinas;

*liberado en el 49 y residente en Mataró c/Cabrera 36. K 2
es Damián Roig Pujol, fichado como simpatizante comunista desde la huelga de abril de 1951; durante el año en
curso ha realizado dos viajes a Francia. Su domicilio es
Gral. Aranda 12, bajos.*

*Jueves, día 7 — Sale Gorila a las 15 horas de casa de
Gitano, toma el tren para Masnou, entra en el domicilio
de Graja y reaparece en seguida; regresa a la carretera
y en la puerta de una panadería próxima da con aquélla;
pasean y charlan juntos, se despiden y Gorila va por la
calle Manila hasta un chalé en cuya puerta está aparcado
un Peugeot 403, matrícula 9089 MG 75, de color gris. A
los 10 minutos de penetrar en la casa sale solo, coge el
tren y vuelve a Barcelona. Se reúne con Gitano en el Paralelo y van en busca de Azul. No lo encuentran en el
taller, entran en el Pichi y allí se les une Azul. A las 19
éste se separa de ellos; los otros dos se trasladan al domicilio de Gitano y ya no se les ve.*

*El propietario del coche es Theo Batet Juanico, c/Mani-
la 35, Masnou, un individuo procedente de Francia, trabaja en la empresa de Hidrocarburos del Norte S. A. Habla
perfectamente el español. Durante nuestra Cruzada fue teniente piloto de la aviación roja. El 4-2-58 declaró en el
Consulado de España en París que antes de la guerra vivía
en Barcelona y deseaba volver allí a visitar a unos familiares, siendo autorizado el 24-5-58.*

*Viernes, día 8 — Salen Gitano y Gorila a las 14'30 y la
policía pierde de vista al último a las 16'30 en la calle
Pelayo.*

*Sábado, día 9 — A las 18'15 se recupera a Gorila con
una maleta en las inmediaciones del taller de Azul. Toma
un taxi y poco después se le pierde de vista a causa del
tráfico, no localizándosele en todo el día pese a montarse
servicio en las estaciones por si pretendiera salir de Barcelona. En vista de que no viene se levanta la vigilancia de la
calle Almansa a las 2'30 de la madrugada del domingo.*

Domingo, día 10— Se divisa a Gitano a las 9'15 y a

las 10 entra en el bar Pichi. Gorila se presenta poco después, habla con él unos instantes y sale solo. En la puerta del bar Mariola le aguarda un individuo a quien bautizamos Zapatón, de unos 50 años, 1'75 de altura, pelo castaño claro, gafas graduadas tipo Truman, chaqueta de ante, pantalón gris, zapatos negros de buena calidad; al andar, camina un poco zambo. Van al bar Escocés, en la calle Rocafort. Hablan por espacio de 20 minutos y se despiden en Entenza-Avda. José Antonio dando Gorila unas indicaciones como si Zapatón no conociera bien la ciudad. Tras deambular por varias calles, el último se traslada en taxi al apeadero de Aragón y saca un billete para Zaragoza en el tren de las 12'30.

Gorila entra en el bar del chaflán José Antonio-Rocafort y unos dos minutos después llega Gitano con un paquete pequeño. Esperan un rato, dan la vuelta a la manzana y regresan al bar. Continúan Rocafort abajo y en el cruce con Sepúlveda se paran a hablar con un joven a quien conoceremos por Ondulado, de 28 o 30 años, 1'68 de altura, moreno, pelo negro, rizado y abundante. Al poco aparece Azul y van juntos al bar Mariola. Salen a los 10 minutos, se encaminan al bar Pichi. Ondulado se separa de ellos y se dirige a la Avda. de José Antonio teniendo que abandonarse su pista ante el interés que supone determinar el nuevo domicilio de Gorila. Este último, Azul y Gitano visitan el bar La Habana, sito en la calle Diputación. Azul desaparece en el cruce de Villamarí; Gitano toma el autobús con el paquete de que se habló y Gorila el tranvía hasta la estación M.Z.A. Son las 13 horas. Diez minutos más tarde coge el tren de Masnou y a las 14'30 entra en casa de Graja.

Como al padre de Antonio, sin su resolución brusca, la tentación del suicidio te había rondado también.

La perspectiva evoca irresistiblemente las láminas educativas de la anacrónica enciclopedia escolar que constituyera tu libro de lectura predilecto en el anémico y dilatado limbo de tu mocedad burguesa. Desde la verja protectora de la rue de l'Aqueduc dominas a tus pies, en primer término, el paisaje industrioso de la gare du Nord con sus elementos integrantes reunidos aposta como en una minuciosa y detallada estación de juguete: muelle, grúa, contáiner, cercha, vías, señales luminosas, puesto de guardagujas, arca de agua, pilón, cable transportador, placa giratoria, tinglados; en tu nivel, a doscientos metros de distancia, el puente del boulevard de la Chapelle con su denso tráfico de camiones, automóviles, motocicletas, triciclos; y, sobre el andén central del mismo bulevar, en los lejos del cuadro, el metro aéreo, con sus vagones fantásticos e irreales recortados en un cielo aterido y ventoso, descolorido por un sol de nítida blancura. El conjunto parece especialmente dispuesto para el alumno estudioso que hubo en ti y, en más de una ocasión, durante tus paseos vagabundos por el barrio, la imagen de las aulas escolares con su corolario secreto de humillaciones, temor y castigos aflora desabrida, a tu recuerdo y resucita, contra su universo, el odio liberador y catártico de tu evaporada juventud.

Cinco meses atrás, en un domingo arisco y brumoso del mes de marzo, habías errado horas y horas, las manos hundidas en los bolsillos de tu abrigo y la vista fija en la punta de los zapatos, ajeno a la vida que discurría en torno de ti, con la conciencia clara de que la realidad se descomponía entre tus dedos y de manera lenta pero irreversible iniciabas el proceso de liquidación y de ruina que debía conducirte, como a todos, al ominoso final. Llevabas contigo el borrador cien veces corregido de la carta que jamás enviaste a Dolores y una breve nota de ella escrita en la época en que, enamorados uno del otro, procedíais a la dulce y morosa exploración de vuestros cuerpos, jóvenes e indemnes los dos, como dos desconocidos que se tantean y se buscan, antes de penetrarla tú con tu deseo. Las releías mientras andabas con la certeza ruda de que en lo futuro no volverías a ser feliz y, al desembocar, tras una larga caminata, en la place de la Bastille, un tanto ofuscado por los Ricards que bebieras durante el trayecto, contemplaste con el cerebro en blanco el genio esbelto de la columna esfuminado por la neblina y la feria instalada en la acera, entre la boca del metro y el canal. Violenta, imperiosa, la idea destructiva te fulminó como una revelación.

Atravesaste la plaza sorteando la vertiginosa circulación de los automóviles. Puestos de tiro al blanco, ruedas de la fortuna, carromatos de adivinadoras, tenderetes de golosinas, montañas rusas, tiovivos, barcas imantaban un público elemental y ruidoso que se apiñaba alrededor de quienes probaban su fuerza, su suerte, su destreza, su puntería. Alegres grupos de beatles aguardaban turno para precipitarse al asalto de los cochecitos eléctricos y asientos giratorios del descabellado tobogán. Una náusea imprecisa te envolvía, meliflua y algodonosa.

Madame N A D I A
Horoscopes d'après votre
influence planétaire
Boule de Cristal
Cartes — Tarots

IGOR
Regaine d'affection
Réponse à la pensée
Toutes les sciences occultes.
Lignes de la main   3 F.

Madame LEONE — *Voyante*
Vous parlera sur les 3 temps
Passé
Présent
Avenir
Vous conseillera, vous guidera
quelles que soient vos difficultés

Una escena bucólica con ciervos, trineos, abetos, colinas nevadas, pastores servía de telón de fondo a una rifa de batería de cocina. Giraba una niña, solitaria y feliz, sobre las alas de un cisne resignado y lunático. La música de los altavoces ahogaba y confundía la labia inagotable de los feriantes. Caminabas perdido entre la muchedumbre cuando un anuncio escrito con pintura roja cautivó bruscamente tu atención.

I Franc le Voyage
Fragiles du Coeur s'abstenir

Un charlatán —un individuo de tez morena y bigotes torcidos— entregaba una ficha de cartón a los chiquillos y jovenzuelos que hacían cola frente a la entrada: "Avancez, messieurs-dames... Profitez d'un prix exceptionnel pour faire un voyage surprise que vous n'oublierez jamais... Un voyage qui fera battre votre coeur trois fois plus vite que d'ordinaire... Si vous avez le coeur fragile surtout ne montez pas, messieurs-dames... Vous risqueriez inutilement un accident et le Tobogan Fou de Malatesta ne serait tenu pour responsable devant aucun tribunal... Avancez, messiers-dames, avancez... Le tout pour le prix incroyable d'un seul Franc."

Las sienes te punzaban, la frente te dolía, el corazón te palpitaba. El rostro bulboso del hombre te atraía y repugnaba al mismo tiempo. En lo alto de la columna conmemorativa el genio de la Bastille brincaba con elasticidad inútil, rehén del invierno y de la niebla. Había llegado tu turno y sacaste una moneda del bolsillo.

—Une place, si'l vous plaît —dijiste.

Lunes, día 11 — Hay que modificar todo el dispositivo de vigilancia. Sale Gorila del domicilio de Graja a las 16'10, toma el tren para Barcelona, se traslada en taxi al cruce Calabria-Avda. José Antonio y marcha al taller de Azul.

Poco después reaparece con éste y en el bar Pichi se les une Nikita. Charlan los tres aunque Azul se asoma a menudo a vigilar el trabajo del taller. A las 18'15 Gorila y Nikita dan una vuelta completa a la manzana de viviendas opuestas a aquella en la que se encuentra el bar Pichi. Se despiden y Nikita se aleja a pie.

Regresa Gorila al bar Pichi en donde aguarda Gitano. Son las 18'45. Van al bar Mariola, se les agrega Azul y permanecen juntos hasta las 19'20. Salen Gitano y Azul y se alejan. Queda Gorila solo, se encamina al centro de la ciudad y a causa del tráfico se le pierde a las 19'45.

Martes, día 12 — A las 9'50 Gorila coge el tren para Barcelona. Sube al tranvía, se apea en plaza de España, se encamina al taller de Azul. Sale de él, va al bar Pichi y minutos después aparece Azul. Visitan luego el bar Escocés, permaneciendo en él por espacio de hora y media. Vuelven al taller y se separan a las 13'04.

Marcha Gorila al centro, deteniéndose a comer en una cervecería. A las 16'35 llega a las oficinas de la compañía de transportes sita en Diputación-Paseo de Gracia y saca un billete de autobús para Gerona. A las 16'55 sube por vía Layetana. En la esquina del pasaje Permanyer contacta con un individuo que llamaremos Zarpas, de unos 50 años, 1'70 de altura, flaco, cejas pobladas, manos grandes, rostro bermejo. Van al bar Las Antillas, en la esquina con Aragón. Consumen y conversan unos 15 minutos. A las 17'10 se separan. Gorila anda sin prisa hasta el bar Pichi y se pone a hablar con un sujeto a quien bautizaremos Gris, de unos 55 años, 1'75 de altura, nariz grande, pelo canoso, un mechón blanco en medio de la cabeza; su aspecto es de jornalero o campesino. Conversa con él unos 20 minutos, dirigiéndose luego los dos al bar Mariola. A las 18'20 se reúnen con Gitano en el Pichi y están allí más de tres cuartos de hora. Tras asomarse a un par de bares marcha cada uno con rumbo distinto: Gorila a casa de Graja adonde llega a las 21'30, Gitano a su domicilio y

Gris al grupo de viviendas Barón de Viver, junto al puente de Santa Coloma.

Se identifica a Zarpas como Felipe Moreno Vázquez, Llagostera 9, Barcelona, empleado en talleres Orión, Lauria 131. Moreno pasó de la zona nacional a la roja y se incorporó al ejército republicano. Condenado por deserción al final de la guerra, fijó su residencia en Tarragona en 1945 y estableció contactos con elementos del P.S.U.C. siendo detenido en diciembre del mismo año; en libertad condicional el 6-5-54 pasó a residir a Barcelona.

Miércoles, día 13 — Gorila sube al tren a las 10'45 cargado con una maleta cartera de color negro. Se apea en la estación de M. Z. A. y después de un breve recorrido por el mercado del Borne, se encamina a Princesa 40 y entra en el domicilio de Nikita. A las 15'45 sale con su maleta. Va en autobús a la compañía de transportes en donde estuvo la víspera, ocupa un asiento en el coche de línea de Gerona y, antes de arrancar, compra media docena de periódicos. El autocar parte a las 17'30. Le siguen tres funcionarios de esta Brigada.

Viernes, día 15 — A las 18'30 se localiza de nuevo a Gorila en el taller de Azul en compañía de éste y tres individuos más que parecen empleados. Marchan Gorila y uno de ellos al Pichi y regresan al taller. Gorila pasea por la acera. Sale Azul y se encaminan los dos a Artes Gráficas Roig, calle Villamarí 96. Después de 20 minutos de conversación se dirigen a la Cafetería Puerto Rico pero, al llegar un coche patrulla de esta Jefatura y entrar dos funcionarios en el bar, Gorila y Azul se retiran precipitadamente.

Sucedieron varios días de calma: de baños de mar en el Hornillo, comidas en el bar de Constancio, morosas traducciones de libros, veladas apacibles con la madre. Al finalizar el mes de agosto la feria cerró y las orquestas se retiraron. Los días se acortaban sensiblemente y, pasado

el bochorno de la canícula, las noches eran suaves y fres-
cas. Los sábados, Antonio se presentaba a firmar en la
casa cuartel y platicaba unos minutos con el teniente. El
cabo le entregaba la correspondencia censurada: postales
de Ricardo y Artigas, revistas francesas, la edición española de *Life*. La respuesta de tío Gabriel cifraba una
profunda desilusión respecto a su conducta; en vista del
fracaso de su educación, concluía, su mujer y él habían
decidido en lo futuro consagrar sus esfuerzos al fomento de
vocaciones religiosas y misioneras. Un día el cartero le trajo directamente un telegrama. Era de Dolores y decía simplemente: SALUDOS CORDIALES LLEGARÉ VIERNES.

Aquella noche, en el torpor inerme del insomnio, el recuerdo de su vida de universitario le atormentó hasta la
madrugada. Multitud de episodios dispares se barajaban
caprichosamente en su cerebro: la escapada a París con
Enrique, la preparación del documental de Álvaro, el accidentado viaje a Yeste. Su tentativa de desarraigo y olvido
se había derrumbado como un castillo de naipes y, mientras tomaba disposiciones para el alojamiento de Dolores
en el hotel y forjaba planes para su estancia, el compás de
espera se le antojó larguísimo.

La aguardó toda la mañana apostado en el café de la
carretera y, al atisbarla, al volante de su Dofín rojo, corrió
hacia el medio de la calzada y la obligó a frenar bruscamente. Dolores parecía más joven con los cabellos cortos
y la blusa sin mangas y le observó unos segundos, sorprendida y feliz, antes de estrecharle en sus brazos.

—Con esa barba no te reconocía, te lo juro. Oh, qué
susto me has dado...

—Si quieres que me afeite...

—No —dijo ella—. Me da igual. Lo importante es que
andes suelto.

Los dos se sentían emocionados y, para ocultarlo, evitaban mirarse de frente. Antonio se había acomodado junto a ella y le preguntó por Álvaro.

—Todavía sigue en Cuba —dijo Dolores—. No sé cuándo volverá.

—¿Te escribe?

—De tarde en tarde. Ya sabes cómo es él. A veces pasa meses enteros sin resollar.

—¿Vienes por mucho tiempo?

—Oh, no; sólo de paso. Mis padres regresaron a España, ¿lo sabías?

—Te he guardado una habitación en el hotel.

—Es imposible, Antonio. Mamá me espera desde hace diez días... Me he asomado únicamente para abrazarte y charlar unos minutos.

Su desilusión se transparentaba sin duda pues ella se interrumpió y, de improviso, sus ojos se aguaron.

—Lo siento. Te debo parecer egoísta.

—Hace meses que no puedo confiarme a nadie.

—Perdóname —Dolores cogió su mano entre las suyas y la apretó unos instantes con fuerza—: Me quedaré a dormir en el pueblo. Tenemos que hablar de tantas cosas que no sé por donde empezar.

—Yo tampoco —dijo Antonio.

—La gente nos mira como si fuéramos criminales peligrosos... ¿A qué sitio podemos ir?

—Mientras no nos alejemos del pueblo adonde tú quieras.

—¿Recuerdas la otra vez que estuve aquí? —dijo ella—. ¿Por qué no vamos a la almadraba?

Continuaron por la calle mayor hasta el puerto y, a través del paso a nivel, tomaron la carretera de Cope.

—Dios mío —dijo Dolores—. Cuánto tiempo...

Habían dejado atrás las últimas chozas grises y el motor zumbaba desmayadamente en medio del silencio opaco. El sol brillaba con obsesiva fijeza en las grupas escurridas de las colinas, vertía oleadas de luz rubia sobre el testuz inmóvil de las montañas. La vida parecía haberse retirado súbitamente del paisaje y, desvanecidos por la calina, los troncos nudosos de los olivos, las higueras retorcidas y escuetas, los vallados de pitas, las chumberas, producían una vaga impresión de acartonamiento y falsedad. Era una desolación luminosa y muda que evocaba la idea de la muerte, la agonía del animal sediento perdido en el ramblizo, la achuzada dèl águila sobre la presa, el grávido hedor del cadáver descomponiéndose al sol. Sólo viento, nubes de polvo amarillo, destellos de alguna charca agrietada y seca, sorda protesta de cigarras.

Estaban en una estepa árida y recocida, avara y hermética, de aljibes blancos y casas en ruina, borricos y norias, hierbas marchitas, colmenares, palmeras desplumadas. Bastaba alzar los ojos un momento para sentirse aprisionado entre el cielo y la piedra, huésped inútil de un universo mineral y vacío que pareciera castigo de Dios y era obra del hombre —¿quien había escalonado de bancales aquella tierra ingrata, abierto bocas de minas que bostezaban al sol con infinito cansancio?—, trabajo anónimo de varias generaciones abandonado un día por una razón oscura, olvidada ya por sus resignados habitantes: un mundo baldío y hueco, sin nubes ni pájaros, como aislado bajo una campana de vidrio. La carretera era de piso terrizo y la tolvanera del automóvil envolvió una pareja de civiles montados en bicicletas. La casa cuartel se asentaba en lo alto de un repentillo, cuadrada y maciza en medio de aquella decrepitud borrosa. El camino hacía breves asomadas al mar y, a trechos, el suelo pizarroso reverberaba cegadoramente.

Dolores contemplaba deslumbrada el paisaje y, en el cruce de El Cantal, torcieron a la derecha. La luz cabrilleaba sobre la cara del agua y la playa se tendía perezosamente entre dos promontorios rocosos. Cuando frenaron unas mujeres avanzaban en fila india por el rastrojal, defendiéndose de la resolana con paraguas descoloridos y mustios. Debían de ser familia de los guardias civiles —algunas llevaban un niño en los brazos— y, al alcanzar la orilla, se sumergieron vestidas en el mar, siempre bajo el sombraje de los paraguas, lanzando gritos y ciñéndose las faldas escurridas, temerosas de que el viento las levantase. Dolores se desnudaba en el interior del automóvil y Antonio se tumbó boca arriba en la arena y cerró los ojos.

El sol caía a mazo sobre la tierra cautiva, reverberaba en el mar azul y quieto. Dolores braceaba enérgicamente hacia las rocas y, de vuelta a la playa, le comunicó sus inquietudes respecto a la dificultad de vivir de Álvaro.

—Cuando dimitió de la France Presse me alegré. Creía que una experiencia como la de Cuba le sacudiría un poco... Ahora ya no sé qué pensar.

—¿Por qué no volvéis a España? —preguntó Antonio.

Como ella callaba desvió la cabeza y examinó con aire absorto las lomas estrictas y mondas, las remotas y calcinadas montañas, el fulgor incoloro de las alturas.

—¿Y tú?, ¿qué tal te encuentras?

—Ya ves —dijo Antonio—. Un día y otro y otro. El calendario avanza y uno no vive. Esperando. Siempre esperando.

El lugar era un auténtico tostadero. Varias veces se zambulleron en el agua y permanecieron inmóviles en la lumbre sin interrumpir la conversación. Al ceder el sol volvieron al automóvil y, sobre unos asientos pegajosos y ardientes, continuaron el camino hacia la almadraba.

El panorama de la estepa se extendía de nuevo abrasado y sediento: alberos, canchales, colinas ocres, ramblas pedregosas, montañas agazapadas como animales prestos a la embestida. La mole del cabo muraba el horizonte a la izquierda y las casucas de los pescadores se acurrucaban en la falda, entre los rastrojales y el mar. Un desvencijado pontón de madera se internaba audazmente en las aguas transparentes y azules. La última vez Antonio y Álvaro habían convivido una semana con los almadraberos y, el día de Navidad, a la celda de la cárcel Modelo había llegado una postal escrita en la Calabardina.

El automóvil avanzaba sorteando los releyes del camino y, a su paso, las gallinas huyeron atropelladamente. Había viejos y chiquillos sentados a la fresca y algunos curiosos se asomaron a ver. La antigua miseria del Sur medraba aún con su séquito de niños desnudos, excrementos y moscas y la idea de enfrentarse a sus amigos con las manos vacías —¿morirían todos sin conocer la hora, la razón única por la que habían nacido, la posibilidad conquistada un día y aplastada pronto de ser, de vivir, de proclamarse al fin, sencillamente, hombres?— le desarmó. Pero ya los mozalbetes le habían reconocido y, al apearse del coche, formaron corro alrededor de ellos.

—Antonio. —Le hablaba un muchacho delgado, de facciones morunas—: ¿Se acuerda usté de mí?

—Sí —dijo vagamente.

—Soy hijo del Taranto. Estuvo usté en mi casa cuando hicieron la película...

—Ya caigo. Tú tenías un perro negro y querías ser almirante.

—Sí señor. El animalico ya no está. El año pasado se volvió rabioso y el sargento le despeñó de un tiro.

Se encaminaron al pontón, acompañados de la chiquillería. El muchacho andaba cabizbajo, con las manos hundidas en los bolsillos. Dijo que la víspera, en una sola leva, los hombres habían pescado más de trescientas arrobas de atún.

—¿Qué se ha hecho de los amigos? —preguntó Antonio.

—Los jóvenes se han ido a Alemania o trabajan el campo como yo... En la mar no quedan más que los viejos.

—Y tu padre, ¿sigue en la almadraba?

—Sí, señor. Como se entere que está usté acá se viene nadando. No hace ni una semana que lo mentaba a usté.

—¿Y tu madre?

—Ella, como siempre. ¿Quiere que pasemos a verla?

Dolores contestó por él y se dirigieron hacia la primera fila de casas. Los eternos parados hacían el arrimón en el tranco de las puertas, hablaban tristemente a la sombra de los chambaos. En el bar un guardia civil en mangas de camisa y alpargatas jugaba al dominó con un viejo. Los niños les rodeaban todavía, al acecho del menor de sus gestos y Antonio oyó murmurar a uno: "Son los franchutes de la película."

La mujer del Taranto parecía al corriente de la visita: para cubrir su blusa manchada y llena de zurcidos se había puesto sobre los hombros un tapete de flecos, coquetamente arropado como un mantón. Los chiquillos —¿cuatro, cinco?— se agarraban obstinadamente a sus faldas y, al entrar ellos, corrieron a ocultarse tras la cortina del dormitorio.

—Jesús, qué azoro —dijo la mujer—. ¿No os podéis estar un segundo quietos?

Les obligó a sentarse en dos sillas de anea mientras el muchacho y ella se acomodaban sobre unos cajones. En las paredes los cromos y calendarios de propaganda ponían una nota insólita de color. Un niño de tez morena aventuraba de vez en cuando la cabeza por la jarapa y los observaba con la boca blanca de risa, malicioso y jovial como un títere loco.

—Ven acaquí ora mismo —ordenó la madre—. Como te pongas farruco te mando con viento fresco.

La amenaza no surtió efecto y, a lo largo de la conversación, la cabeza tiznada y burlona reapareció y se quitó a intervalos como movida por un resorte. Sin poderlo evitar Antonio revivía los preparativos febriles del documental, las discusiones con los hombres, todas aquellas jornadas densas que precedieron la catastrófica expedición a Yeste. La mujer del Taranto les sirvió un vaso de agua azucarada y quiso saber si habían comido.

—No tengo hambre, gracias.

—¿Y la señorita?

—Tampoco.

—Si quieren ir a la almadraba podemos alquilar un bote —dijo el muchacho—. Mi padre les hará moraga a bordo.

—¿Qué tal está el mar?

—¿No lo han visto?

—Mi amiga se marea con facilidad.

—No se preocupe —dijo el muchacho—. Está liso como el aceite.

Se despidieron de la madre —no sin prometerle antes una nueva visita a su regreso— y Antonio ajustó el precio del paseo con el dueño del bote. En el colgadizo de la chanca las mujeres abrían afanosamente el vientre de los pescados y, luego de lavarlos en la tina, los metían en las cajas de hielo. Otras extendían por tierra, en tongadas, las huevas y los letones. Las moscas bullían ávidamente sobre la sangre cuajada de los atunes y en el aire quedo y como impregnado de luz flotaba un aroma de vacío y de muerte mezclado con efluvios de salmuera, olores de brea, sutiles emanaciones de alquitrán.

El hijo del Taranto había armado los remos y Dolores y Antonio se acomodaron en la bancada. Al alejarse del puntal, el pueblo se redujo en escorzo y los niños hicieron adiós con la mano. El sol se empecinaba en lo alto, multiplicado hasta el paroxismo en el mar sereno, en los guiños y vibraciones casi imperceptibles de las olas. Mientras el muchacho bogaba hacia el cabo lo vieron en una boya hacer escardillo, sobre la arena húmeda bailar como un duende: simultáneamente parpadeaba en un casco de vidrio, ceñía el vuelo intranquilo de un pájaro, unificaba el mar en un reverbero difuso, perdía el equilibrio y zozobraba en el agua. Con un gesto del mentón el hijo del Taranto apuntó las playas desiertas y dijo que en otoño empezarían a construir un hotel para los alemanes.

—Ellos vienen acá y nosotros nos vamos a su país. Lo dice el sargento: ninguno está contento con lo que tiene.

—El sol no vale dinero pero, con dinero, se puede comprar el sol —repuso Antonio.

—Solamente de la Calabardina se han ido más de diez. En el mar no hay vida para los jóvenes. El día que me arreglen los papeles agarro el primer tren y no me vuelven a ver ni en pintura.

—¿Qué dice tu padre?

—Él es viejo y está resignado ya. Pero yo no quiero

pudrirme como él. Si no encuentro trabajo en Barcelona me iré a buscar los garbanzos fuera.

—¿Has cumplido la mili?

—No, señor, me toca en marzo. —El muchacho se interrumpió unos segundos—: Si conoce algún patrono en el extranjero escríbale unas letras. Dígale que si necesita gente dentro de dos años estoy yo aquí a lo que pinte.

Al doblar el cabo avistaron —achatadas y negras en medio del mar azul— las embarcaciones de servicio de la almadraba. El hijo del Taranto remaba tenazmente y, a cada bogada, el bote parecía adquirir nuevo impulso. Con voz ronca les explicó que unos mineros de El Cantal habían alquilado un Seat para ir a Hamburgo y, en la frontera alemana, las autoridades de la República Federal no les habían permitido la entrada por una cuestión de papeles. El dueño del automóvil andaba conchabado por lo visto con los aduaneros y se había esfumado sin dejar rastro.

—Cuatro mil pesetas por barba para volver con las manos vacías —exclamó—. A un elemento así le llamo yo un chupasangres.

—¿Por qué no lo denuncian?

—Esos tipos tienen buenos arrimos y se escurren siempre... Si me llega a pasar a mí lo cojo allí mismo y lo estrangulo como a un perro.

Los flotadores de corcho indicaban la disposición vertical de las redes y, al acercarse a las embarcaciones, los hombres se incorporaron a mirar y los saludaron con la mano. Eran los sufridos pescadores de la costa andaluza, de oscura tez y rostro arrugado como un cuero viejo, sin suestes ni botas de goma, vestidos con los mismos andrajos que usaran sus padres, sonriendo siempre con mansa dulzura bajo sus boinas y sombreros palmeños.

—Tenemos suerte —dijo el muchacho—. Creo que van a levar.

En el bote de mira el arráez —la cabeza y los hombros cubiertos con un saco— escudriñaba el mar inclinado sobre un cubilete de vidrio. Los almadraberos permanecían a la expectativa y, a una señal de su jefe, los hombres de servicio del batel levantaron la compuerta. Buscando el camino de retorno que debía devolverles al Atlántico —camino cortado por la rabera de tierra—, los atunes se habían embocado en los sucesivos compartimentos hasta quedar enchiquerados en la última jaula y, conforme los marineros empezaban a tirar de las cuerdas y jarcias unidas a la red del fondo, el muchacho ció a lo largo de la pared y ayudó a subir a Dolores a bordo del caparráez.

El Taranto, el Joseles y los otros pescadores de la película repetían la escena filmada hacía cuatro años un poco más viejos y gastados que antes, asediados ya por una muerte que enturbiaba sus rasgos con un soplo impreciso, furtiva y anónima como su propia existencia. Dolores y Antonio estaban en la testa del copo, situados paralelamente a los marineros del batel que, con movimientos concisos y rápidos, cobraban la red de la sacada y la despedían por la banda opuesta, avanzando poco a poco en dirección al caparráez. Al aproximarse a ellos algunos saltaron a las embarcaciones auxiliares y halaron también en medio de un ensordecedor griterío.

Antonio observaba ensimismado el cuadrado de la muerte: empujados por la ascensión de la red los atunes giraban de modo vertiginoso y sacudían la superficie con bruscos coletazos. Su tiovivo producía un rumor parecido a la ebullición y, tímidamente, el agua comenzó a teñirse de rosa. Los almadraberos copejeaban sin cesar con sus salabres y, al emerger el fondo de la sacada, la agonía de los pescados moribundos cubrió las voces guturales de los hombres y las órdenes del arráez. Durante el rodaje del documental Álvaro había tomado unos planos del Joseles, desnudo de la cintura para arriba, con el rostro manchado por la sangre de los atunes. Así se lo recordó riendo el propio Joseles mientras, sentados en un rollo de cuerda, Dolores y él fumaban un cigarrillo. La tarde había caído perezosa y madura e, inesperadamente, todo era de color rojo: arreboles de nubes, lomas bermejas, melancólica trabazón de sierras erosionadas y ocres. En el aire ondeaba una luz indecisa y el cielo, a poniente, adquiría fulgores de incendio. Coloreado por la sangre de los pescados el sol brillaba en el mar rotundo como un platillo de cobre.

—Al principio no le reconocía —dijo el Taranto—. ¿Se ha dejado la barba?

—La llevo puesta.

—Si no llega a ser por la señorita le tomo por un alemán. —El Taranto sonreía con gesto confuso—: En casa le traíamos siempre en la conversación y mi mujer decía: ése se ha olvidado de nosotros.

—Los amigos nunca se olvidan —repuso él.

—Me dijeron que andaba usté por el pueblo, pero no lo creía... Si Antonio está acá me decía, seguro que viene a vernos...

—¿Qué tal vas tú?

—Para los pobres todo es lo mismo. Trabajo y miseria, miseria y trabajo. El día menos pensado nos moriremos sin darnos cuenta.

Concluida la faena los hombres les rodeaban y se interesaron por Álvaro y la suerte corrida por la película. Según pudo deducir Antonio estaban al corriente de su destierro: el Cojo le había dado una palmada cariñosa en la espalda y, después de examinarle atentamente, aseguró que lo habían tratado bien.

—¿Quién?

—Sus amigos del alma.

—Regular tan sólo.

—Vacaciones a costa del Estado, no puede usté quejarse. Seguro que muchos envidian su suerte.

—Prefiero el mar —dijo Antonio.

—¿El mar? —exclamó el Cojo—. Nosotros no sabemos siquiera qué color tiene. Para verlo hay que vivir como los turistas.

La conversación seguía el cauce de siempre: eran las mismas voces, las mismas palabras, la misma expresión amarga de una existencia frustrada e inútil —suponiendo que su hora sonara un día, ¿quién· resucitaría a los muertos?—. Luego, de regreso a la Calabardina, los almadraberos gastaron bromas al Gordo —único soltero del grupo— e ironizaban acerca del mal humor del Andaluz que, sentado a proa de la, motora del Consorcio, comía un chusco de pan, lejos de los otros.

—Su mujer tiene el almanaque y no quiere saber nada de él.

—Es verdad. Mi cuñada les oyó anoche.

—Cuando su costilla no le ve corre detrasico de todas las hembras.

—Y tú hueles los pantalones a los machos.

—Cuidado, que hay ropa tendida —el Joseles señalaba a Dolores.

—Pues achántala en vez de buscarme las pulgas.

Al llegar a la Calabardina la penumbra abolía los colores. La población había acudido a recibirles con sus niños, sus viejos y sus mujeres y los curiosos apiñados en el embarcadero observaron los preparativos de la descarga con manifiesto desencanto. "Poca cosa —dijo el arráez—. Cuarenta arrobas, contando las melbas y los bonitos."

Antonio hubiera deseado volver en seguida al pueblo pero el Taranto insistió y tuvieron que acompañarle a su casa. Sin el disfraz del sol la ominosa miseria del Sur se revelaba en toda su crudeza; mientras pegaban la hebra en el interior de la choza, la angustia le ganó —una sensación vaga pero intensa de haber olvidado algo de capital importancia, de haber cometido una falta irreparable y oscura. Al anochecer del todo clarearon los primeros candiles y los almadraberos discurrían por la playa como sombras. Una pareja de civiles rondaba la orilla con sus linternas. Dolores parecía tan abrumada como él y, cuando lograron despedirse de la familia, Antonio sacó torpemente un billete del bolsillo y, consciente tal vez de que su hora no sonaría nunca para él, el Taranto lo aceptó. Al estrecharle la mano, en el corto intervalo en que osaron mirarse

de frente, Antonio comprendió que los dos habían enrojecido de vergüenza.

El trayecto de retorno fue triste. Ni Dolores ni él alcan-
zaban a formular sus sentimientos y, derrumbada sobre el
volante, ella conducía nerviosamente, estremeciéndose a
cada bache, badén o albardilla. Los civiles les pidieron dos
veces la documentación del auto y, al enfocarles con la
luz de su pila, el cabo identificó a Antonio y le preguntó
por la pesca.

—Hala, apúrense —añadió—. No es bueno que se pasee
usté a estas horas.

—El teniente me autorizó.

—Si le ocurre un accidente la culpa es nuestra. Nosotros no queremos responsabilidades.

En la terraza del balneario, mientras cenaban al borde
del agua, Antonio le puso al tanto de los chismes que
corrían sobre él en Barcelona: uno de los detenidos —condenado después a siete años a causa de sus propias reve-
laciones— pretendía que Antonio había denunciado también a los compañeros y —pese a la total carencia de pruebas— algunos amigos del grupo aconsejaban, contra toda
lógica, una política de vacío. "La cárcel es una enfermedad
peligrosa", dijo. "Cuando uno pasa por ella todo el mundo
teme el contagio."

—Quisiera poder serte útil.

—La única ayuda que puedes prestarme es acostarte
conmigo.

—Si hablaras en serio lo haría.

—Eres estupenda —dijo Antonio.

Cogió su mano cálida entre las de él y la rozó un instante con los labios.

—No me hagas caso —agregó—. Lo decía en broma.

*Sábado, día 16 — A las 14'35 Gorila se apea en Barce-
lona, entra en talleres Orión, y reaparece unos instantes
después en compañía de Zarpas. Van al bar Las Antillas,*

están 10 minutos y vuelven a los talleres. Un cuarto de hora más tarde Gorila sale con uno que llamaremos Lambretto y un muchacho muy joven. Se dirigen de nuevo a Las Antillas. A las 16'40 el joven se despide de ellos y Gorila y Lambretto permanecen hablando un rato a la entrada del Pasaje Permanyer. Por fin cogen un taxi y se trasladan al Pichi, en donde les aguarda Azul. A las 20 horas se separan. Gorila toma el tranvía hasta la estación y a las 22'10 se le ve por última vez en casa de Graja.

Lambretto es Julio Marrodán López, calle Miquel y Badía 90, Barcelona. Natural de Alicante fue procesado en esta ciudad por actividades clandestinas el 4-9-56 siendo liberado en diciembre del mismo año. Desde entonces reside en Barcelona.

Domingo, día 17 — A las 15'50 Gorila baja del tren y se dirige en taxi al bar Las Antillas, al encuentro de Zarpas. Toma el café con él y, a los 20 minutos, con un bloc de papel y una cartera, marcha hacia el taller de Azul. Al ver que está cerrado entra en el bar Pichi. Aparece Gitano al cabo de media hora y, cuando salen del bar, Gorila no lleva el bloc ni la cartera que le entregó Zarpas. Tras pasear unos minutos vuelve cada uno a su domicilio.

Lunes, día 18 — El Peugeot 9089 MG 75 propiedad de Theo Batet Juanico se detiene a las 15 horas en el cruce de la carretera y la calle Gral. Goded. Lo conduce su dueño, a quien llamaremos "Skimo". Gorila se apea, entra en casa de Graja, regresa al Peugeot y se traslada en él a Barcelona, Lauria-Avda. José Antonio. Gorila pasea un rato viendo escaparates, visita un comercio de artículos de piel, compra un objeto pequeño. En la puerta de talleres Orión le espera Zarpas con un niño de unos 12 años. Lambretto, Zarpas y el niño lo acompañan al bar Las Antillas. Permanecen allí los cuatro por espacio de una hora. Al salir Lambretto, Zarpas y el niño vuelven a los talleres y Gorila, en autobús, a la estación M. Z. A. Toma el tren de Masnou y a las 20'30 llega a casa de Graja.

Habías amado aquella tierra con el espasmo lento, ardo-
roso del volcán —íncubo tú y sumisa ella, la rica ofrenda
de su miseria como preciosa dote para ti, unidos, creías,
en una misma lucha contra el destino amargo.

Varios años han transcurrido desde entonces y si, espe-
ranzado y andrajoso Ayer se fue, Mañana no ha llegado.
La tierra sigue allí, sometida a la ley idéntica, inexorable;
lejos tú de ella, distraído ya, sin dolor ni reparo, de tu
absorbente amor de antes. La suerte os burló a los dos. El
Norte obeso puso los ojos en ella y una infame turba de
especuladores en sol (agotados sucesivamente el oro, la plata y los ricos filones de sus entrañas; los bosques, los re-
gadíos, las dehesas; la rebeldía, el orgullo, el amor a la
libertad de los hombres por la usura avariciosa de los siglos)
ha caído sobre ti (oh nueva, abrasada Alaska) para acumular y enriquecerse a costa de tu último don gratuito (el celeste chivo enardecedor y violento), fundar colonias, chalés,
snacks, paradores de turismo, tabernas andaluzas, hoteles,
afeando el país sin mejorar al habitante: expertos alemanes, peritos en playas, solitarios cazadores de fortuna, lau-
reados y canosos combatientes de la Cruzada y hasta una
dama gárrula tocada con un turbante hindú que lee gravemente Mío Cid sobre la inhóspita giba de un camello
(una doncella, en la otra, la sustrae del flujo solar con una
descolorida sombrilla).

Tierra pobre aún, y profanada; exhausta y compartida;
vieja de siglos, y todavía huérfana. Mírala, contémplala.
Graba su imagen en tu retina. El amor que os unió sencillamente ha sido. ¿Culpa de ella o de ti? Las fotografías
te bastan, y el recuerdo. Sol, montañas, mar, lagartos, piedra. ¿Nada más? Nada. Corrosivo dolor. Adiós para siempre, adiós. Tu desvío te lleva por nuevos caminos. Lo sabes
ya. Jamás hollarás su suelo.

Martes, día 19 — Va Gorila a Barcelona y se dirige a

talleres Orión. Le recibe Lambretto, beben un café en Las Antillas y conversan durante 30 minutos. Gorila anda sin prisa por varias calles y en el cruce de Rocafort-Aragón establece contacto con una mujer de unos 40 años que lleva dos bolsos de color marrón claro, uno de paseo y otro de viaje, llenos de algo pesado. Son las 12 en punto. Caminan familiarmente y Gorila coloca su mano en cinco ocasiones sobre el hombro de la mujer. Entran en un bar sito en Valencia-Avda. Roma, están 15 minutos en él y se separan en el cruce Aragón-Calabria. Gorila se pierde a causa del tráfico. La mujer, a la que bautizaremos Gogo, va a la calle Viladomat, se arregla el pelo en una peluquería y se traslada en taxi al hotel Falcón.

A las 14'45 se recupera a Gorila con Gitano en la calle Entenza. Gogo sale del hotel a las 16'20, pasea, toma muchas precauciones, es perdida y recuperada de nuevo. Se la sigue a Viladomat, junto a la peluquería en donde estuvo por la mañana. A las 18 contacta con Gorila en el bar Mariola. Reaparecen al cabo de 20 minutos y en la acera de los mataderos de la calle Villamarí intercambian objetos que parecen sobres o paquetes pequeños, cosa que no se puede precisar debido a la falta de luz. Ella saca del bolso varias muñequitas que ha comprado y entrega el bolso a Gorila. Se despiden. Se pierde de vista a Gogo, se la encuentra otra vez, callejea durante más de dos horas. A las 20'45 se la ve entrar en el hotel Falcón y ya no reaparece.

Miércoles, día 20 — Sale Gogo del hotel y camina con muchas precauciones, volviéndose continuamente como si pretendiera hacer imposible su seguimiento. Va en taxi al museo de Arte Románico de Montjuich y vagabundea por él hora y pico. Se le han tomado varias fotos. Por la tarde pasea con la misma desconfianza; se la pierde y recupera dos veces. A las 18 horas aparece con un bolso y una maleta pequeña, va en taxi a la estación M.Z.A. y saca un billete de primera clase para Cerbère. A las 20'30 toma el tren, acompañada de dos funcionarios.

Efectuada la comprobación en el hotel Falcón se averigua que Gogo se inscribió el 17 de noviembre con el nombre de Colette Audiard, nacida en Amiens, con pasaporte 671.380 expedido en París el 10-9-58. Consultada la ficha en la Jefatura de Policía aparece Colette Audiard con entrada en Barcelona el 4-5-59 en el hotel Comercio y con los mismos datos de filiación en el hotel Zurbano el 7-1-60. Firma Colette Audiard Lévy. Seguramente Lévy debe de ser el apellido de soltera. Existe la posibilidad de que Gogo haya realizado los viajes que se citan para contactar Gorila u otro delegado del C. C.

Hay que hacer constar que el 18 se interceptó una carta dirigida a Lucía Soler Villafranca, alias Graja. Dentro había un papelito que decía, Charles Aurel, 20 rue Vitrac, Perpignan, P.O. Francia. El remitente de la carta era la Srita. María López, Bailén 35, Barcelona. Efectuada investigación resultan vivir en esta casa Javier López Torres y su esposa Gloria Banús Aurel con su hija María Dulce. Como se recordará fue visitada por Gorila y Graja el 4 del presente mes.

La breve aparición de Dolores y su partida inmediata le revelaron bruscamente la profundidad de su desamparo. Por espacio de unos días Antonio permaneció inerte y como dormido, reviviendo de modo exhaustivo los pormenores de su encuentro, apurando hasta las heces el recuerdo de unas horas intensas y ya desaparecidas. El horario rígido que se había impuesto no llegaba a colmar con sus ritos una desoladora impresión de vacío y abandono. La imagen tónica y luminosa de Dolores era una prueba más acumulada contra sí mismo; con su obligada referencia al mundo real acentuaba todavía, por contraste, la gratuidad de su destierro.

Todas las mañanas tomaba el sol en la playa del Hornillo y, a mediodía, se iba en bicicleta al bar de Constancio. Después de almorzar regresaba a casa y traducía desganadamente media docena de páginas de un libro de filosofía espiritualista y verboso. Por la noche cenaba en compañía de su madre y volvía a la explanada del muelle a platicar con Fermín o jugar al dominó con los pescadores. Los baños de mar le habían curtido la piel y, con la barba cerrada y negra, tenía el aspecto altivo y un tanto desdeñoso de un extra disfrazado de reyezuelo árabe.

Los sábados, antes de ir a la playa, se presentaba a firmar en la casa cuartel. El cabo le entregaba la correspondencia y, a veces, el teniente se asomaba a verle y conversaba unos minutos con él. En una ocasión le había pedido consejo —quería ofrecer un regalo a uno de sus superiores— y, con afectado descuido, le preguntó si existía una buena biografía del almirante Méndez Núñez. Como Antonio vacilara, le llevó del brazo a su habitación y le mostró la biblioteca.

—Aquí tengo un libro excelente sobre María Estuardo, ¿lo conoce?

—No.

—Usté que es un hombre con inquietudes debiera descolgarse de vez en cuando por nuestra tertulia. El médico y el maestro se interesan mucho por usté, Ramírez. Son gente abierta. Con ellos podrá discutir a sus anchas.

—Es usted muy amable, teniente.

—En el Casino soy un paisano más, ¿comprende? Una cosa es el uniforme que uno viste y otra muy distinta las convicciones personales. Cuando llego a casa y me quito el traje me gusta reflexionar por mi cuenta —acariciaba distraídamente el lomo acartonado de una colección de Vidas Selectas y se interrumpió—: En fin, ¿para qué insistir? Usté sabe tan bien como yo que en este dichoso país no se puede hablar libremente.

El teniente sonreía con ironía; Antonio sonreía también y se estrecharon la mano. Mientras atravesaba el patio de la casa cuartel hizo una bola de papel con las cartas y, al salir a la carretera, tomó el camino del pueblo y la arrojó a la alcantarilla.

Cautamente el otoño empezaba a manifestarse. El número de forasteros disminuía a ojos vistas y los rezagados traspasaban rara vez los límites del balneario o se reunían de modo discreto en las cafeterías de la Calle Mayor. El Cadillac del cónsul en Alejandría se demoraba aún en la explanada desierta y, una noche, con gran aparato de misterio, Constancio reveló a Antonio que la familia de don Gonzalo y los Aguilera proyectaban quedarse en el pueblo hasta las Navidades.

—La hija mayor del cónsul y Gonzalito son carne y uña —dijo—. En el Casino se rumorea que habrá boda.

—Un par de tórtolos para los que no será problema encontrar piso —comentó Fermín.

—Quién sabe —dijo el de la estación meteorológica—. A lo mejor ninguno les parece bueno.

En uno de sus vagabundeos nocturnos, Antonio tropezó con el médico de Falange. Estaba de casinillo en la plaza, con un grupo de amigos y, al verle, vino hacia él y le abrazó teatralmente.

—Por fin le echo el guante, Ramírez —exclamó—. ¿Cómo se las apaña usté para esconderse en un sitio tan chico?

—El mundo no es un pañuelo, doctor.

—Se escabulle igual que si le pregonaran la cabeza... ¿Tiene usté algo contra nosotros?

Antonio le explicó sucintamente su horario y prometió pasar un día por el Casino, pero el médico protestó y apoyó una mano ensortijada en su hombro.

—No señor. No se me va a escapar usté así como así, ¿me oye? Ahora mismo se viene a cenar a mi casa.

—Se lo agradezco mucho, pero...

—No hay peros que valgan. Mi señora se muere de ganas de conocerle a usté. Entre nosotros se sentirá como en familia.

—Realmente estoy impresentable. —Le mostró la pescadora arrugada, los pantalones descoloridos y sucios—: Si quiere usté, en otra ocasión...

—También yo voy hecho un adán. Le he dicho hoy, y Santas Pascuas.

No tuvo más remedio que aceptar. El médico le llevaba del brazo y, con la mano libre, saludaba ceremoniosamente a sus amistades al paso que, a media voz, le informaba acerca de las últimas historias del pueblo y trataba de sonsacarle respecto a su vida.

—Hace algún tiempo me crucé con usté pero no quise molestarle porque andaba usté acompañado...

—No recuerdo, doctor.

—Sí, con una muchacha morena, una verdadera pera en dulce... Se apeaban ustedes de un automóvil, ¿me equivoco? Un Dofín con matrícula francesa...

—Es la mujer de un buen amigo —explicó Antonio—. Sus padres viven en Málaga y, de paso, se detuvo a saludarme.

—¿No fueron ustedes a la almadraba?

—¿Cómo diablos lo sabe?

—Ayer estuve en la Calabardina con don Gonzalo y me lo dijeron.

—¿Con don Gonzalo?

—Acaba de adquirir la mayoría en el Consejo de administración del Consorcio. Una jugada maestra, de especulador nato... Luego le contaré.

Caminaban por la Calle Mayor en medio de la compacta multitud de ociosos y, poco antes de la estación de servicio, el médico se detuvo frente a una habitación de dos plantas, con miradores y una andana de balcones pintados de negro.

—Aquí tiene usté su casa, Ramírez. Espero que en lo futuro se decida a visitarnos sin necesidad de hacerse rogar.

Antonio asintió con la cabeza. El médico le había introducido en un saloncito contiguo a la entrada y se fue a prevenir a su mujer. Mientras examinaba los retratos de familia, espiado por unos muebles hoscos y como fantasmales, percibió unos cuchicheos seguidos de un rumor de pasos precipitados. Alguien había corrido la cortina del pasillo y la cabeza diminuta de una niña asomó unos instantes, observándole fijamente. Al cabo de unos minutos el médico regresó con una bandeja de plata y dos copas. En su rostro había un amago de contrariedad.

—No tenemos más que una botella de Malvasía —dijo—. ¿Quiere que envíe la criada al colmado?

—No se preocupe, doctor.

—En casa no solemos beber durante las comidas... ¿O prefiere usté que traiga un aperitivo?

La mujer apareció de pronto, blanca y regordeta. Luego de dar la mano a Antonio se acomodó en una mecedora y lo contempló en silencio, con curiosidad educada, como a un insecto de especie desconocida e inclasificable.

—Aquí tienes al célebre Ramírez. Uno de los pocos inconformistas que nos quedan todavía en España...

—Perdóneme usté la facha. Su marido me obligó a venir así.

—En mi familia somos también un poco bohemios —dijo el médico—. El maestro lo dice a menudo: ustedes viven como los artistas, ¿no es verdad, cielo?

—¿Le sirvo un poco de vino? —preguntó la mujer.

Antonio sonrió amablemente y apuró de un trago el líquido oscuro y empalagoso. Desde que había entrado en la casa se sentía el objeto de una encerrona y lamentó no tener el arresto de incorporarse y escapar con cualquier excusa. El médico había llevado la conversación al terreno político y, en tanto que la mujer escanciaba por segunda vez la copa de Antonio, dijo, con tono desganado, que la experiencia y la edad le habían vuelto escéptico.

—Los hombres de mi generación no somos cobardes, Ramírez. Somos prudentes porque tenemos razones de serlo. La vida nos ha reservado muchos golpes y estamos escarmentados ya, ¿comprende?

—Sí.

—Meterse a redentor no arregla las cosas. Ellos son más fuertes que usté y que yo, y ganarán siempre. A menos que uno tenga vocación de martirio hay que pasar por el aro. Perdóneme usté si le ofendo pero no se ha comportado usté de modo razonable. Uno puede someterse en apariencia como yo y, por dentro, ser libre —vaciló—. No sé si me explico.

—Perfectamente.

—También yo, en mi juventud, quise deshacer entuertos: la justicia social y todas esas historias. Salvar al prójimo... Hasta que un día me di cuenta de que el prójimo estaba muy contento con su suerte y se le importaba un comino salvarse... ¿Quiere usté más vir.o?

—Un dedo, gracias.

—Lo que necesita el país es una raza de hombres de empresa capacitados y emprendedores, gente que sepa hacer brotar el dinero; que lo maneje bien y logre que fructifique... Ellos son los promotores del adelanto de una nación y no los románticos como usté y como yo... Hace unos minutos le hablaba de don Gonzalo, ¿se acuerda?

—Sí.

—Él es un ejemplo de lo que digo. Ya sé que los envidiosos le habrán contado a usté una serie de chismes: que su fortuna tiene orígenes turbios, que se enriqueció en el mercado negro... Pues bien, aun suponiendo que estas fábulas fueran ciertas, el hecho no tendría ninguna importancia, absolutamente ninguna. Lo que cuenta es el extraordinario hombre de negocios de hoy: él, y nadie más que él, ha sabido crear una industria en el pueblo, ha revalorizado la tierra, ha atraído el turismo. Si la gente vive mejor que antes se lo debe a don Gonzalo. Las palabras no alimentan a nadie... ¿Quiere beber más?

—Gracias.

—Lo que más me llama la atención en una persona de su clase es su poderosa facultad de invención... ¿Le sorprende lo que le digo?... Don Gonzalo es, ante todo, un creador de ideas, un hombre abierto a todas las innovaciones e inquietudes; un pragmático que sabe buscar su conveniencia en cualquier situación o coyuntura. El otro día hablaba justamente de usté y me decía: que uno sea

comunista, anarquista o lo que le antoje, a mí me da igual.
Lo que no le perdono es que pierda. Si hubiera conocido
a Stalin estoy seguro de que hubiéramos hecho buenas migas. Pero Stalin es una cosa y quienes lo soportaron otra.
El mundo pertenece y pertenecerá siempre a los listos.

—Veo que le gusta el vino —dijo la mujer mientras le
escanciaba.

—Además me parece un tipo profundamente humano.
El vulgo, desde fuera, lo juzga duro, pero se equivoca. Los
que tenemos la satisfacción de frecuentarle conocemos un
aspecto de su vida que los otros no sospechan: el de un
padre de familia consagrado a la mujer y a los hijos, atento y servicial con sus huéspedes... En algunas ocasiones
le he visto rasgos de bondad excepcionales, verdaderamente conmovedores... No sé si sabe usté que todos los meses
envía un cheque a la escuela de niños huérfanos de Murcia. Sus generosidades no tienen límite, créame.

—¡Uy, cómo bebe usté!

Al terminar la cena Antonio se sentía borracho y el discurso del médico le llegaba envuelto en un halo acolchado
y brumoso que lo uniformizaba y lo desteñía. La mujer seguía escudriñándole con curiosidad frígida y, al levantarse los tres para tomar el café, inventó una cita urgente
y se despidió de ellos.

El aire le llenó los pulmones fresco y restaurador como
una caricia. La gente se había recogido temprano y las
terrazas de los bares estaban desiertas. El pueblo se le aparecía como un gigantesco cementerio en donde cada ventana era una tumba, cada edificio el mausoleo de un sueño
o una esperanza. Para el país no pasaban días y ellos, sus
hijos, eran aterradoramente fugaces. El poso almibarado del
vino confundía sus pensamientos: ¿adónde ir?, ¿qué hacer?, ¿cómo vengarse? Solar bárbaro y yermo, ¿cuántas
generaciones de su estirpe deberían frustrarse aún?, ¿cuántos días, semanas, meses, años, sería todavía inhabitable?
Atravesaba la plaza frente a la Mater Dolorosa que labrara
Salcillo. El dios triste de sus antepasados velaba el vacío

con sus brazos extendidos y muertos. Insensible y cerrado al dolor de los hombres se nutría obscenamente, como una sanguijuela, de su plegaria inútil. Antonio tiró a andar por una callejuela empinada y, al cabo de un trecho, se detuvo y preguntó a un joven las señas de la prostituta.

—La segunda travesía a la derecha, compadre. Es la casica que tiene el farol.

Golpeó la puerta con el puño y al poco vino a abrir una muchacha robusta, de mejillas rosadas, pelo castaño y con los labios pintados de rojo. Al verle tuvo un pujo de risa y se llevó la mano a la boca. Mientras corría de nuevo el cerrojo inclinó la frente y miró al suelo, tímida y como avergonzada.

—¿Qué te ocurre? —dijo Antonio.

—Nada —balbució ella—. Así de momento me había dado un susto.

—¿Lo dices por la barba?

—Sé quién es usté y por qué está en el pueblo... El otro día le vi dè lejos, con otro señor... Nunca pensé que...

—¿Qué creías?

—No sé... Cuando me hablaron de usté no imaginé que un día le vería por mi casa... —la muchacha sonreía azorada—. Uy, si me da apuro hasta mirarle...

—No he venido acá para que me mires.

—No señor.

—Anda, haz bien tu oficio y cállate.

Se sentó al borde de la cama y desabotonó el pantalón al tiempo que la atraía brutalmente hacia él y la obligaba a arrodillarse a sus plantas. Era una manera de morir también, de perderse por un instante en la noche. La cabeza de la mujer bajaba y subía entre sus piernas a un ritmo a la vez intenso y entorpecedor y Antonio se tumbó hacia atrás con las manos bajo la nuca y la vista fija en el mosquero de papel que —como una araña inmensa que amenazara engullirlo todo— se balanceaba en el techo suave, muy suavemente.

Jueves, día 21 — Se divisa a Gorila a las 9'30. A las 12'30 entra en el bar Pichi, en donde están ya Gitano y Azul. Salen los tres a las 12'45 y en la calle Viladomat Gitano se para a hablar con un sujeto al que llamaremos Himalaya. Se separan al cabo de cinco minutos e Himalaya sube al Seat 600 B-147.201. Gitano y Azul son perdidos. Gorila va a la estación M.Z.A. y echa una carta en un buzón. Se toman precauciones para recogerla y en dicha carta se encuentran unos impresos comerciales a nombre de Carlos Aurel, 20 rue Vitrac, Perpignan, domiciliado antes en Almogávares 8, Premiá de Mar. Los funcionarios que siguieron a Gogo dicen que ésta cruzó la frontera sin novedad consiguiéndose fotografiar su pasaporte.

Viernes, día 22 — Sale Gorila a las 9'15 y va al taller de Azul. Se dirigen juntos al bar Pichi. Se separan y Gorila sube a pie por Entenza hacia Infanta Carlota y carretera de Sarriá. A las 11'45 se encuentra con Gitano en el bar Ruedo. Se pasean los dos por Londres y en el chaflán de Urgel contactan con uno a quien bautizaremos Moreno: 35 años, 1'66 de altura, delgado, pelo negro. Van al bar Colombia. Moreno saca un papel de la cartera y se lo muestra a Gorila. Se oye decir a Moreno: "Igual da uno que muchos." Se despiden a las 14'30 y Moreno marcha a Travesera de las Corts 390. Gitano y Gorila continúan juntos. Se detienen a comer en un restaurante. Gorila entrega a Gitano una cartera de mano de color negro. Bajan sin prisa por Urgel y se dirigen al Pichi. Cuando entran, Azul toma el café en compañía de Ondulado. A las 17 horas salen del bar Gorila y Gitano y a las 17'15 Ondulado y Azul. Éste va a su taller, Ondulado hacia la Avda. José Antonio. Unos minutos después es perdido a causa del tráfico.

Martes, día 26 — A las 8'30 Gorila y Graja se trasladan en taxi con varias maletas a Almogávares 8, Premiá de Mar, antiguo domicilio de Carlos Aurel. Gorila sube al *tren dos horas más tarde con una cartera de mano de color claro y en la plaza Palacio coge un taxi hasta el taller de Azul. Va al bar Pichi con éste, salen a los cinco minutos y Gorila se dirige al cruce Rocafort-Aragón. Nada más llegar se detiene junto a él un Peugeot matrícula 4703 RL 75. Son las 21'01. Del automóvil se apean una mujer y un hombre, el último con aspecto de extranjero, que son bautizados respectivamente Escuchi y Cocteau. Escuchi abraza y besa a Gorila. Cocteau le estrecha la mano, entra en el coche y saca una maleta. La cartera de color claro debe de quedar dentro pues no se la vuelve a ver más. Escuchi y Gorila paran un taxi y llevan la maleta al domicilio de Gitano. Cocteau pasea solo por el centro como si conociera bien la ciudad y toma el aperitivo en el bar Estudiantil tras de haber aparcado el coche junto a almacenes El Águila. A las 15'30 va Gorila al taller de Azul. Aparece Cocteau y Azul hace entrar al Peugeot en el taller y baja la puerta metálica de la calle. Gorila y Cocteau están dentro media hora mientras Azul vigila los alrededores. Salen luego Cocteau y Gorila con el coche y van hacia plaza de España y Paralelo, siendo perdidos poco después a causa del tráfico.*

—Miércoles, día 27 — Identificada Escuchi como Eulalia Miralles Badía, detenida en 1947 y puesta a disposición del Tribunal especial de represión de masonería y comunismo por prestar funciones de enlace al servicio del P.S.U.C.; liberada en el 51, marcha a Francia dos años después. Cocteau es Roger Daniel Halévy, nacido en 1916 en Orán, de nacionalidad francesa, pasaporte 847.321 expedido en París en 15-7-56, comprobándose que estuvo en el hotel Regina de Barcelona el 14-4-60 lo que nos hace suponer que su presencia en nuestra ciudad fuera debida ya entonces al cumplimiento de alguna misión clandestina.

Lanzados tus amigos por el disparadero de la política, ¿qué hacías tú?

La carta de presentación de un conocido mecenas sur-

americano te había abierto las puertas de la inteligent-
zia parisiense de izquierda y la acogida dispensada por aquel
grupo de hombres y mujeres generosos había halagado
sutilmente tu vanidad. Recordabas tu primera entrevista
con Maurice Tessier (ascético el rostro, la mirada franca,
comedidos sus ademanes de prelado romano) en el despacho de una prestigiosa editorial de la Rive Gauche (el suelo tapizado con moqueta, los estantes cubiertos de libros
lujosamente encuadernados, una atractiva secretaria rubia
inclinada sobre la Remington) y la emoción que te embargara entonces ante el interés apasionado de tu interlo-
cutor por tu discurso la revives ahora (aprovechando
una breve pausa en el relato minucioso de Antonio) con
indulgente sonrisa. (La causa española no está de moda como
antes y Tessier y sus amigos militan sin duda, te dices, por
los combatientes rebeldes de Angola o del Vietnam.)

Al término de una extensa conversación había dado un
número de teléfono a su secretaria y aguardó una señal
de la muchacha antes de descolgar su receptor: "Allô...
Josette?" Tú examinabas absorto el tabernáculo de aquel
templo de la cultura santificado por la presencia muda
de unos escritores que admiraras apasionadamente en tu
mocedad y que, entronizados ya en el glorioso panteón
de los inmortales, celaban aún el orden y buen funciona-
miento de la Casa, escrutando a intrusos y huéspedes desde la pose austera de sus fotografías. "Oui. C'est un jeune
intellectuel de Barcelone... Un garçon tout à fait révolté
contre la Régime... Son expérience est des plus intéres-
sante... Oui, il parle français... Nous pouvons lui organiser une rencontre avec les Cazalis..." Tessier se expresaba
con voz armoniosa y los rostros graves de los maestros
fotografiados en las paredes parecían asentir remotamente
a sus palabras, vivificando su expresión congelada e inerte
con la aureola fugaz de una sonrisa o un complacido y
veloz guiño de inteligencia.

Saliste a la calle mareado de dicha, aturdido todavía
por la influencia hipnótica de aquel universo autónomo y

codiciable, con la radiante impresión de poseer la llave de entrada y un puesto vitalicio en el festín. (Tu instinto de actor había aliñado un tanto el relato de tu experiencia y, escuchando las peripecias de tu autobiografía incipiente, habías caído en la trampa de tu propio engaño sentimental.)

Unos días después (era a mediados de septiembre, amarilleaban ya las hojas de los árboles) subiste la escalera alfombrada que conducía al piso de los Tessier e hiciste sonar el timbre con el corazón palpitante. El dueño de la casa te había recibido con una sonrisa cómplice y te presentó uno por uno los invitados reunidos en torno a la mesa del comedor: Bernard Cazalis y su mujer Léone, el crítico Robert Nouveau, Marie Pierre Dreyfuss, Gérard Bondy y otros cuyo nombre habías olvidado, emparentados todos por un vago y sutil aire de familia, tostados los más, según supiste luego, por el sol y los baños de mar de sus recientes vacaciones en España.

—J'ai parlé de vous à Cazalis —susurró Tessier cogiéndote discretamente del brazo—. C'est un ancien surréaliste, il l'est toujours d'ailleurs bien que depuis la guerre il a rompu avec le groupe de Breton. Il a milité aussi deux ans au Parti et il a écrit un très beau récit sur cette expérience... Maintenant, il s'intéresse surtout aux philosophies de l'Orient... Connaissez vous son essai sur Michaux et l'univers de la drogue?

—Non.

—C'est un livre tout à fait remarquable... Le mois dernier, mon ami est allé en Espagne avec sa femme et il est revenu bouleversé. Il voudrait faire quelque chose, comme nous tous, mais il nous faut évidemment l'accord des Espagnols... Quelles possibilités voyez vous d'une aide extérieure à votre mouvement de Résistance?

Ocho años habían transcurrido desde entonces pero el recuerdo de tu cena en el severo edificio de la rue Solferino rondaba aún, precioso y nítido, tu caprichosa memoria: la mesa rectangular, la salade nicoise y el canard aux olives,

tu análisis de la evolución intelectual de la juventud española y el consumo vertiginoso de Beaujolais.

—Alors, d'après vous, le communisme a une grande prise
sur les nouvelles générations universitaires ...

— ...

—C'est normal. J'irai plus loin et je dirai même que
c'est absolument nécessaire ... L'expérience ne s'hérite pas.
Les jeunes doivent apprendre par eux mêmes, vous comprenez?

— ...

—Rassurez-vous, cher ami. Nous avons tous passés par
là. C'est une exigence à laquelle aucun de nous a pu se
soustraire ...

Cazalis hablaba de modo sosegado, observándote con su
rostro de encantador de serpientes, astrónomo o mandarín
mientras sus manos finas alzaban delicadamente la copa
de vino y sus ojos azules te ceñían con precisión clínica
e implacable.

—Qu'est-ce que nous pouvons faire pour vous? ... Vous
connaissez, j'imagine, le rôle du Front Populaire dans la
guerre civile espagnole ... Une trahison que nous avons
payé très cher, hélas! ... Nous nous sentons tous un peu
coupables ... La survie d'un tel Régime en 1955 est vraiment impensable. C'est un scandale au sens propre du mot
et il faut bien que ce scandale cesse ... Nous avons vu
Franco aux arènes de San Sebastián. Nous étions à une
trentaine de mètres de lui et personne nous a fouillé ...
L'attentat nous a paru parfaitement possible. Il faudrait
seulement se mettre d'accord avec un groupe d'Espagnols.
Peut-être pourriez vous nous donner des renseignements
utiles ...

Los comensales te examinaban con atención y trataste de
explicar los objetivos y proyectos de tus amigos: hablaste
de esfuerzos de propaganda, seminarios de estudio, cine-
clubs informativos. Al concluir tu exposición las botellas de
Beaujolais estaban vacías y Josette Tessier fue a buscar más
a la cava. Hubo un corto silencio.

—Si je vous comprends bien, vous êtes encore dans une phase préparatoire —dijo Cazalis con voz dulce.

—Oui, c'est ça.

—Vous n'êtes pas en contact avec des groupes plus radicalisés?

—Non, pas encore.

—Mais je pense bien qu'ils existent, n'est-ce pas?

—Sans doute.

—Voilà le problème. Comment les contacter? Connaissez-vous une filière quelconque pour arriver jusqu'à eux?

Las miradas te ceñían de nuevo y explicaste que las probabilidades de éxito de una acción violenta te parecían escasas. El país vivía todavía bajo el impacto de la perdida guerra civil y la mayoría de los grupos políticos adaptaban su estrategia a la consecución de objetivos pacíficos a largo plazo. Te interrumpieron.

—Et les anarchistes?

—Eux aussi.

—Au cours de mon voyage en Espagne j'ai pu constater que la classe ouvrière n'avait pas dépassé le stade des revendications purement économiques —dijo Marie Pierre Dreyfus—. Comment comptez vous donner à ses protestations un contenu révolutionnaire?

—Ça c'est le problème de notre époque —dijo Tessier—. Une fois émoussée l'urgence née de la misère le prolétariat tend à s'endormir. Vous voyez bien les résultats du paternalisme syndical en France. Nous n'avons plus de clase ouvrière.

—La classe ouvrière existe mais elle est mystifiée —dijo Cazalis—. Les cadres politiques se son avérés incapables de lui offrir une stratégie révolutionnaire globale. C'est dans ce sens là que la lutte du peuple Espagnol nous intéresse. Le réveil ne peut nous venir que de vous.

—Des centaines de milliers de Français vont chaque année en Espagne. Mettons, dans le pire des cas, que dix pour cent soit antifranquiste... Je suis sûr qu'ils seraient heureux de fournir une aide quelconque aux gars de la Résistance espagnole.

—Quel genre d'aide? —dijo Nouveau—. Des armes? De la propagande?

—Ça c'est aux Espagnols de nous le dire.

—Dans le coffre de ma voiture j'aurais pu passer tout un arsenal —dijo Gérard Bondy—. Les flics ne l'ont même pas ouvert.

—Est-ce qu'on peut acheter facilement des armes en Espagne?

—Il faudrait que vous nous demandiez tout ce dont vous avez besoin et nous pouvons nous charger de vous l'amener. L'été surtout. L'unique problème serait alors d'échelonner nos vacances.

El vino había desaparecido otra vez. Josette Tessier volvió de nuevo a la cava mientras los comensales aflojaban prudentemente el nudo de la corbata y se remangaban los puños de la camisa.

—Avez-vous des contacts suivis avec les patriotes portugais?

—Mon frère a été à Estoril le printemps dernier. La condition des masses paysannes est encore pire, paraît-il, qu'en Espagne. D'après lui, un sursaut révolutionnaire pourrait se produire dans les mois qui viennent.

—Marc nous a parlé aussi d'un Comité de soutien aux communistes grecs. Est-ce que vous êtes au courant de son existence? Il serait peut-être utile d'élaborer un programme commun d'action pour l'Espagne, le Portugal et la Grèce...

—Tu as l'adresse du Comité?

—Je l'ai notée dans mon carnet. Il y a Favre, Colette Marchand et les Perrault. —Cazalis alzó pausadamente la copa de vino y te concedió una mirada grave e intensa—: Ce sont des amis d'une grande exigence intellectuelle, consacrés surtout à l'étude des problèmes du Tiers Monde. Il y a d'anciens catholiques, d'anciens communistes, des surréalistes, des disciples de Naville... Ils sont passés par toutes les Églises et ils ont gardé de ce passage una lucidité extrê-

me, une mise en question permanente de toutes les va-
leurs...

—Avant tout il faut une confrontation générale d'idées
avec les autres Comités —dijo Robert Nouveau—. Si nous
voulons être efficaces nous devons mettre au jour une tac-
tique valable pour chacun des mouvements de Résistance
sans perdre de vue, bien entendu, leur unité profonde.

—Je me charge de Marc et de ses Grecs... Álvaro peut
prévenir les Espagnols ... Qui va s'occuper des contacts
avec les Portugais? ...

Josette Tessier reapareció con una nueva provisión de
vino. Al otro extremo de la mesa Gérard Bondy hacía el
elogio de Chamaco y Marie Pierre Dreyfuss se lamentaba
del uso inmoderado del aceite de oliva por parte de los
cocineros españoles. Cazalis intervino con suavidad.

—Depuis l'échec de la Libération l'esprit révolutionnaire
ne peut nous venir que de l'extérieur. Ici, c'est le règne de
gauche, mais de quelle gauche! Un gauche douteuse, ins-
table, composite, inconséquente, en proie à toutes les contra-
dictions... Une gauche respectueuse. Une gauche qui n'ose
plus dire son nom.

—Les dernières vacances en Espagne nous ont aporté un
peu d'espoir, un peu d'air frais. Chez vous, au moins, le
mot liberté signifie quelque chose de très précis. Ici, il a
perdu son sens. Tout le monde est censé être libre et nous
vivons la pire des aliénations.

—Vous ne vous rendez peut-être pas compte mais le fait
est incontestable. Vous autres, Espagnols, vous êtes plus heureux que nous. Vous gardez intacte votre révolte tandis que
nous, contre quoi pourrions nous nous révolter? C'est la
France entière qui nous degoûte.

—Heureusement, nous avons encore nos colonies et la
possibilité de militer pour les divers mouvements de Libération... Mais, après, que pouvons nous faire? Nous lancer
dans la vie politique? Quelle différence y a-t-il au juste
entre Pinay et Mendès?

—J'ai passé quelques jours à Malaga —dijo Gérard Bon-

dy con voz tranquila—. J'ai eu l'impression qu'il suffirait
de très peu de gens et de très peu de temps pour organiser
une insurrection armée contre le Régime.

—Me femme et moi nous avons tiré la même conclusion
en Catalogne... D'une situation révolutionnaire qui pour-
rit, d'un élan populaire gaspillé faute d'une ligne de combat
plus ferme...

—Si la Résistance espagnole a besoin de nous, dites à
vos amis que nous sommes prêts à reprendre les armes.

—Nous avons gardé des liens avec d'anciens maquis.
Est-ce qu'il vous intéresserait de faire leur·connaissance?

Maravillado aún por la cordialidad de su acogida permanecías absorto en alguna exquisita ínsula convencido
de tener entre tus manos el sésamo y llave de la verdad,
la posibilidad exaltante de apoyar desde fuera la lucha
noble de tus amigos, de contribuir eficazmente a la cabal
solución de todos los males de España: la ayuda incondi-
cional de los intelectuales franceses, la estrategia común con
los demás movimientos europeos de Resistencia, la eventualidad de una sublevación popular armada se barajaban todavía en tu cabeza cuando una semana más tarde subiste
por segunda vez la escalera alfombrada del inmueble de la
rue Solferino y pulsaste el timbre. Robert Nouveau ha-
había asumido la responsabilidad del encuentro exploratorio
con los griegos y los portugueses, y habías enviado a Antonio una carta en clave, dándole cuenta de la marcha de
tus gestiones y anunciándole la creación de un Comité de
Ayuda, encargado de la adquisición y transporte de armas
y propaganda.

Tessier te estrechó cortésmente la mano y te hizo pasar
al salón. Un gato negro dormía ovillado sobre el sofá. El
picú transmitía a media voz *La leçon des Ténèbres* de Cou-
perin.

—Robert Nouveau m'a prié de l'excuser auprès de vous
—dijo—. Êtes vous au courant de la nouvelle?

—Quelle nouvelle?

—Le Front de Libération National Algérien a déclenché

une nouvelle offensive terroriste contre les forces françaises.

Se acomodó en un sillón frente a ti y sirvió dos vasos de uisqui.

—Nous avons été prévenus avant-hier par un des dirigeants... Il faut orchestrer tout de suite une campagne de presse pour soutenir son action. Nouveau et moi nous avons rédigé le brouillon d'un appel à l'opinion qui est actuellement entre les mains de Cazalis.

El hosco sonido del teléfono le interrumpió. Te incorporaste del sillón y examinaste los volúmenes alineados en los estantes de la biblioteca. La voz del tenor vibraba en sordina al otro lado de la habitación. Tessier se había instalado en un brazo del sofá y miraba fijamente hacia la ventana.

—Un Algérien?... Dis-lui de venir chez moi... Non, je ne bouge pas... La rédaction?... C'est sourtout Nouveau qui l'a faite... Qu'est-ce que tu en penses?... Trop d'adjectifs, n'est-ce pas?... Bon, tu peux m'envoyer une copie à la maison... D'accord... Oui, je te préviendrai dès qu'il arrivera.

Cuando colgó el receptor volviste a tu sillón y él encendió un cigarrillo y te sonrió con dulzura.

—Nous ne dormons pratiquement pas depuis quarante-huit heures. Je viens de le dire à l'instant à ma femme: je me sens un peu comme à l'epoque où je suis entré dans la Résistance...

Sonaba esta vez el timbre de la puerta y Tessier se excusó con un ademán. Al cabo de pocos momentos regresó en compañía de dos mujeres y un hombre que tú no conocías. Terminadas las presentaciones hubo un largo silencio.

—Vous voudrez bien me pardonner, mais je dois traiter d'un problème urgent avec mes amis. Si vous pouvez m'attendre un peu...

—Peut-être serait-il mieux que je vienne un autre jour —sugeriste.

—Comme vous préférez, mon cher ami. Vous n'avez

qu'à me téléphoner et je vous fixerai un rendez-vous avec Nouveau.

—Quelle date vous conviendrait le mieux?

—La semaine prochaine, par exemple. Choisissez vous même le jour, n'importe lequel. Je suis tous les matins chez moi.

Se había despedido de ti con expresión a la vez ausente y atareada y, decepcionado por el fracaso de la entrevista, aguardaste voluntariamente unos días antes de decidirte a llamar. Te contestó él mismo, con voz sorprendida y amable y, como le recordaras la proyectada mesa redonda con los griegos y los portugueses, explicó gravemente que Nouveau andaba de viaje por Argelia y no regresaría a París hasta al cabo de unas semanas. Dijo que el Comité de Intelectuales amigos del pueblo argelino debía reunirse en casa de Cazalis y prometió comunicarte oportunamente el día y la hora para que asistieses tú. Según creías recordar, no habló para nada de España.

Le telefoneaste todavía otras dos veces antes de caer en la cuenta de que el problema de tu país había desertado definitivamente de la esfera de sus preocupaciones. Las vicisitudes de la guerra de Argelia, los sucesos dramáticos de Suez, Hungría y Polonia movilizaban por entero las energías del grupo mientras la quijotesca lucha de Antonio y tus amigos contra la obtusa y reacia sociedad española y sus omnipotentes guardianes se asfixiaba en el humo, el fango y la mentira de vuestros desolados e inútiles Años de Paz. En cuanto a Gérard Bondy —separado de los otros por divergencias políticas y personales— había ido a pasar varios meses a Málaga sin organizar por ello, como pretendiera entonces, la insurrección armada con un grupo de amigos. Durante su estancia en la ciudad se limitó a escribir una novela comercial con pretensiones metafísicas y, de vuelta a París, fue plebiscitado triunfalmente por la crítica burguesa y obtuvo el premio Goncourt.

Jueves, día 27 — Sale Gorila a las 9'20. En el bar Pichi se reúne con Gitano y otro individuo que llamaremos Asdrúbal. Pasean los tres por Entenza y al cruzarse con un agente de vigilancia éste oye cómo Gorila dice a los otros: "Bueno, ya sabéis que en vosotros confío." Vuelven al Pichi, Gorila se separa de ellos, va al bar Escocés y establece contacto con otro sujeto que lleva un paquete envuelto en papel de periódico y a quien bautizaremos El Viti. Marchan hasta Viladomat-Consejo de Ciento y El Viti se pierde de vista. Gorila regresa al Pichi con el paquete, habla con Gitano y Asdrúbal. Cinco minutos más tarde sale con el primero y antes de despedirse le da el paquete. Gorila va a Bailén 35 y al cabo de una hora reaparece acompañado de Graja y Escuchi. En plaza de Tetúan Graja se separa de ellos. Gorila y Escuchi se asoman al bar Paquito. Gitano está en la barra, con un disco microsurco de 33 revoluciones comprado en la casa Belter. Se lo pasa a Gorila, paga la consumición y se retira. Los otros dos continúan paseo de San Juan abajo y en el chaflán de Ronda San Pedro contactan con El Viti el cual lleva ahora una maleta grande de color verde que debe de pesar bastante. Gorila se hace cargo de la misma y entrega el disco a El Viti. Este último coge un taxi y se le pierde.

Identificado Asdrúbal como Francisco Peiró Colomer, calle Oficios 37, Barcelona, sin antecedentes.

Lunes, 1 de diciembre — Sale Gorila a las 9'45 y se dirige al domicilio de Gitano. Reaparece al cabo de 10 minutos y se traslada en autobús a talleres Orión. Lambretto y Zarpas le acompañan al bar Las Antillas. Permanecen allí media hora y se separan. Gorila coge el tranvía hasta Entenza, entra en el bar Mariola como si buscara a alguien, visita el taller de Azul. Vuelve a casa de Gitano y a las 16'10 va con él a la boca del metro de Vergara de los FF. CC. Catalanes. Instantes más tarde contactan con Aníbal y otro que llamaremos Codeso. Suben los cuatro por

Señas de identidad   221

Balmes paseando de la siguiente manera: *Gorila* con *Aníbal*
y *Gitano* con *Codeso*. A la altura del seminario *Gorila* abre
un paquete que lleva *Gitano* y da explicaciones a *Aníbal*
sobre su contenido. Regresan a Vergara y se despiden. A
las 18'40 *Gorila* y *Gitano* se presentan en el taller de *Azul*
y entran los tres en el *Pichi*. Hablan 20 minutos y se separan, recogiéndose *Gorila* a casa de *Graja*.
  Identificado *Aníbal* como *Justo Marín Gubern* c/Madri-
gal 7, Sabadell. Es enlace sindical y tiene pasaporte nº
78.562 expedido en febrero de 1960.
  Martes, día 2 — Sale *Gorila* de su casa sin ser visto. Localizado a las 12 horas en Rocafort camina hacia el lugar en donde los últimos martes realizó los contactos con
Gogo, Cocteau y *Escuchi*. Al no ver a nadie se dirige al
bar *Pichi*, en donde le aguardan *Gitano* y *Azul*. Vuelve solo
a Rocafort-Aragón y no para de mirar el lugar de los anteriores contactos. Por la tarde reaparece de nuevo con *Escuchi* y, primero uno, luego otro, pasan repetidas veces
por el chaflán sin encontrar el enlace. Añadiremos que cuando *Escuchi* llegó hablaba en voz alta a solas y se le oyó
decir: "Sí, ésta es la calle... Pero si es aquí" y, en aquel
momento, para mayor seguridad, preguntó casualmente a
uno de los funcionarios encargados de observarla: "Oiga,
por favor, la calle Rocafort, ¿es ésta?" A las 17 cogen un
taxi y van a la estación M.Z.A. Entran en casa de *Graja*
a las 20'20 y a las 21 horas se levanta la vigilancia.

En adelante podía abandonarse otra vez a sus fantasmas,
bañarse en el mar frío del Hornillo, joder con la prostituta
enclaustrada en el cerro, traducir páginas y páginas de grave metafísica, platicar incansablemente con los pescadores en
el bar de Constancio. Se movía en un universo ambiguo
en el que las palabras perdían su primitiva significación
y asumían intenciones huidizas y cambiantes, como nubes
ligeras impulsadas por el viento. Libertad y prisión se mez-
claban en una realidad imprecisa y, a momentos, creía

imposible escapar de aquel engranaje. El tiempo se alargaba de modo indefinido y Antonio se prolongaba con él, con la asoladora certeza de un transcurrir inútil —injustificable y vacío como cualquiera de sus paisanos.

La prostituta le había perdonado la brusquedad del primer día y todas las noches su cuerpo macizo y firme acogía el de él con disciplinada suavidad. Al cabo de una jornada como las otras, exactamente monótona y repetida, era reconfortante hundirse entre sus muslos y morder sus pechos ofrecidos y mansos, olvidando por espacio de unos minutos el tictac del reló. Las costumbres se habían transformado en rito y, cuando a fines de octubre el tiempo empeoró y tuvo que renunciar a los baños, Antonio prosiguió sus excursiones en bicicleta y, sentado en un promontorio, frente a la isla del Fraile, contemplaba durante largas horas el vuelo aprensivo de los pájaros, las playas morosas y desiertas, el cielo y el mar fundidos en un abrazo gris.

El día de Todos los Santos había pasado la tarde en el bar de Constancio jugando al dominó con los pescadores y, luego de dar razón a su madre, invitó a cenar a Fermín.

—¿Qué te dice el balneario? —preguntó Antonio.

—Como tú quieras —repuso Fermín—. A mí me da igual.

Atravesaron la Calle Mayor en dirección al Paseo. Los últimos veranentes habían desaparecido semanas atrás con las nodrizas y los niños y las luces de neón brillaban desmayadas y tristes. El restaurante del club no había cambiado desde la época de su aventura con Lolita. Mientras se sentaban en un rincón de la sala —los clientes no habían llegado aún y los camareros erraban como sombras— Antonio descubrió una mesa con una docena de cubiertos, en cuyo centro lucía un soberbio ramo de flores. Al tomar nota del menú el empleado les informó que había sido reservada por don Gonzalo.

—Apuesto cualquier cosa a que es la petición de mano —dijo Fermín—. Esta mañana los tórtolos fueron a la iglesia y mi madre cuenta que andaban de bracete, como dos novios.

—Hay gato encerrado, sí señor —dijo el camarero—. Don Gonzalo vino personalmente a encargar la cena y puso a enfriar en la nevera doce botellas de champaña.

—Después las malas lenguas dirán que es un chanchullo de los padres —suspiró Fermín—. Dios mío, qué cruel es el mundo.

El vino era un clarete de Valdepeñas y se dejaba beber con engañosa facilidad. Fermín bromeaba acerca de la fortuna de las respectivas familias y Antonio le escuchaba en silencio, al borde del estallido. La belleza insolente de las flores le exasperaba. Cuando los invitados llegaron había vaciado la botella y encargó otra.

—¿Nos vamos? —propuso Fermín.

—Espera unos minutos.

Don Gonzalo estaba allí con la señora y el hijo y el cónsul de España en Alejandría con su mujer y las dos muchachas. Había asimismo media docena de invitados vestidos de punta en blanco y Antonio distinguió entre ellos al médico de Falange, circunspecto y orondo como una flor feliz. Los camareros mariposeaban alrededor de la mesa y, a una señal de don Gonzalo, el cocinero vino con la bandeja de los entremeses.

—Ésos sí que gozan de la vida —murmuró Fermín.

Antonio bebía sin pausa el vino de la segunda botella y decidió quedarse. Alguno de los comensales refería una anécdota chistosa y hubo un coro de exclamaciones. "Oh, es divino", exclamó una voz de mujer. El médico se había sentado de espaldas a ellos, a poca distancia de don Gonzalo e, inopinadamente, se inclinó sobre la dama interpuesta entre los dos para confiarle un secreto a la oreja.

—Cuidado, están hablando de ti.

Don Gonzalo se encaró un instante con él —un rostro como había millares en el país, de nariz grande y cejas peludas— al tiempo que el médico sonreía y le saludaba con la mano. Antonio seguía dándole al vino de Valdepeñas y examinó sorprendido la cara amable del camarero que, tras un breve intercambio de palabras con don Gonzalo, se había plantado ante ellos.

—El señor Ramírez, ¿es usté?

—Sí señor.

—Don Gonzalo me ruega que le transmita la invitación de sentarse a su mesa.

El médico se había vuelto a mirarle con expresión cómplice. El camarero aguardaba su respuesta tieso como un quinto. Antonio apuró su vaso de un trago.

—Dígale a este señor que le agradezco mucho la invitación pero que sé escoger por mí mismo la compañía y la suya no me gusta.

—¿Cómo?

—Lo que digo.

El hombre le contemplaba como si se las hubiera súbitamente con un loco. Para tranquilizarlo Antonio le dio una palmada en el brazo y encargó otra botella de clarete.

—Bueno, como usté ordene.

Le vio dirigirse hacia don Gonzalo y repetir sus palabras ante el estupor y la cólera de los reunidos. Le faltó tiempo al médico para incorporarse y venir flechado.

—¿Qué se propone usté, Ramírez? ¿Enemistarse con todo el pueblo?

—No me propongo nada, doctor.

—Su conducta es grosera y estúpida.

—Probablemente.

—Es usté un pobre diablo, ¿me oye? Un tonto mal educado e irresponsable...

—No se excite usted —dijo suavemente—. Se le va a indigestar la langosta.

—Se arrepentirá, Ramírez. Le juro que se arrepentirá.

El médico le dio la espalda y Antonio se sintió inmensamente feliz. Los comensales le observaban con reprobación desdeñosa y, después de unos conciliábulos con el camarero, don Gonzalo empezó a contar una historia en medio de la devota atención de los reunidos.

—Señor Ramírez.

El barman se había acercado a su mesa con paso resuelto y le miraba con malos ojos.

—Usted dirá.

—La dirección de este establecimiento le ruega que se vaya inmediatamente de aquí.

—¿Puede decirme cuánto le debo?

El barman llamó al camarero con un ademán.

—La nota de los señores.

—Son ciento sesenta y tres con cincuenta.

—Tenga —Antonio dejó dos billetes sobre la mesa—. Quédese usted con el cambio.

Salió a la calle, seguido de Fermín. Un denso enjambre de nubes ceñía el cuerno de la luna y, a los pocos momentos, lo cubrió del todo. Soplaba un viento fuerte que venía del mar. En el Paseo había un banco desierto y se sentó en él mientras respiraba a pulmón lleno el aroma salado y penetrante del agua.

—La que has armado —dijo Fermín—. ¿Te encuentras bien?

—Es mucho más que eso —repuso Antonio—. Me siento joven.

Los fanales de las pesqueras vibraban como luciérnagas en el horizonte marino, alguno cantaba a lo lejos una melancólica romanza. Antonio la escuchó largo rato, transportado por un arrobo indecible, antes de abrazar a Fermín y desearle las buenas noches. Al recogerse, por primera vez en muchos meses, durmió a sueño suelto, sin necesidad de recurrir a los somníferos.

Miércoles, día 3 — Va Gorila al bar Pichi a las 10'40 y de allí al bar Mariola, en donde le espera Azul con uno de los mecánicos de su taller. Se levanta la vigilancia al entrar dos revendedores de lotería amigos de Azul y que pudieran conocer tal vez de vista a los funcionarios.

Se recupera a Gorila a las 14'30 en casa de Gitano. Se traslada en taxi a talleres Orión y camina hacia pasaje Per-

manyer como si buscase a alguien. En la tarde de hoy se aprecia que toma precauciones: vuelve la cabeza con frecuencia y en más de una ocasión da la vuelta completa a la manzana llegando de nuevo al sitio de partida.

Jueves, día 4 — Sale Gorila a las 12'30. En plaza de Correos coge el metro hasta Urquinaona y contacta con Nikita frente a transportes La Catalana. A diferencia de la víspera no se advierte en ellos ningún signo de intranquilidad. Pasean por Ronda San Pedro y a las 14'20 se despiden. Minutos después se pierde a Gorila en Urquinaona.

Viernes, día 5 — Sale Gorila a las 15 horas y, tras deambular por el centro de la ciudad, va al taller de Azul. Se asoman al Pichi, vuelven al taller, charlan 20 minutos en la puerta, se dedican a mirar escaparates y desaparecen. No se les encuentra en Mariola ni en El Escocés. A las 18'15 se les divisa en Calabria, a la altura de una tienda de óptica. Caminan juntos un momento y se despiden. Azul va al taller y Gorila hacia Avda. José Antonio con una caja maletín que se le ve por primera vez y que debe de haber recogido en la óptica o una portería próxima a ésta. Toma el tranvía, el tren y a las 20'03 está en casa de Graja. El maletín es de unos 50 cms. de largo, 40 de ancho, y 12 de alto; de color marrón oscuro y provisto de una asa; da la impresión de pesar poco. Se investiga sin resultado la filiación de los dueños de la óptica y de los vecinos del inmueble contiguo en el que existe una casa de huéspedes llamada Pensión Zamora.

Sábado, día 6 — A las 14 horas Gorila coge el tren en Premiá. Se le pierde de vista en plaza Palacio y se le localiza a las 17 en el Pichi en compañía de Gitano y Azul. Este último marcha al taller y luego a su casa. Gitano y Gorila permanecen en el bar hasta las 19 contemplando un programa televisado sobre nuestra Cruzada de Liberación. Salen, caminan muy despacio; Gorila saca un bloc y un bolígrafo y parece dibujar un plano; discuten y Gitano hace otro dibujo; llegan así al bar Floridita en donde les espera la mujer de Gitano. Pasean los tres juntos y visi-

tan diversos bares. Luego Gorila toma el tren y va a casa de Graja. A las 22 reaparece con ésta, Escuchi y una muchacha a la que bautizaremos Trenzas. Entran los cuatro en un cine. A las 0'30 regresan todos a Almogáveres 8 y se levanta al vigilancia.

Domingo, día 7 — Sale Gorila a las 11'45, va al bar Escocés y se reúne con "Skimo", Ondulado y Nikita. Media hora después sube al Peugeot 9089 MG 75 en compañía de "Skimo" y arrancan en dirección a Sans, renunciándose a seguirles por carecer de vehículo adecuado. Ondulado se despide de Nikita y se encamina hacia Avda. José Antonio. Tuerce por Calabria, pasa junto a la tienda de óptica, se mete en la portería vecina a ésta donde se halla la Pensión Zamora y ya no reaparece.

Lunes, día 8 — No se ve a Gorila.

Martes, día 9 — Se divisa a Gorila a las 10'35. Coge un taxi en Plaza Palacio hasta Entenza-Avenida José Antonio. Entra un instante en el bar Escocés sin encontrar a nadie, sube poco a poco hasta Rocafort-Aragón y, cerca del lugar de los contactos, se cruza con una mujer que camina despacio y cambia una mirada con ella. Son las 12'01 minutos. La mujer se detiene en el chaflán, Gorila la observa intensamente, se dirige a ella como para preguntarle algo y se saludan con efusión. La mujer a la que llamaremos Piaf, es baja, delgada y anda con un bolso de mano de color negro. Van al bar Escocés y salen a los 15 minutos. Entran en otro bar. Cuando reaparecen 10 minutos más tarde Gorila lleva un paquete mediano envuelto en papel azul. Da unas explicaciones a Piaf y se despiden. Ella se traslada en taxi al hotel Internacional. Gorila se pierde y a las 16'40 se presenta en el Pichi. Al cabo de un cuarto de hora da la vuelta a la manzana y se dirige al Escocés. A las 15'35 llega Piaf. Charlan animadamente media hora y se separan; Gorila lleva ahora un rollo de papel de unos 40 cms. y un paquete similar al de la mañana, pero de mayor tamaño. Va al bar Pichi y contacta con Gitano. Permanecen juntos hasta las 17 y, al levantarse, Gitano carga con el paquete y el rollo de papel. Piaf pasea por las calles del centro, recorre las Ramblas y a las 20'30 regresa al hotel.

Miércoles, día 10 — Sale Piaf del hotel a las 10'15 y se encuentra con Gorila frente al palacio de la Virreina. Van a plaza Real, se sientan en la terraza de un bar y se separan al cabo de media hora. Piaf baja al puerto y va a la escollera en golondrina. Gorila se reúne en el Pichi con Gitano y Azul. Se identifica a Piaf como Josette Lefevre, 42 bis, rue Fayard, Argenteuil, Seine.

Por la tarde vuelve Piaf al hotel, hace las maletas, paga la cuenta y se traslada en taxi a Rocafort-Aragón. Se apea, saca el equipaje, despide el taxi. Cinco minutos después aparecen Gorila y Gitano mientras ella da señales de impaciencia y consulta la hora. Gorila y Gitano discuten antes de acercarse a Piaf, Gorila se adelanta primero y le presenta a Gitano. Este último coge la maleta y el maletín, para un taxi y los deposita en su domicilio de calle de Almansa. Gorila y Piaf caminan hacia plaza de España, entran en el recinto de la Exposición, regresan a Avda. José Antonio. Gitano y su esposa les aguardan en el Mariola con una maleta distinta a la indicada antes y una cartera de viaje de gran tamaño de color marrón oscuro; la maleta es beige y lleva refuerzos en los bordes. Charlan los cuatro; detienen un taxi y Piaf sube a él con su nuevo equipaje y se dirige a la estación M.Z.A. Coge el tren de Cerbère seguida por dos funcionarios. En el puerto se le han hecho varias fotos y se consigue fotografiar asimismo su pasaporte al cruzar la frontera.

Jueves, día 11 — Identificado Ondulado como Antonio Ramírez Trueba, natural de Águilas, Murcia, domiciliado en la Pensión Zamora, Calabria 116. Doctor en derecho y alumno de la escuela diplomática. Señalado en la universidad por sus simpatías marxistas en su expediente figura como acompañante de Álvaro Mendiola autor del film antiespañol sobre la emigración obrera intervenido por la guardia civil de Yeste, Albacete, el 23-8-58.

Sobre eso no cabía la menor duda: la policía funcionaba perfectamente. Cinco siglos de vigilancia, inquisición y censura habían configurado poco a poco la estructura moral de este organismo único, considerado incluso por enemigos y detractores como faro y modelo de las múltiples instituciones sanitarias que, inspirándose en él, profileran hoy por el mundo.

El reino de los Veinticinco Años de Paz era sólo el fruto acendrado y visible de una subterránea labor de generaciones consagradas a la noble y dichosa misión de mantener contra viento y marea la rígida inmovilidad de los principios, el respeto necesario de las leyes, la obediencia veloz y ciega a las normas misteriosas que gobiernan la humana sociedad jerarquizada en categorías y clases sociales (cada una de ellas representando a la perfección su papel en el ilusorio teatro de la vida). Al término de tan vasta y provechosa experiencia el pueblo aprendía a aplicar por sí mismo los designios catárticos y en aquel espurio verano de 1963 tu patria se había convertido en un torvo y somnoliento país de treinta y pico millones de policías no uniformados (incluidos los díscolos y los rebeldes). Con tu natural optimismo pensabas que dentro de poco los funcionarios ya no serían precisos puesto que, en mayor o menor medida, el vigilante, el censor, el espía se habían infiltrado veladamente en el alma de tus paisanos. En todo grupo, bajo el caciquismo peculiar de la tribu, la inquisición reaparecía con insospechados disfraces: interrogatorios, acusaciones, pesquisas, careos. Policías paralelas y opuestas cubrían de un extremo a otro el yerto y exangüe solar (frondosa cosecha de vocaciones en tierra tan recocida y sedienta). El marido policía de la mujer y la mujer del marido, el padre del hijo y el hijo del padre, el hermano del hermano, el ciudadano del vecino. Burguesía (monopolista o nacional, rural o urbana), proletariado, campesinos, capas medias: todos policías. Policía igualmente el soberbio intelectual aislado y hasta el bondadoso novelista con inquietudes sociales (al menos, de sus íntimos). El amigo de toda la vida, el compañero de las horas difíciles: policías también. (Y cuántas veces tú, el propio Álvaro, no habías pactado con el conformismo ambiente, censurándote en público y en privado, ocultando a los demás tu verdad irreductible: policía asimismo, bien que te pese ahora.)

Los vamos a pagar caro (te decías) la perdida guerra civil, los veinte años de miedo hirsuto, la ominosa facilidad que nos invade. Enfermos todos de un mal incurable, frustrados todos, todos mutilados. ¿Cómo restablecer la paz, la plenitud, el sosiego en el interior de los corazones? Triste pueblo, patria triste, ¿qué psicoanálisis puede recobrarte? Para ti nunca pasan días y tus hijos se suceden en tu regazo inútiles frente a tu inercia, tu terquedad, tu locura. ¿Cambiarás algún día? Quizás sí (te decías), cuando tus huesos (los tuyos) fertilicen tu suelo (oh, patria) y otros hombres mejores (hoy niños todavía) aplaquen con su ofrenda el afán imposible que preside tu sino. Muerto tú (te decías), ¿a quién corresponderá contarlo

Acta de registro: 8,30 horas del 18 de diciembre de 1960. En virtud de órdenes del Inspector Jefe de la Brigada de Investigación Social de esta Jefatura los inspectores de policía don Eloy Romero Sánchez, don Mamerto Callosa López y don Eduardo García Barrios, provistos del correspondiente mandamiento judicial, se personaron en la Pensión Zamora, sita en la calle Calabria 116, en la habitación ocupada por Antonio Ramírez Trueba al objeto de efectuar un registro. Presente el interesado y ante los testigos José Calvo Martínez propietario de la pensión y José María Cortés Berruezo empleado de la misma se practicó el registro con el siguiente resultado: un libro titulado "El Capital" de Carlos Marx, "Principios de filosofía" de Jorge Politzer, "Obras escogidas" de Rosa Luxemburgo, "Cartas de la cárcel" de Antonio Gramsci, "Stalin" de Isaac Deutscher, "Los Intelectuales y

*la guerra de España" de Aldo Garosci, "El deshielo" de Ilya
Ehrenburg, "Poesías escogidas" de Rafael Alberti, "Los com-
plementarios" de Antonio Machado, "Teatro" de Bertolt
Brecht, ejemplares de "Cuadernos" e "Ibérica" consagrados
a España, varios números de "Europe" e "Il Contempora-
neo", la reproducción de una paloma dibujada por Picasso,
etc. Todos los libros y revistas reseñados se adjuntan al atestado que se instruye en la dependencia al principio citada
para su posterior emisión a la Autoridad Judicial Compe-
tente.*

La ambigüedad despareció. De nuevo podía pasear por el
pueblo como un proscrito, adivinando en la condena muda
de los otros la señal indeleble que le marcaba. La ilusión
de libertad se había desvanecido al fin y la prisión atenuada era simplemente prisión: encierro de límites vagos
pero reales, mecanismo sabiamente dispuesto para impedir
la doble fuga corporal y anímica. El horizonte marino,
todo cuanto amurallaba aquel paisaje olvidado de Dios y
arruinado por el mal gobierno del hombre era menos sensible que el vacío creado por la desconfianza y el miedo,
las miradas recelosas y furtivas, los saludos esbozados apenas, las conversaciones breves e insignificantes. Solitario
encerrado en tierra cautiva, más solitario aún puesto que la
presencia ajena multiplicaba a cada instante el aislamiento
tal el eco bárbaro de un grito bajo una inmensa bóveda, podía considerar gozosamente el destierro como una cárcel,
la cárcel como el camino de la libertad, la libertad como
sola meta del hombre, único ser consciente —o a lo menos
creerlo así— entre la multitud de compatriotas que se figuraban libres porque malvendían —y era un progreso—
su mísera fuerza de trabajo, feriaban por decreto un día
a la semana, procreaban regularmente hijos absurdos,
discutían con extraña pasión acerca de la rodilla de un
futbolista o el muslo herido de un matador de toros, toros
ellos mismos y ni siquiera eso, mansos felices que hablaban

con arrogancia de lo permitido y se permitían condenar lo condenado, triste rebaño de bueyes sin cencerro, pasto de aprovechados y de cínicos, pueblo heroico en su día —las rojas banderas desplegadas, el rostro fiero de los hombres puño en alto, aquel aire de música "qu'on ne pouvait pas entendre sans que le coeur battit et le sang fut en feu", ¿recordáis? —reducido al cabo de veinticinco años— ¿cómo, dios mío?— a una vana sombra del pasado, a un retintín muerto, cuerpo somnoliento, quizá, que algún día despertaría.

Las reacciones provocadas por el incidente del balneario no tardaron en manifestarse: el día siguiente, mientras Antonio traducía un pasaje particularmente oscuro del libro de filosofía, comparecieron en su casa dos números de la guardia civil y le conminaron a seguirles al cuartelillo. Como la tarde de su llegada al pueblo, la gente se detenía a contemplarles en la calle y, desde la terraza de un café, alguno apostrofó: "Bien hecho. Que lo fusilen".

El ceño con que el teniente le aguardaba difería muy poco del de los policías que un año antes le habían golpeado en Jefatura y Antonio experimentó una sensación de alivio a la idea de que la comedia que mutuamente se representaban había terminado de una vez.

—Ramírez —dijo—. Hasta ahora habíamos guardado excesivos miramientos contigo; pero nuestra paciencia tiene un límite. Tu intervención de anoche ha desbordado el vaso: es un acto de gamberrismo que merece la repulsa de todas las personas bien nacidas. Si estás dispuesto a disculparte ante don Gonzalo...

—Por nada del mundo, teniente.

—En este caso tu estatuto cambia de cabo a rabo. A partir de hoy te presentarás a firmar dos veces por día y no pondrás los pies en ningún bar ni establecimiento público. Si me desobedeces lo lamentarás, ¿me oyes?

—Sí, teniente.

—Por lo pronto te afeitas hoy mismo la barba o te la corto yo a mi manera. España no es Cuba y, si te apetece hacer el gallo, acabarás peor que el de Morón: sin cacareos ni plumas.

—Sí, teniente.

—Mis hombres no van a dejarte ni a sol ni a sombra de modo que, cuando quieras chulear, ya sabes la que te espera. De la cara que te ponemos no te reconoce ni tu madre.

Le había despedido con un ademán brusco pero, mientras atravesaba el patio de la casa cuartel, le hizo llamar de nuevo por el cabo.

—Esto no es todo, Ramírez. Quiero que sepas que el hecho ha trascendido y el pueblo juzga tu actitud severamente. Si alguna persona te busca las pulgas nosotros no podemos intervenir.

—¿Es una amenaza?

—Tómalo como tú quieras.

De regreso al pueblo entró en la primera peluquería. La barba no le importaba ya a partir del instante en que la cárcel le imponía otra vez sus límites y le devolvía su condición de hombre libre en medio de aquella vasta prisión atenuada. Fermín había recibido órdenes de no saludarle y, cuando se cruzaban casualmente en la calle, se limitaba a sonreírle. Mañana y tarde Antonio se presentaba a firmar en la casa cuartel y, en los ratos de ocio que le dejaban sus traducciones, cogía la bicicleta y se iba a soñar a alguna playa, dichoso de perderse por unas horas en el hosco rumor de las olas que, con refinados arabescos de encaje, embestían contra la arena.

En uno de estos paseos sin rumbo, poco antes de Navidad, continuó por veredas y trochas camino de la Calabardina. Esperando los atunes que costeaban en primavera la almadraba había sido desarmada y boyas, cadenas, anclas, rezones reposaban en la chanca y depósitos del Consorcio tan decorativos e inútiles que los consabidos hombres sin trabajo, las mujeres enlutadas y graves, los niños oscuros y tristes. El amortiguado sol invernal reverberaba sobre las chozas de los pescadores y, sentado en el cantil, al otro extremo del golfo, Antonio contempló con aprensiva nostalgia el surco arado por las pesqueras en la superficie del mar y absorto ya en una melancolía quieta, emocionado y ausente a la vez, los cascos de las embarcaciones varadas en la playa, como exangües delfines sin vida. Por una razón ignorada el corazón le latía con fuerza y, al incorporarse, había lágrimas en sus ojos.

En el trayecto de retorno —por los mismos senderos y atajos, a fin de evitar el encuentro con los civiles —le salió al paso un individuo menudo que parecía aguardarle en un recodo del camino, medio oculto entre las chumberas.

—Salud, camarada —dijo—. ¿Me reconoces?

El pelo cano e hirsuto, los ojos como tizones, la barbilla salida, le resultaban vagamente familiares. Antonio vaciló antes de responder:

—No sé. Ahora no caigo.

—Soy el Morillo, compañero de armas de tu padre.

Una pena de muerte conmutada a última hora, quince años de cárcel, amarguras y humillaciones habían hecho del ex responsable del Comité del pueblo, un hombre viejo y gastado, convertido, como tantos otros de la ancha geografía española, en una desdibujada sombra de sí mismo.

—Hacía tiempo que quería hablar contigo, camarada. Te había escrito unas letras dándote cita a medianoche en las ruinas del castillo pero tú no fuiste.

—Nunca las recibí —dijo Antonio.

—Ha llegado el momento de actuar. El país entero está dispuesto a levantarse y espera tan sólo nuestra iniciativa... Cuando recibamos la orden los patriotas debemos subir al monte con el nueve largo, ¿me oyes?

—Sí.

—En cada barrio se ha creado un Comité para la compra de fusiles y ametralladoras. Ayer noche pasó un submarino de los nuestros con un mensaje en clave... En cuanto suene la hora te avisaré. Entre tanto silencio y, sobre todo, mucha pupila.

Lo dejó, abandonado a su delirio sombrío y volvió al

pueblo. Faltaba ya poco para que la condena le cumpliera y Antonio pensaba con inquietud en el mundo ambiguo que le acechaba al cabo, en las solicitaciones tentadoras de un universo aparentemente venturoso y tranquilo. Hubiera querido retirar su apuesta del juego pero, aunque metamorfoseado, el juego continuaba y, como en el balneario, ante los futuros don Gonzalo que encontrara en el camino, sabía, y era una certidumbre honda emboscada en su pecho como un ave de presa que, algo más fuerte que él, le obligaba, le obligaría siempre, a apostar de nuevo.

Inesperadamente un automóvil irrumpió en el jardín. Estabais sentados los tres en la galería y las copias dactilografiadas del diario de vigilancia cubrían la alfombra de esparto sobre la que unas horas antes la muchacha os había servido el café. Dolores se incorporó dando un suspiro.

El atardecer orlaba la montaña de un resplandor rojizo y los eucaliptos mantenían sus hojas plateadas en vertiginosa quietud. Golondrinas veloces surcaban el aire inmóvil rozando el alero del tejado con sus agudos picos. El azul del mar desleía en el cielo su marchita y menguada vitalidad.

El coche se había detenido junto al mirador tras sortear hábilmente los juguetes esparcidos sobre la grava y Ricardo, Paco y Artigas se apearon con una expresión de cansancio unánime e infinito. A gritos anunciaron su decisión de tomar un baño. Los vestigios de una noche en vela marcaban perceptiblemente sus rasgos y, mientras subían por el sendero que llevaba al estanque, Paco ejecutó un brillante número de estriptís. Los perros le escoltaban ladrando, elásticos y flexibles.

Resolvisteis bañaros también. Dolores fue a buscar sus sobrinos a casa de los masoveros y Antonio y tú os desvestisteis en la galería, silenciosos por fin al cabo de tantas horas de charla. La imagen de lo pasado que poco a poco se precisaba ante ti presentaba numerosas lagunas difíciles de colmar y una comezón desagradable te invadía, como la angustia del trabajo ejecutado sólo a medias. Algo importante tal vez, se escurría con agilidad entre tus dedos y tus esfuerzos por apresarlo se perdían en el vacío. Antes de salir al jardín bebiste un sorbo helado de Fefiñanes.

Tus amigos se habían zambullido en el agua verde y sus cabezas emergían risueñas sobre las piedras erizadas del borde. Aguardaste a Dolores tendido en la solanera, absorto en la densa quietud del crepúsculo. El sol acababa de desaparecer tras la montaña y un último rayo bermejo agonizaba entre las ramas de los alcornoques.

—En Barcelona ha hecho un calor siniestro —decía Artigas.

—Treinta y ocho grados a la sombra.

—En la plaza de España han detenido a una inglesa en paños menores.

—No era una inglesa —puntualizó Paco—. Era un inglés.

—Tú cada día más maricón.

—No soy maricón —protestó él—. Soy un hiposexual.

—Para mí es lo mismo —dijo Artigas—. To be or not to be.

—A propósito —cortó Antonio—. ¿Qué se ha hecho de las danesas?

—Ricardo las invitó a cenar ayer noche. Pregúntaselo a él.

—No es verdad. El pagano fuiste tú.

—Uno u otro, en cualquier caso comen como limas —dijo Dolores—. ¿Os fijasteis cómo rebañaron los platos?

—Dinamarca es un país subdesarrollado, ¿no lo sabíais? —Paco apuntaba con el dedo hacia Antonio—: Tú, el economista... ¿Qué me dices del milagro español?

Era balsámico abandonarse al contacto del agua tibia, extender moroso los brazos, flotar con la vista perdida en el cielo descolorido y sin nubes. Ricardo, Artigas y Paco habían venido a pasar el fin de semana contigo y, gracias a su ayuda, confiabas en avanzar un paso más en el conocimiento y comprensión de los hechos. Tu vida se reducía ahora a un solitario combate con los fantasmas del pasado y del resultado de la lucha dependía —lo sabías— la liquidación de la hipoteca que pesaba sobre tu angosto y casual porvenir.

Consciente del peligro, caminabas con paso resuelto hacia el aleatorio desastre.

CAPÍTULO V

Siempre que leía los titulares de *France-Soir* en el café de madame Berger, Álvaro se maravillaba de su obstinada referencia al peligro amarillo y se complacía en imaginar ingeniosas estratagemas de infiltración en el cándido y desprevenido Occidente —envío de agitadores miniatura por paquete postal a los apartados de correos, exportación de astutos y sonrientes mayordomos para familias acomodadas del Seizième Arrondissement o con el Caballo de Troya de una pacífica peregrinación de millón y medio de chinos a Lourdes, catastróficas predicciones que sazonaba convenientemente con citas de Spengler, Ortega, Keyserling y Denis de Rougemont. A raíz de un viaje de varias semanas a través de Holanda, Bélgica, Suiza y Alemania Occidental, en trenes y por estaciones atestadas de emigrantes de Galicia, Extremadura, Castilla o Andalucía, había llegado a la definitiva conclusión que el peligro real no lo constituían los lejanos, remotos e invisibles asiáticos, sino los próximos y cada día más numerosos, llamativos e identificables españoles.

Herederos ilustres de los descubridores del Pacífico y expedicionarios del Orinoco, de los guerreros invictos de México y héroes del Alto Perú, partían a la conquista y redención de la pagana, virgen e inexplorada Europa recorriendo audazmente su vasta y misteriosa geografía sin arredrarse ante fronteras ni obstáculos, émulos de Francisco Pizarro en su temeraria travesía de los Alpes y de Orellana en su arriesgada exploración del Rin, espeleólogos de negros y profundísimos pozos de las cuencas mineras del Norte, ocupantes de inmensos complejos industriales renanos que parecieran obra de algún resucitado Moctezuma, aventureros procedentes de todos los rincones de España, portadores del bagaje espiritual e histórico de una patria que es unidad de destino en lo universal y madre orgullosa de diecinueve naciones jóvenes que rezan, cantan y se expresan en su idioma.

Como en los tiempos que precedieron a la caída del Imperio Romano, los nuevos y taimados invasores se infiltraban en los países desarrollados del Mercado Común escoltados insidiosamente por un aguerrido ejército de mujeres que, de modo paulatino y sistemático, se adueñaban de las cocinas, roperos y despensas de las diversas burguesías nacionales no monopolistas e imponían por doquiera la paella y el aceite, la sopa de ajo y la sangría, extendiendo por primera vez, tras un eclipse de varios siglos, el empleo cotidiano de la lengua de Cervantes en miles de hogares extraños, prodigioso esfuerzo de irradiación cultural para un país cuya renta anual per capita no alcanza aún la modesta cifra de veinte mil pesetas.

Álvaro los había visto comer enormes barras de pan con chorizo en los andenes de la Haupt-Bahnhof de Frankfurt, caminar con un maletón de inquietantes proporciones por la rue du Mont-Blanc de Ginebra, discutir la lista de precios de una taberna en el Zeedijk de Amsterdam —españolitos pequeños, morenos, dolicocéfalos, con el gracioso pelo ondulado que tanto atrae a las anglosajonas casi pegado a las cejas y unos estrechos y descoloridos tejanos cortados aposta como para realzar sus nalgas de toreros y bailadores. Miembro de la huraña grey de la estepa, el Emigrante sonreía al grave caballero holandés que intentaba resumirle sus maravillosas vacaciones en la Costa Brava, diciéndole que sí, que en España se vive mejor que en ningún lado, que él ha salido como quien dice a pasear y ver mundo y que, como el sol, las gachís y el vino de Andalucía ni hablar y que si él, el caballero holandés, vuelve algún día por allá, él, Francisco López Fernández, Doctor Pastor 29, Utrera, lo invita a venir a su casa con su señora y niños, y allí verá lo que es el gazpacho andaluz, la sopa de migas y el chato de Moriles, y si se pinta que el viaje coincide con la Feria de Sevilla, ellos dos, el caballero holandés y Francisco López Fernández, dejarán a sus señoras y sus niños en Doctor Pastor 29 e irán a correrla en grande, a beber y a patearse los cuartos entre hombres, porque no hay nada en el mundo más alegre que el barrio de Triana, ni mocitas con pisar tan garboso y ojos que son, se lo dice él, Francisco López Fernández, como dos tiros a quemarropa.

O hablar alto y piropear a las muchachas en las galerías subterráneas del metro parisiense, siempre con los inevitables maletones de cartón prudentemente asegurados con una cuerda, mostrando a los usuarios un papel torpemente escrito con las señas de un camarada o deletreando en los cruces de línea el nombre incomprensible de las estaciones, compatriotas rijosos y fanfarrones que hablaban como donjuanes expertos porque se habían encerrado cinco minutos con una vieja borracha en el lavabo de un bar des Halles o habían jodido por diez francos con una prostituta desdentada del Boulevard de la Chapelle:¹ españolitos de un metro y sesenta y cinco centímetros de altura con veinticinco, treinta o treinta y cinco años de hambre y privaciones a la espalda, vagabundeo por toda la Península en busca de trabajo y residencia en chabola o cueva numerada con derecho a alquiler mensual de trescientas pesetas, que, desde el país de inmigración, mantenían el contacto espiritual y humano con la madre patria gracias a la atenta lectura de los resultados del campeonato nacional de fútbol en *Marca* o *Vida Deportiva*, se declaraban inesperadamente en huelga para protestar contra la abominable cocina europea sin garbanzos y regresaban con porte triunfal a la tribu refiriendo extraordinarias proezas sexuales a sus embobados paisanos, conscientes de su romántica y aventurera condición de emigrantes, con una máquina de fotografiar alemana o un soberbio reló chapado de oro, símbolos de su nueva riqueza.

En sus diez años de exilio parisiense Álvaro había conocido todos los altibajos de una pasión efímera y devorante. Sucesivamente, los había admirado, querido, idealizado, aburrido, despreciado, evitado; había entablado emocionada conversación con ellos en bares sórdidos o compartimentos de ferrocarril de segunda clase, había fotografiado sus inhóspitos barracones y dormitorios colectivos, los había invitado a su estudio con el propósito de calar más íntimamente en su vida y apreciar mejor sus problemas, dificultades y esperanzas antes de emprender el rodaje del frustrado documental —invitación a la que respondieron masivamente, primero por unidades y luego por familias enteras con viejas y chiquillos, hasta llenar la habitación como el camarote de los hermanos Marx en *Una noche en la ópera* y provocar la cólera de Dolores, cansada a justo título de aquellas reuniones folklóricas y absurdas que solían concluir en general borrachera con su obligada secuela de colillas, vasos rotos, exhibiciones de cante y quejas airadas de vecinos.

Durante más de un año, Álvaro se había desvivido por resolverles sus problemas, pilotándoles por los pasillos de la Préfecture de Police, del Bureau de la Main d'Oeuvre, de la Caisse de la Sécurité Sociale. Por una razón oscura, su estudio era el punto de cita de las sirvientas de la región de Valencia —mujeres uniformemente vestidas de luto que aparecían un buen día a su puerta con el consabido maletón recién desembarcadas del autocar de Gandía y a las que era preciso colocar en el círculo de sus amigos o respondiendo a los anuncios de *France-Soir* o *Le Figaro*. Sentado en el banco de la glorieta, con la vista fija en las fogatas de los pastores que humeaban en la otra vertiente del paisaje, Álvaro evocaba las mañanas pasadas junto al teléfono, proponiendo los servicios de alguna Vicenta a exquisitas damas de Auteuil y Neuilly que insistían en averiguar si "cette fille a un bon rendement" o si "elle est propre" y que, al enterarse de que venía acompañada y buscaba una habitación para el marido, mudaban perceptiblemente de voz y preguntaban si "lui a l'air d'un musulman" o "quel métier fait-il" con tal aprensión frígida y delicado horror que Álvaro había terminado por responder "il ressemble·a un prince anglais et il est attaché d'ambassade" y había cortado la comunicación.

La lista de Vicentas y Vicentes parecía no tener fin. Poco a poco Álvaro había espaciado los encuentros simulando imprescindibles obligaciones, denegando la calurosa invitación de beber una botella de coñac español con una sonrisa cortés pero firme. Su exaltada fraternidad había durado el tiempo exacto del rodaje inacabado de la película. A partir de esta fecha fingía absorberse en ocupaciones urgentes si le llamaban por teléfono, no respondía al sonido del timbre que anunciaban sus pisadas inconfundibles, se eclipsaba en cuanto los veía merodear por los alrededores de su casa. La empresa fue ardua, pero los visitantes comprendieron al fin. Y con la misma intensidad con que antes buscó su compañía, Álvaro había huido de su contacto o de su simple proximidad física, deseoso de olvidarse para siempre de su existencia y no lográndolo nunca del todo —como la noche en que, después de una disputa con Dolores, se había metido en cama cebado con somníferos sin otro objetivo vital que arrancar unas breves horas de tregua al sueño y, en el torpor de la vigilia, le había sobresaltado un vocejón procedente de la rue Vieille du Temple con un solemne y castellanísimo "y entonces me la jodí" que había alejado de un modo definitivo el reposo de sus párpados, dejándolo sumido hasta el alba en un estado febril de resentimiento, cólera ciega y desolada e infinita angustia.

Aunque el momento previsto para la concentración era el mediodía, la impaciencia pudo más que ellos y se citaron en el metro de Cataluña a las once menos diez. Ricardo y Paco les aguardaban en una cafetería de la Avenida de la Luz. A aquella hora la galería estaba casi desierta y los ociosos que deambulaban por entre las columnas podían contarse con los dedos de la mano. En el bar había tan sólo una señora vieja que engullía pasteles y dos empleados uniformados de la compañía del ferrocarril.

Por espacio de dos días sus amigos y él inundaron la ciudad de pasquines. Automóviles con el número de matrícula cambiado habían recorrido los barrios obreros lanzando octavillas en tanto que en el fútbol y toros de la víspera millares de hojitas llovían sobre los espectadores. Al parecer, alguno había arrojado un paquete desde lo alto del monumento a Colón.

El plan elaborado por el Comité de Coordinación Universitario era el siguiente: mientras el público se condensaba frente al quiosco de periódicos de Canaletas, los estudiantes convergerían en pequeños grupos por Santa Ana, Canuda, Buen Suceso y Tallers. El cortejo principal debía avanzar por Pelayo y dar la señal de partida. Una vez reunidos, los manifestantes desfilarían Ramblas abajo hasta la calle Fernando, encaminándose luego, si la policía no lo impedía, en dirección al Ayuntamiento y la Diputación.

Ricardo, Paco, Artigas y su hermana salieron por la boca del metro de Vergara. Una docena de yipis estacionaban en el cruce de Pelayo y Balmes y, junto al cine, dos grises fumaban en silencio, con la metralleta al hombro. La multitud bullía en la acera opuesta ante los comercios, sastrerías, almacenes de ropa y tiendas de calzado. La masa de peatones que se dirigían hacia la Rambla de los Estudios era sensiblemente mayor que la de los que progresaban camino de la plaza Universidad. Ricardo dijo que, con toda seguridad, mucha gente esperaba una indicación para agruparse en el lugar convenido.

Se mezclaron con el público y vagabundearon también, tratando de distinguir los verdaderos manifestantes de quienes circulaban allí por casualidad, ajenos a la extraordinaria significación de su presencia en aquellos parajes. Por el instante el cálculo era imposible y se debían contentar con presunciones, cábalas, hipótesis, conjeturas. Paco apuntó con el dedo a un grupo de obreros y dijo que, en su opinión, iban a protestar igualmente.

Frente a la boca del metro Pelayo había parejas de grises. En el chaflán, un tipo con sombrero y gafas ahumadas observaba, inmóvil, el ir y venir de la gente. Cuando lo dejaron atrás Ricardo dijo que, meses antes, había ido a interrogarle a su domicilio.

—Es un especialista en problemas de la Universidad. Si seguimos alante veréis cómo detectamos más rompesquinas.

Pequeños corros de hombres platicaban junto a la fuente. Artigas y su hermana se acercaron a oír mientras Ricardo y Paco se apostaban en la entrada del bar Canaletas. En el andén central algunos compañeros curioseaban como ellos. Los del corro discutían a viva voz y, según pudieron deducir, comentaban los resultados de la última eliminatoria de la Copa de su Excelencia el Generalísimo. Artigas dijo que, probablemente, lo hacían para despistar.

Caminaron Ramblas abajo entreverados con la masa silenciosa de transeúntes. De trecho en trecho algunos compañeros de Facultad se cruzaban con ellos y les interrogaban nerviosamente con la vista. En el ángulo de Santa Ana y Canuda había nuevos grupos de grises. El reló marcaba ya las doce menos veinte.

Decidieron una nueva asomada por la calle Tallers. A los pocos segundos Artigas topó con un estudiante amigo de Antonio que venía a paso tirado en dirección contraria. Excitadísimo —los labios le temblaban al hablar— le comunicó que la policía había practicado numerosas detenciones y una veintena de yipis interceptaban el tránsito en la plaza Castilla.

—¿Por dónde llega el cortejo?

—No lo sé. Cuando me largué aún no se había reunido.

Volvieron a las Ramblas. Allí los compañeros callejeaban como ellos, fingiendo curiosear los escaparates de las tiendas. Dos alumnas de Farmacia examinaban con presunta atención un torniquete de tarjetas postales para turistas. Ricardo y Paco se habían ido del bar Canaletas y los buscaron en vano entre los corros que discutían de fútbol. El tráfico era aparentemente normal. El inspector vestido de paisano seguía inmóvil en su puesto de observación de la esquina.

El número de caras conocidas aumentaba visiblemente. De modo sucesivo Artigas reconoció al novelista Ŗ. B., a un matrimonio de pintores abstractos, a varios empleados de la editorial J. M. El grueso de los manifestantes resultaba difícil de identificar en medio de la multitud de rostros anónimos: el caballero de guantes grises, por ejemplo, ¿había venido allí a protestar?; el joven de la cazadora de cuero que se timaba con la vendedora de cigarros, ¿era un auténtico hincha del fútbol o un agente camuflado de la Brigadilla? Su hermana, a su lado, aventuraba, asimismo, suposiciones versátiles y contradictorias.

Durante unos minutos erraron de un lado a otro para ganar tiempo. Los grupitos de intelectuales y estudiantes se formaban y deshacían espontáneamente al amparo de los quioscos de periódicos y tertulias de aficionados. En ninguno de los lugares convenidos había signos de agitación. El público discurría apaciblemente por la acera comercial de Pelayo y, en el ángulo de Canuda y Santa Ana, los grises permanecían igualmente a la espectativa. Instantes después sonaron las doce en el carrillón de la iglesia de Belén.

Encontraron a Antonio frente al Capitol en compañía de Paco y Ricardo. Acababan de regresar los tres de la plaza de la Universidad y explicaron que los guardias habían disuelto el cortejo. Los estudiantes convergían individualmente hacia Canaletas y la policía recogía numerosos carnés. Según ellos no había detenciones.

Circulaban de nuevo por entre el gentío y el desconcierto y la incertidumbre se reflejaban en muchas caras. Eran un centenar de estudiantes y amigos que subían y bajaban por las Ramblas como los mozos y muchachas de los pueblos durante el paseo dominical. En los cafés y tiendas vecinos los indecisos aguardaban en vano una señal para juntarse con ellos. Los aficionados hablaban todavía de fútbol y, en las bocacalles, no se pintaba un alma.

A las doce y veinte Enrique surgió de la entrada del metro con dos compañeros de Económicas miembros del Comité de Coordinación: con grandes ademanes y elevando la voz intentaron convocar a la gente alrededor de ellos. Hubo una breve pausa durante la que los universitarios parecieron vacilar. Al fin un puñado se agrupó en torno de los cabecillas mientras los restantes se escurrían por las aceras laterales. Casi inmediatamente alguno desplegó una pancarta.

Lo demás acaeció en unos segundos: varios inspectores de paisano se lanzaron sobre el corro y hubo un rápido intercambio de insultos, golpes y puñetazos. La multitud presenciaba la escena sin reaccionar y, al escabullirse entre los mirones, Artigas divisó a Enrique, con el labio sangrante, flanqueado de dos policías. Los tres subieron a un yipi estacionado en el chaflán de la plaza de Cataluña y desaparecieron en medio del gentío a toda velocidad.

Se sintió, de pronto, infinitamente perdido, inmerso en la mareta de las voces, en el sordo rumor del tráfico. El reló marcaba las doce y veintiséis minutos. Hasta que dio con Antonio y sus amigos —sólo al captar el estupor de sus miradas— comprendió el verdadero alcance de lo ocurrido. No volvía en sí de su asombro y, sin embargo, no cabía la menor duda:

La manifestación había fracasado.

Los contertulios del café que frecuentaba Álvaro pertenecían aparentemente a una especie distinta. Situado a medio camino del Pont-Neuf y el Carrefour de l'Odéon, sus sucios y resistentes muros adornados con etiquetas y anuncios de Ricard, Suze, Bhyrr, Dubonnet, Cinzano, contenían y rebalsaban sucesivas oleadas de emigrantes peninsulares que, arrojados un buen día por los vaivenes y azares de la política, habían sorteado, como en una ingeniosa y diabólica prueba de obstáculos, las carreteras atestadas y los botes archiplenos de la derrota del 39, las alambradas, el hambre y los piojos de Saint-Cyprien y Argelès-sur-Mer, los campos de exterminio nazis y las bombas de fósforo de los americanos, antes de estrellarse definitivamente contra aquellas paredes y varar como viejos navíos encallados cuya vía de agua no tiene arreglo junto a las mesas cubiertas de ceniceros y copas vacías, el mostrador de cinc de madame Berger con sus apergaminados y legendarios croissants, la asmática cafetera elaboradora de insulsos café-crèmes y el amarillento y arrugado cartel con el texto íntegro y jamás leído de la Loi de Repression de l'Ivresse Publique.

Según Álvaro había podido observar, los elementos integrantes de cada estrato histórico mantenían un contacto meramente superficial con los individuos de estratos anteriores o posteriores al suyo, obedeciendo a una ley de prioridad implícita pero escrupulosamente respetada. Los miembros de la primera tanda —a la que Álvaro pertenecía— eran emigrados políticos o intelectuales que, por lo común, habían atravesado los Pirineos, con pasaporte o sin él, tras una estancia más o menos larga en Carabanchel o la cárcel Modelo, mediada ya la década de los años cincuenta, a consecuencia de su participación en los movimientos estudiantiles o en alguna episódica manifestación de protesta, aureolados por un halo seductor de juvenil y reciente exilio, del que no disfrutaban aquellos que —como el propio Álvaro— se habían expatriado a raíz de una disputa familiar, la pérdida de un empleo o, sencillamente, buscando nuevos y más acogedores horizontes. La segunda capa reunía a los emigrados ya canosos de los años 1944-50, huéspedes de los campos de Albatera o Miranda del Ebro, que habían cruzado clandestinamente la frontera para unirse al maquis francés antes de la fallida tentativa de invasión del valle de Arán o habían huido a uña de caballo al ver pregonada su cabeza como resultado del desmantelamiento y liquidación de la FUE por los agentes de la Brigada Político-Social durante aquellos tristes años de miedo, sequía, hambre y privaciones. El tercer estrato amalgamaba los fugitivos del Perthus y escapados de Alicante, enterrados meses y meses en las playas arenosas del Languedoc, constructores forzosos del Muro del Atlántico salvados milagrosamente de las cámaras de gas de Auschwitz, veteranos combatientes de la perdida guerra civil que miraban a los demás por encima del hombro, como el heredero de vieja fortuna mira al estraperlista enriquecido de la postguerra o el aristócrata de rancia estirpe al negociante ennoblecido por título pontificio o en pago de misteriosos servicios prestados al Régimen. Y, calando en estas tres primeras y más importantes capas, el geólogo interesado hubiera podido descubrir restos de sedimentaciones más añosas que habían ido a posarse en los fondos inexplorados del café tras la durísima represión que siguió a los sucesos de Asturias del año 34 o la lucha contra la Dictadura del general Primo de Rivera, e incluso, conforme Álvaro pudo verificar un día, vestigios aún más preciosos y remotos de las agitaciones sociales del 19 y hasta un fosilizado ejemplar, único en su género, codicia de coleccionistas, expertos e investigadores, superviviente de la memorable Semana Trágica que ensangrentó en 1909 las calles de Barcelona, un arrugado viejecito amigo y discípulo de Francisco Ferrer Guardia que aparecía de vez en cuando por el café de madame Berger, severo y desdeñoso como una divinidad momentáneamente extraviada en medio de una cáfila de arribistas, plebeyos y ruines mortales, Emigrado por antonomasia que había llevado consigo y para siempre el sésamo y llave de la Verdad, abandonando a su miserable suerte a los millones y millones de españoles que, con lamentable obstinación, vivían, crecían y se multiplicaban sobre el árido, espacioso y estéril solar mil veces maldito de la patria.

Tales estratos armónicamente superpuestos tenían no obstante, pese a las naturales rencillas derivadas de su distinta posición en el escalafón histórico y su riquísima variedad de opiniones políticas, un único e inagotable tema de conversación común, España, cuyas enfermedades y eventuales remedios creían conocer los contertulios en proporción directa al número de años de su exilio.

La primera vez que ponían los pies en el café de madame Berger, los elementos de la capa superior y más reciente se creían obligados a explicar a los otros lo sucedido en el país hasta el instante preciso de su partida antes de caer en la cuenta de que su relato no solamente no interesaba a nadie sino que constituía además una gravísima falta de tacto, excusable, es verdad, en un exilado bisoño, ignorante todavía de los sutiles reglamentos y leyes que regían el riguroso escalafón de antigüedad. Poco a poco, a medida que su entusiasmo se enfriaba, aprendían a callar y poner expresión atenta y responder brevemente a las preguntas de los viejos, con la modestia natural de discípulos casi iletrados ante la sabiduría y conocimientos de un profesor ilustre, aguardando el instante —semanas, meses o años más tarde— de enarcar a su vez las cejas o hurgar en las encías con un palillo o desplegar ostentosamente el periódico en medio del atropellado y febril discurso del expatriado más joven, prueba incontestable de su veteranía y bien ganada inserción en el nuevo orden, emigrados, al fin, de mirada desdeñosa y cascada voz, en plena y solemne posesión de la verdad histórica y de la solución racional de todos los males de España para el día ya cercano en que las cosas cambiaran y pudiesen regresar triunfalmente al país con los tesoros de experiencia acumulados durante su largo y provechoso exilio.

La favorable evolución de sus sentimientos y opiniones con respecto a España hallaba por otra parte su exacta correspondencia en la progresiva y despiadada crítica de Francia y de los franceses, como si el creciente olvido de los defectos de una patria lejana e idealizada se compensase con el descubrimiento de nuevos e insospechados vicios en el universo real y tangible en el que vivían, admiración y desprecio perfectamente paralelos y simétricos, en fecunda y estrecha relación con el status personal del individuo y el número de años de su estancia. Los recién llegados de la primera capa venían deslumbrados por el mito enteramente fabricado de París y el llamativo barniz de la anémica cultura francesa, ávidos de amores, experiencias y lecturas y, como el propio Álvaro en la época de su encuentro con Dolores, dividían sus horas libres entre las retrospectivas de la Cinémathèque, las representaciones para estudiantes del T.N.P. y las conferencias sobre arte y literatura de la Sorbonne, enamorándose de todas las muchachas rubias del Quartier Latin y de la Cité Universitaire, felices de vivir en un lugar en donde el amor era cosa posible, pasmados de la profunda libertad e independencia de la mujer francesa (o alemana o escandinava), esforzándose en articular de modo correcto un idioma cuyos clásicos devoraban en serie en su deseo de colmar rápidamente las lagunas de una cerril formación ultracatólica, hasta el día fatal en que descubrieran a costa de sí mismos el viril orgullo racial del hombre español, aterrados de pronto por la escandalosa infidelidad de la mujer francesa (o alemana o escandinava) que olvidaba de la noche a la mañana las encendidas promesas de amor y los juramentos eternos para caer —cosa inconcebible —en brazos de un estudiante italiano con pinta de marica o de un sólido y negrísimo becado oriundo del Togo o el Camerún, dejándolos sumidos en un abismo de celos, amor propio herido y despechada amargura y abriéndoles bruscamente los ojos acerca de la verdadera índole de la mujer francesa (o alemana o escandinava), tan distinta de la seriedad y fortaleza característica de la hembra hispana, descubrimiento que arrastraba consigo la demistificación de los restantes valores y ponía a la sociedad francesa en bloque en el banquillo de los acusados.

A partir de entonces los cándidos y afrancesados elementos del primer estrato geológico empezaban a hablar con desprecio de la venalidad, grosería y espíritu pequeño-burgués de los franceses, abandonaban el acento penosamente adquirido para pronunciar las erres a la española y cultivaban amorosamente una apariencia carpetovetónica hecha a base de largas patillas, bigote caído y un nosequé lánguido en la mirada que permitía identificarles a simple vista en medio de la masa despersonalizada, anónima y gris en que vivían. En lugar de perder su precioso tiempo en la Cinémathèque, el T.N.P. o la Sorbonne preferían reunir-se, entre españoles, en el vetusto local de madame Berger y evocar allí, ante una taza de infecto café francés, los acontecimientos históricos que provocaron su expatriación o escuchar los relatos de los emigrados de la segunda o tercera sedimentación sobre la ruptura del frente del Ebro, la toma de Belchite o la derrota de los italianos en Guadalajara, comparando, en sustanciosa y flúida charla, el aburguesamiento del obrero francés preocupado tan sólo por su Citroen y sus próximas vacaciones de verano con la nobleza y dignidad intactas del sufrido trabajador español o la opulencia monótona del fértil campo normando con la escueta perspectiva —cauces secos, chopos, rastrojales— del silencioso y ascético paisaje de Castilla. Ninguno citaba ya con juvenil euforia los nombres de Baudelaire y Rimbaud o hablaba de la mujer francesa (o alemana o escandinava) sino para denigrarla y exhibir ante los demás contertulios un pintoresco muestrario de donjuanescas aventuras que probaran de modo categórico la bien ganada reputación de hombría del macho hipánico, casados por fin con una honesta y sana emigrada española madre de sus futuros hijos, explicando complacientemente a los exilados más jóvenes la vergonzosa desbandada colectiva de junio del 40 y el papel determinante de los españoles en el maquis, primer paso obligado en el camino que debería llevarles, más tarde, a develar a los ingenuos los orígenes claramente teutónicos de la moderna filosofía francesa o la influencia decisiva de la música de Wagner sobre la obra de Claude Debussy, apostrofar la mala embocadura y baja graduación de unos vinos encabezados merced a la masiva importación de Prioratos y Riojas y el pésimo sabor y desagradable artificiosidad de la tan injustamente traída y celebrada cocina y, tras evocar nostálgicamente el queso de Roncales, el lacón con grelos y el chorizo de Cantimpalo, decretar, con unanimidad insólita entre españoles, que agua pura y fresca y restauradora como la de Guadarrama no había, pero que no señores, ninguna otra en el mundo.

El agua le escurría por todo el cuerpo. Sentía un aguzón intermitente en el costado y las sienes le punzaban.

Cuando abrió los ojos los dos hombres permanecían sentados junto al archivo, absortos en la lectura del periódico. El del bigote había colgado la americana en el respaldo de la silla y, de vez en cuando, sacudía la ceniza de su cigarro contra el canto de la mesa. El alto alisaba mecánicamente las arrugas de su pantalón. El piso estaba cubierto de colillas y el aire apestaba a humo.

—¿Quieres remojarla? —dijo el alto al cabo de unos instantes—. Es un jerez de primera. Rodríguez lo trajo ayer del Economato.

El del bigote dobló el periódico por en medio y lo arrimó a la lamparita. Conforme leía sus labios reproducían sensiblemente el hilo de la frase.

—Bueno, ponme un dedo tan solo.

El alto escanció los dos vasos y alegró y aspiró el suyo antes de beberlo.

—Huele que alimenta.

—¿Has visto? —El del bigote paró de leer y se llevó el chato a los labios.

—¿Qué cosa?

—Luis Miguel cortó las dos orejas.

—¿Dónde?

—En Alicante.

—A mí me gustaría verlo en Madrid o en la Maestranza —el alto agitaba de nuevo el contenido del vaso a un centímetro escaso de su nariz—. Con los cuernos bien afeitados y un público de extranjeros cualquier maleta se luce.

—Anda, escucha: "En su segundo toro Luis Miguel realizó una faena de castigo propia de un artista cuajado y seguro ...

—Lo debe de tener comprado al tío ese.

—...``Dio cuatro o cinco pases de pecho de primerísima calidad y consiguió unas tandas de derechazos fenomenales...

—A esos críticos taurinos les das veinte duros y se cagan en su mismísima madre.

—...``Luego entró a matar derecho como un león, dejando en alto, igual que una bandera, sus condiciones inigualables de maestro...

—Yo te digo que un torero de clase, como Ordóñez, lo demuestra en la Maestranza o en las Ventas.

—Escucha aún: "El público, puesto en pie, con la garganta ronca de tanto gritar y las manos doloridas de aplaudir, consagró el arte maravilloso de nuestro torero número uno. El perfume de sus verónicas permanecerá adherido para siempre a la arena de la plaza.''

—Eso no prueba nada —dijo el alto—, sino que el tío lo ha untado bien. Cuando lo vi en Sevilla escuchó una bronca de cojones y, al día siguiente, los diarios echaban la culpa a los bichos.

El del bigote arrojó el periódico al suelo e hizo una espiral con el humo de su cigarro.

—Excelente el jerez ese... ¿Dices que viene del Economato?

—Rodríguez lo compró ayer y, si nos descuidamos, se lo sopla él solo. —El alto paladeaba con deleite el contenido de su vaso—: Pues sí, tu Luis Miguel es bueno para hacer cine. Los toreros de raza son otra cosa.

—¿Cuántas veces lo has visto?

—Una nada más. Pero te aseguro que me bastó.

—Para juzgar a un artista de clase tienes que pillarle en una buena faena.

—Al torero de verdad se le ve en cuanto pinta en la plaza. Luis Miguel no lo es ni lo será nunca.

—Yo vi a Ordóñez durante las fiestas de la Merced y tampoco me convenció.

—El torero auténtico sale de la nada y se encumbra por sus propios méritos —el alto elevó el tono de voz—: Fíjate, Manolete. Empezó como quien dice con el culo al aire y al morir ganaba millones.

—Espera el próximo mano a mano y verás quién tiene razón.

El del bigote había dejado caer al suelo el cabo de su cigarro e, inopinadamente, cambió la orientación de la silla.

—Eh, tú, majo —se dirigía a él—: ¿Te gustan los toros?

—¿Yo?

—Sí, tú... ¿Quién va a ser si no?

—No sé —Enrique articulaba con dificultad. A medida que volvía en sí el dolor del costado se hacía más y más agudo.

—Vamos, majo. No me digas que no has puesto los pies en una plaza... ¿Tu familia no te ha llevado nunca a la Monumental?

—No.

—Vaya, ¿a dónde coño debe ir la gente a divertirse? —el hombre lo examinaba con atención—: En el cine habrás visto a Ordóñez y Luis Miguel, me figuro... En una película o en las actualidades...

—Sí, en el cine sí.

—Ah, en el cine... Ya sabía yo que tú te callabas algo... En el Nodo has visto varias corridas, ¿no es cierto?

—Sí.

—Bueno, pues a lo que íbamos. A ti quién te gusta más, ¿Ordóñez o Luis Miguel?

—No lo sé... En realidad...

—Anda, no seas modesto. Tú pagabas tu entrada en el cine, ¿sí o no?

—Sí.

—Te sentabas bien cómodo en tu butaca y mirabas el Nodo, ¿no es eso?

—Sí.

—¿Ves qué fácil? No tienes por qué avergonzarte. Una

corrida de toros no es ningún delito. A mi compañero y a mí nos gustan mucho, ¿verdad que sí?

—Con delirio —dijo el alto.

—Los dos somos aficionados y nos interesa tu opinión —los ojos oscuros del hombre le observaban con fijeza—. Él es un hincha de Ordóñez y yo lo soy de Luis Miguel. Hace años que discutimos y nunca nos ponemos de acuerdo.

El alto se incorporó y se desperezó ruidosamente. A la luz de la lamparilla su sombra se recortaba en el muro, gigantesca.

—Sí —dijo—. ¿Cuál prefieres de los dos?

—No lo sé —dijo Enrique—. No lo recuerdo.

—No nos digas que no te acuerdas porque no es verdad —el del bigote hablaba con vez persuasiva—: Tú estabas sentadito en tu butaca y los has visto, has podido comparar sus estilos... Hala, majo, haz un pequeño esfuerzo.

—No sé.

—Sí que sabes. Lo que ocurre es que eres un muchacho tímido y te da apuro hablar... Anda, sé buen chico. Recapacita un poco.

—Ordóñez o Luis Miguel —dijo el alto.

—No te pongas farruco, majo. Basta que elijas el que te guste.

—Ordóñez o Luis Miguel—. El alto había avanzado unos pasos y las punteras de sus botas le rozaban las costillas.

—Vamos, reflexiona —el del bigote se había acuclillado junto a él, con solicitud—: Dímelo bajito, al oído.

Hubo una breve pausa. De pronto le pareció que se hundía en un pozo y sus ojos se llenaron de chiribitas.

—Ordóñez —jadeó.

—Ah, ¿lo ves? —el del bigote le dio una palmada cariñosa en el hombro—: Ya sabía yo que nos engañabas —se volvió hacia el alto y apuntó a Enrique con el dedo—: Eh, tú. Dice que le gusta Ordóñez.

—¿De veras? —dijo el alto.

—Sí —balbució.

—Bueno, majo. Pues te lo vamos a presentar.

Las piernas se alejaron otra vez en dirección a la puerta del pasillo y Enrique percibió el ruido de la llave al girar en el ojo de la cerradura. El alto se había eclipsado de la habitación y regresó al cabo de unos momentos con nuevos visitantes. Haciendo un esfuerzo Enrique ladeó la cabeza. Las esposas se le habían incrustado en las muñecas y sus manos sangraban, hinchadas y lívidas.

El alto aguardaba inmóvil frente a él en compañía de dos individuos corpulentos, vestidos con trajes de gimnasia. El de la izquierda llevaba una toalla mojada en el antebrazo, como la servilleta de un camarero.

—¿No dijiste que lo admirabas? —preguntó el del bigote apuntando hacia él con el índice—. Aquí lo tienes en persona y ahora mismo va a hacerse cargo de ti... Entre los amigos lo llamamos Ordóñez... Ese otro que ves a su lado, ese otro que no te gusta... A ése lo llamamos Luis Miguel.

Idea primera y casi obligada de los españoles recién desembarcados en el café de madame Berger, con la cabeza llena de ilusiones y proyectos y el polvo de la Península pegado aún a la suela de sus zapatos, era la creación de una Agrupación Nacional de Intelectuales en el Exilio, objetivo ambicioso y lejano cuya primera etapa debía consistir en la publicación y difusión de una revista de confrontación y diálogo, abierta a las corrientes políticas, intelectuales y artísticas del mundo moderno. Desde su llegada a París, Álvaro había asistido a una docena y pico de sesiones previas, discutido durante veladas interminables el título, formato, consejo de redacción, presupuesto y colaboraciones, roto viejas amistades, intervenido en brutales exclusiones, redactado borradores y presentaciones que se habían acumulado poco a poco en los cajones de su escritorio traspapelados entre los rimeros de cartas familiares, recortes de periódicos e inútiles guiones de jamás realizadas películas. Pintores cuyo único timbre de gloria estribaba en ser primos de Tapies, profesores vetustos a sueldo de pluma académica y nula, músicos que proclamaban su heroica decisión de no escribir una sola nota hasta la caída del Régimen, toda una extraña fauna de crustáceos amparados en sus dogmas como guerreros medievales en articulada y brillante armadura, se reunían en el café de madame Berger para discutir, criticar, desmenuzar, debatir, pronunciar anatemas feroces y redactar cartas de injuria, aquejados de una megalomanía incurable y una violenta indigestión de lecturas que se traducían, de ordinario, en el empleo de fórmulas marxistas desvalorizadas por sus múltiples y contradictorios usos o de frases invariablemente comenzadas por la primera persona del singular.

Todo candidato a director futuro del futuro parlamento de la futura España desplegaba en estas ocasiones una dilatada elocuencia, remachando las palabras como si fueran clavos —"acciones", "luchas", "masas", "desarrollo", "oligarquía", "monopolios", "recrudecimiento", "avance"— y, arrastrado por su propia oratoria —aprendida de otros como el Padrenuestro y repetida con saña por él—, enunciaba dogmas sonoros y rotundos, frases solemnes y teatrales que milagrosamente crecían como flores japonesas, se enroscaban de pronto lo mismo que boas, trepaban luego igual que bejucos y, a punto de morir ya por consunción, se escurrían aún como flexibles y ágiles enredaderas, como si nunca, pensaba Álvaro, pero que nunca, pudieran tener un final.

—La cosa está que arde, muchachos —anunciaba regularmente el último Mesías llegado de Madrid—. El ambiente de la calle es magnífico.

El sumario del primer número de la muerta y resucitada revista solía incluir un agorero análisis de la catastrófica situación española, algún ensayo amazacotado (con referencias a Engels) en defensa del realismo, una mesa redonda (y plúmbea) acerca del compromiso de los escritores, una antología de poemas broncos, de firma más o

menos conocida que (por pura negligencia) Álvaro había
conservado en su carpeta.

Mira la puerta rota
de la casa,
mira la negra hondura
de la patria.

De hermano a hermano te hablo
de mis desgracias,
de la mísera madre,
terrible España.

Ay, Miguel si tú vieras
la luz pisada,
y la encina partida,
hecha una lástima.

Ando desnudo. Llega
la madrugada.
Miguel, tu ausencia duele,
pesa en el alma.

Mis pisadas resuenan
en la ancha plaza.
Se oye un tren. Alguien grita
desde la charca.

Cuando vuelva Santiago
cerrando España,
tu muerte y mis anhelos
hallarán Patria.

Aquellos proyectos —examinados con la perspectiva de
los años— solían tener una vida intensa pero efímera.
Quien había dado a conocer la idea de la revista y su
equipo de futuros colaboradores trabajaban de modo fe-

bril por espacio de noches enteras, empleando sus horas libres en inútiles visitas a imprentas y estériles peticiones de ayuda hasta el instante inevitable en que, misteriosamente, las cosas se empantanaban, los encuentros se espaciaban sin que nadie súpiera a ciencia cierta por qué y el aburrimiento, la indolencia y la fatiga entraban en juego motivando que, uno tras otro, olvidasen compromisos y citas, interrumpiesen la correspondencia, aplazasen indefinidamente las decisivas e importantes reuniones. Sucedía entonces un periodo intermedio en que de manera implícita los ex futuros redactores evitaban encontrarse en la medida de lo posible, algo avergonzados de su propia desidia y temiendo que los reproches de los otros les obligaran a justificarse, pasado el cual, y habiendo corrido ya mucha agua bajo los puentes, volvían a saludarse de nuevo con desenvoltura, sin hablar para nada de la revista ni manifestar ninguna sorpresa ante el hecho de que los demás no evocasen el tema tampoco —como si el proyecto no hubiese existido en realidad— felices de avistarse y discutir sobre lo divino y humano, secretamente cómplices de una frustrada e inconfesable aventura.

De este modo —y en un lapso de tiempo relativamente breve— Álvaro había formado parte, en calidad de crítico cinematográfico, del consejo de redacción de las revistas tituladas *Cuadernos de Cultura, Hojas libres, Futuro de España, Cuadernos españoles, La piel de toro,* y otras de nombre ya olvidado, y cuya característica esencial consistía en no haber sido publicadas nunca —pese al derroche inicial de energías y talentos— por obra de esos imponderables llamados pereza, desánimo, escepticismo y abulia que secretaba el húmedo y malsano invierno parisiense —cantil contra el que quebraban y morían las sucesivas oleadas de juvenil entusiasmo ibero. Lentamente, conforme se rompían las raíces que lo ligaban a la infancia y a la tierra, Álvaro había sentido formarse sobre su piel un duro caparazón de escamas: la conciencia de la inutilidad del exilio y, de modo simultáneo, la imposibilidad del retorno. Las

cuatro paredes del café de madame Berger lo habían
acogido, como a tantos otros proscritos, para digerirlo y
hacer de él un elemento más del primer estrato geológico
que hablaba con nostalgia de España, pronunciaba pésimamente el francés y discutía por enésima vez con sus
amigos de la histórica necesidad de una revista. Al cabo
de los años, impermeabilizado ya como los miembros de
la segunda o tercera capas, había aprendido a juzgar con
irónico despego las tentativas de los emigrados más jóvenes
y un día —cuyo recuerdo, en la terraza, se mantenía dolorosamente fresco en la memoria— en que un grupo de recién llegados elaboraba concienzudamente un nuevo proyecto fue a buscar a su estudio la carpeta que contenía los
sumarios anteriores y se la entregó con una sonrisa.

Aquella noche, mientras aguardaba a Dolores en el vestíbulo de l'École des Beaux Arts, Álvaro intuyó, con claridad
meridiana, que había perdido para siempre su juventud.

*Nos habíamos juntado tres: Tonet, un Cordobés bajito que
se apuntaba muy bien por soleares y el que se dirige a usté,
Francisco Olmos Carrasco, siempre a su servicio. En el
puerto, señor juez, todos andamos claros, cada cual va con
su cada cual, sin cáscara ni idea, y antiernoche, digo, el
lunes, Tonet, el Cordobés y un servidor nos dimos una jartá
de comer con Manolo, un patrono de Tarragona que se
arrea él solo una docena de barcas y que tiene un vino
de su país fuerte como la sangre de un Miura; en la
casa de Manolo, digo, cuando a uno le cumple beber bebe
y denguno se va con el estómago vacío, por eso el individuo Gómez Molina, que no tiene color en la cara, se arrima
a pegar la gorra a la que hay fiesta y allí está a la que
pinte, con tal de beber gratis, metiendo cizaña entre los
hombres y quitando crédito a las muchachas, pues a la
que uno le da carrete no le entra la lengua en el paladar,
señor juez, se lo juro a usté por ésta y, como le decía,
antiernoche, digo, lunes, Tonet, el Cordobés y un servidor*

paseábamos por ande vive Manolo, cuando meramente Manolo volvía hacia su casa, y allí nos tiene usté a los cuatro, comiendo y bebiendo vino, y el Cordobés que se destapa con unas serranas, y yo que me bailo un tanguillo, en buena armonía todos como corresponde entre gente de la mar, cuando se aparece el individuo Gómez Molina, con esa cara suya renegrida que daría un susto al miedo, y ya la tiene usté armada en seguida, señor juez, por culpa del mala sombra ése, que hacía allí más falta que los perros en misa, que es denguna, y que se pone a gastar bromas a la parienta de Manolo y a contar historias de tono subido, acostumbrado como está con su mujer, que la trae a la pobrecilla a mal traer, y como Manolo es un buenazo y se las calla yo que me hago mala sangre por él y no quiero que le falten el respeto cuando está en sociedá con su señora, un servidor, digo, me planto y le suelto al feligrés ese, alto el carro, moreno, que hay ropa tendida, y él, aunque se queda con la copla, me pone mala cara y me dice, tú espérame afuera que luego echaremos un párrafo, pero Tonet y Manolo nos separan y seguimos alternando como que allí no ha pasado na, hasta que Manolo se va a la cama con su señora, y Tonet, el Cordobés y un servidor salimos a la calle siempre con el individuo en cuestión, digo, el llamado Gómez Molina, y el sujeto se empeña en invitarnos a beber y, como le decimos que no, se hace el sordo e insiste en pagarnos una ronda en un bar del Barrio Chino y, pese a que yo sé que el hombre ese se trae mal vino y no quiero cuentas con serranos, el individuo se empecina y le dice a Tonet, los catalanes sois ustedes elementos sin respeto, ni collons, ni na, y a fin de evitar disgustos porque la cosa se pone fea, el Cordobés atura un taxi, y ya nos tiene usté a los tres liados con el individuo Gómez Molina, que es la segunda persona después de nadie, camino del distrito quinto, y lo fuéramos pasado bien entre hombres, alegres como estábamos con ese vino de Tarragona, que es un tiro, señor juez, sino fuéramos ido a recalar a un bar lleno de chorizos, amigos todos, al parecer, del tal Gómez Molina, gentes de esas que huyen de la fuerza pública como si anduvieran pregonados, y allí, al comienzo mismo de la Puerta de Santa Madrona, nos bebemos unas copas en paz y tranquilidad, cuando el individuo, digo, el Gómez Molina, le da al sujeto por cantar, y la camarera que hace la vida y no tiene pelos en la lengua, le enseña un cartel que dice prohibido el canto y el baile, pero el sujeto arranca otra vez por tarantas y la mujer lo insulta y el Gómez Molina les mienta la madre a los catalanes, y el dueño que debe serlo, nos dice, ara mateix us en aneu tots fora fills de puta, dice, que sou uns xarnegos fills de puta, digo, con perdón del señor juez; bueno la cosa se puso a lo de súbete en el poyo, y, para evitar líos, me voy con el Tonet a la calle cuando, cátese usté, el Gómez Molina viene detrás de nosotros y vuelve con lo de los catalanes, el respeto y los collons, no sé si me explico, y yo que me le miro me le digo, tú achanta el mirlo o de la convidá que te arreo no te reconoce ni tu padre, y estamos en esas, cuando el individuo se abre en abanico esgrimiendo un corte asín de largo, y un servidor, que me había agenciado por si acaso una botella de cerveza la descuello de un golpe para defenderme y, sin que fuera habido tiempo de tocarle un pelo al individuo en cuestión, se lo juro a usté por lo más sagrado, oigo al sereno con el pito y dos grises se vienen hacia mí como flechados y me dan con sus porras una de esas somantas que por poco me matan, señor juez, aunque yo, con el respeto que corresponde a una Autoridá, les digo no, yo no, yo soy inocente, es el Gómez Molina, el mal parido, que se cagaba en la madre de los catalanes... Y cuando me despierto no veo al individuo Gómez Molina, ni al Cordobés que se apunta por soleares, ni al Tonet, y sí a tres desgraciados como yo, encerrados también en el cuchitril, qué, te duele, caray digo, pues espera unas horas que esto es sólo el empezar, a mí me dieron una candela el año pasado que estuve ocho días sin moverme, soy inocente digo, la culpa es de un cabrón que les mentaba la madre a los catalanes, pero ninguno me escuchaba y, como los tres callan, tú por qué estás aquí pregunto a uno y el sujeto me dice me pescaron con un paquete de grifa en la calle San Rafael, y tú, yo me dice un rubio, por acompañar francesas iba con dos guayabitos y un tío de la secreta me pilló sin papeles y me trajo pacá, el tercero que, si no es apio, pinta en albero, no me contesta y, como repito la pregunta, dice yo no he hecho nada, debe de ser una confusión, el confundido eres tú, dice el de la grifa, que te tengo a ti más visto en las colas de los cines que el coño de tu madre, y mientras yo maldigo mi suerte, alguien descorre el cerrojo y aparece un elemento todavía más jodido que yo, me cago en Déu y la seva Mare dice, sí, me cago en Déu, la mare que els va a parir, pero que m'han fotut, cony, que m'han fotut, te han puesto los cojones por corbata esto es lo que te han hecho, yo estaba dormido en una silla de las Ramblas, no hacía nada y los hijos de puta me dieron con las porras, eso te enseñará a sornar en la piltra como todo hijo de vecino dice el de la grifa, no ves que los tipos que duermen en la calle causan mala impresión al turismo, que ahora somos ya europeos, payés de mierda, y que el día menos pensado hasta nos meten en el Mercado Común, en el Coño Común es donde te metería a ti, dice el herido, y la puerta se abre de nuevo y entra un calé borracho como una cuba con el traje manchado de vomitonas, quiero hablar con el señor comisario, dice el jovencito, me dijo que fuera a verle al cabo de un rato, dígale que es algo muy importante, no te preocupes cielo dice el de la grifa, tú descansa tranquilo y arréglate bien el pelo y ponte colcrén en la cara porque te van a fotografiar de frente y de perfil para el Nodo si no te tienen fichado ya de otras veces mariconazo, y como el jovencillo llora el de la grifa se le arrima en silencio por detrás y hace un movimiento de avance y retroceso, acompañándose con los codos como si se lo calzara, déjeme en paz dice el jovencito, quiero ver al señor comisario, cuánto tiempo nos van a tener aquí dice el de las francesas, na-

*die responde y el jovencito golpea la puerta con los puños
y el de la grifa dice que a las nueve nos recogen con el
camión y nos llevan a la jefatura, por qué a jefatura, para
la ficha dice el de la grifa, primero sacan las fotos y luego
te hacen tocar el piano ... Cuando vuelvo a despertar son
las nueve pasadas y me duele todo el cuerpo y el guarda
descorre el cerrojo y bajamos a la calle esposados de dos
en dos, el camión está lleno de gente y, al entrar nosotros,
los de adentro protestan y nos mientan la madre y un
elemento con la cara pintada y una florecita en el ojal
apunta con el dedo hacia el jovencito, anda dice, mira
quien está aquí, pero si es la Fabiola y, apenas arranca
el camión, todos nos balanceamos chocando unos con otros
apretados como estamos como sardinas y las esposas se me
clavan en las muñecas y, a cada rato, entra todavía más
personal y el aire nos falta, cabrones no empujad dice el
de la grifa, y en jefatura nos alinean de a tres en fondo
y nos quitan los bolígrafos, los cordones de los zapatos, los
relojes, los cinturones y las carteras, el señor comisario,
dónde está el señor comisario dice el jovencito y, al bajar
a los sótanos topamos con un chaval que camina casi arras-
trándose, sostenido por una pareja de grises, madre mía
cómo me lo han puesto, será un chorizo, nos dice el de la
grifa, éste es estudiante, antier pescaron a unos frente al
bar Canaletas, y el guardia nos empuja dentro del cala-
bozo y me agarro a los barrotes, soy inocente digo, la
culpa es del individuo Gómez Molina que estaba borracho
y se cagaba en la madre de los catalanes...*

En una de sus primeras visitas al café de madame Berger,
Álvaro fue invitado a un mitin patrocinado por los viejos
partidos republicanos, cuyo objetivo, según pudo leer en un
folleto modestamente impreso en ciclostil, consistía en la
"elaboración de una política de concordia y acción común
que termine de inmediato y para siempre con las funestas
divisiones intestinas creadas por el exilio". La convocato-

ria llevaba el aval de una veintena de personalidades de nombre remotamente familiar que representaban, a su vez, agrupaciones tales como Izquierda Republicana, Partido Republicano Federal, Unión Republicana, Esquerra Catalana, Partido Republicano Gallego e incluso una Alianza Democrática Valenciana Sección Exterior (dato éste que permitía suponer la existencia insospechada de complejas, sutiles y misteriosas ramificaciones de dicha organización en el interior de aquella provincia).

Por espacio de varias horas Álvaro había errado de un lado a otro del Quartier Latín en compañía de una onírica y nebulosa criatura holandesa apasionada de alcohol normando, arte negro y ciencias ocultas que conoció de forma casual en la cola del Foyer de Sainte-Geneviève y que, entre trago y trago de p'tit calva y con un idioma a más y mejor incomprensible, lo había arrastrado, por turno, a la Cinémathèque de la rue d'Ulm (justo en el momento en que cerraban la taquilla), a una Conferencia del Club de 4 Vents sobre el tema "La cybernétique et l'homme moderne" (durante la cual la muchacha descabezó un venturoso sueño y, luego aplaudió intempestivamente al despertarse, interrumpiendo al orador en medio de su discurso) y a una reunión organizada por la UNEF para protestar contra la insuficiente comida de los restaurantes estudiantiles (manifestación disuelta por la Préfecture de Police con golpes, pedradas y bastonazos, que tuvo la virtud de sacudirla de su torpor) antes de depositarlo en un curioso salón literario lleno de pálidos jovencitos con ojos de gacela y eclipsarse, por fin, de modo brusco y definitivo, dejándolo enfrentado a una temible dama de una sesentena de años, de cejas postizas y pelo teñido de rubio que, tras un forzado intercambio de sonrisas y habiendo tanteado en vano el tema "Et vous écrivez aussi, sans doute", había acogido la expresión de su nacionalidad con un arrobado y sorprendente "Ah, c'est bien d'être Espagnol" que lo había hundido, de golpe y sin remedio, en un desolador abismo de angustia, confusión y perplejidad.

Lo restante —la obligada visita al café de madame Berger y la consiguiente asistencia al mitin de los partidos republicanos— había sido consecuencia lógica de una tarde inaugurada con tan desdichados auspicios. Sin saber bien cómo —con el cuerpo todavía recalentado por efecto de los p'tits calva— Álvaro se recobró en la puerta de un local perteneciente a la Académie des Sciences de París, en cuyo vestíbulo tronaba el busto polvoriento de un caballero con casaca y peluca con la inscripción: *George Louis Leclerc de Buffon, Monthard 1707 — Paris 1788*. Otros españoles, enfundados en abrigos e impermeables un tanto raídos, parecían aguardar la llegada de refuerzos sin decidirse a entrar aún en la inhóspita y fría sala de conferencias, adornada, para la ocasión, con la bandera roja, amarilla y morada de la República del 31.

Álvaro se acomodó en uno de los huecos de las primeras filas y paseó su mirada en torno. Los asistentes —un centenar, acaso más— habían pasado el límite de la edad madura y Álvaro situó su media vital en los confines de la sesentena. Conocía de vista a algunos por haber topado con ellos en el café de madame Berger: el viejo coronel Carrasco, que llevaba cuenta minuciosa de su sueldo desde abril del 39, adaptado al progresivo aumento del costo de vida fruto de la devaluación de la peseta y a su ascenso a general de brigada correspondiente a la promoción normal de su escalafón, para el día en que se restableciera al fin la legalidad republicana; un ex ministro de Marina Mercante del Gobierno en exilio a quien las malas lenguas del café atribuían la posesión de una soberbia flotilla de barcos de juguete que botaba solemnemente en el baño; dos anarquistas aragoneses amigos de infancia de Durruti. Al reconocerle, le saludaron con una inclinación de cabeza. El origen social y profesión de los demás resultaban difíciles estatuir. Los dos caballeros de la primera fila vestían con la atildada pulcritud de dos representantes de comercio. Junto a Álvaro, un anciano se enjugaba el moquillo con un trapo color rojo. Había, asimismo, una docena de mujeres y un joven arrebozado en un chaquetón de pana.

En el momento de encenderse las luces de la tribuna alguien arrojó desde atrás un paquete de octavillas que llovieron sobre la exigua asistencia mientras, aprovechando la confusión, el culpable se escabullía hacia la salida. Álvaro había atrapado una al vuelo y leyó: NO A LA MANIOBRA DIVISORIA. Simultáneamente hubo un rumor de pasos precipitados y varios de los presentes se incorporaron y corrieron en busca del fugitivo en tanto que un individuo de voz poderosa trepaba al estrado con una agilidad impropia de sus años y exhortaba al público a conservar la sangre fría: "Señoras y señores, compañeros, les rogamos encarecidamente que disculpen esta lamentable incursión que, por desgracia, no es obra de un individuo aislado sino de un grupo de politiqueros amenazados en su cómoda postura de atentismo e inacción por nuestra iniciativa de restaurar el primitivo espíritu de concordia y amistad entre las fuerzas más genuinas del exilio." Sonaron algunos aplausos —muy fuertes, como para compensar su corto número— y el vecino de Álvaro se puso de pie sobre la butaca y repitió varias veces: "Es una provocación inadmisible." El coronel Carrasco peroraba animadamente en medio de un corro de señoras y amenazaba al autor de la fechoría con el puño de su bastón. El ex ministro y los anarquistas aragoneses se habían unido al núcleo de perseguidores y regresaron al cabo de unos instantes muy agitados, gesticulando y hablando a gritos. "Calma, señores, calma", insistió el hombre del estrado. "El acto vandálico que acaban de presenciar no debe perturbar la serenidad de nuestros espíritus ni incitarnos a responder a la violencia con la violencia. La razón de nuestra presencia en esta sala radica en nuestro deseo de romper el círculo vicioso de odios y rencillas que paralizan las fuerzas políticas del exilio a fin de ofrecer al heroico pueblo español lo que, desde hace veinte años, espera de nosotros, esto es, una plataforma unitaria que excluya a los elementos divisionistas que se sirven de la sangre y los sufrimientos de las masas para..."

Los aplausos ruidosos del público le impidieron continuar. En el estrado había aparecido un hombrecillo menudo, calvo, con gafas, escoltado por otros dos ancianos vestidos de oscuro como él y, al tiempo que los últimos rezagados del vestíbulo se colaban furtivamente en la sala, el hombre de la voz poderosa se volvió, sonriente, hacia el trío y anunció: "Tenemos con nosotros a uno de los grandes artífices de la Constitución de 1931, paladín esforzado de la invencible causa republicana, el insigne polemista mundialmente conocido Doctor Carnero." Los aplausos resonaron con mayor brío y el Doctor Carnero saludó a derecha e izquierda antes de instalarse frente al pupitre y sacar un fajo de papeles del bolsillo superior de su americana. El hombre de la voz poderosa esperó a que se restableciera el silencio y procedió a la presentación del orador. Comenzó diciendo que el orador no necesitaba presentación alguna puesto que se trataba de un personaje querido y admirado por todos a causa de la nobleza de su espíritu y la cegadora claridad de sus ideas. El Doctor Carnero, nacido en el seno de una humildísima familia orensana, había conocido desde su infancia los sufrimientos e injusticias impuestos a las distintas nacionalidades españolas por el poder feudal de una monarquía oscurantista y retrógrada. El Doctor Carnero trabajó la tierra de los ocho a los quince años para aliviar la dramática situación de sus padres y había aprendido a leer y escribir gracias a la solicitud y apoyo de Eliseo Sánchez, maestro rural adscrito a las ideas libertarias que, cuando el joven Rafael no había cumplido aún los doce años, puso en sus manos un libro del inolvidable Bakunín cuya lectura significó una verdadera revelación para el muchacho, episodio magistralmente narrado por el propio Doctor Carnero en su libro de recuerdos *La forja de un luchador,* impreso en México y divulgado en multitud de países. A partir de esta fecha el Doctor Carnero había penetrado con gran tenacidad en la obra de los autores y publicistas revolucionarios más importantes, pertrechándose intelectualmente para el combate que en lo futuro debía encauzar su vida. A los dieciocho años, recién llegado a Madrid, sin otro bagaje que sus callosas manos de obrero y su generoso corazón de patriota, conoce por primera vez las lóbregas mazmorras borbónicas. El Doctor Carnero sueña en una España libre de cadenas y, a las amenazas groseras de los esbirros de Maura, opone su entereza de luchador viril e íntegro, en una luminosa escena reproducida en su primer volumen de Memorias, que todos los presentes recuerdan sin duda. A los veintitrés años, el Doctor Carnero publica en el periódico *La Batalla* un violento artículo en el que denuncia implacablemente los crímenes perpetrados por la Iglesia contra la causa del pueblo español y, desde entonces, su biografía privada y su fértil actividad de publicista se confunden en una sola existencia consagrada al triunfo de los ideales republicanos y libertarios. Todo lo restante, su lucha contra las Juntas de Defensa y la Dictadura de Primo de Rivera, su destacado papel en la República del 31, su combate incansable frente al alzamiento pretoriano del 36, primero en las trincheras y luego en el exilio, son ya del dominio público pues la gloria del Doctor Carnero ignora los límites y las fronteras y el autor lo ha descrito, para guía y ejemplo de las nuevas generaciones, en su obra ensalzada por la crítica más exigente de todo el mundo, *La noche oscura de España*. Por eso la presencia del Doctor Carnero en la sala constituye en sí misma todo un símbolo. Un símbolo de la España ardiente y fraterna que será sin duda la España de mañana el día en que las fuerzas del exilio decidan unirse para libertar a las nacionalidades españolas de la despótica y sangrienta dictadura que las sojuzga.

Hubo una nueva y nutrida salva de aplausos y el Doctor Carnero saludó al público con una leve inclinación de cabeza, ajustó cuidadosamente sus gafas encima de la nariz y revolvió el fajo de papeles que había depositado sobre el pupitre.

"Señoras y señores —lo dijo tan fuerte que, por unos

instantes, Álvaro tuvo la impresión de que hablaba ante un micrófono—. Cuentan los cronistas que, a una edad avanzada, encontraron a Miguel Ángel, cierta mañana de enero, andando por las calles de Roma agarrado a las paredes. Le preguntaron dónde iba entelerido por los años y el frío; y contestó con toda naturalidad: voy a la escuela, a ver si aprendo algo. Joaquín Costa, el divino Maestro, ya sexagenario y baldado por la mielitis, fue invitado a ir a Madrid a informar en la Cámara de Diputados contra una de las leyes infames cocinadas por el maurismo cerril. Desde la estación y antes de ir a lavarse la cara a la fonda, se hizo llevar el sublime inválido al Ateneo, en donde lo encontraron los amigos hundido hasta la barba entre promontorios de libros..." Pasado el primer momento de sorpresa, Álvaro acechó con el rabillo del ojo la reacción de los presentes, adormecido todavía por efecto del cansancio y del resquemor de los p'tits calva. El autor de la presentación y los dos acompañantes del Doctor Carnero se habían sentado a la derecha del estrado y acogían el lento fluir del discurso con expresión de arrobada quietud. Al lado de Álvaro, el viejito del trapo rojo sonreía asimismo con embeleso. El coronel Carrasco escuchaba petrificado por la atención, con las manos apoyadas en el puño de su bastón de estoque. Sus dos vecinas cabeceaban aprobadoramente y, a intervalos, cambiaban una tierna mirada de complicidad. Sintiéndose excluido de aquella comunión fraterna, Álvaro espió aún el rostro embebecido del ex ministro de Marina Mercante, la mirada respetuosa de los anarquistas aragoneses, el rictus beatífico del joven del chaquetón de pana. En la destartalada sala el silencio era seráfico, casi eucarístico y la voz ronca del Doctor Carnero vibraba en el aire sucesivamente melodiosa, incisiva, grave, dramática, burlona: "No tiene usted una inteligencia delicada, dijo en cierta ocasión a Luis Bonafoux un lector melindroso, con mohines de educando de colegio de loyolas. A lo que replicó el inmenso portorriqueño de la isla antillana y del café del mismo nombre de la Puerta del Sol: Me importa tener un cerebro poderoso en amplitudes de visión y en potencia perforante, y lo demás no me quita el sueño. El resto, en efecto, se lo diligencia uno o se le allega de propina. Decía Julio Ferry que cuando se tiene genio siempre es malo. La inercia y la apatía no son modos de bondad, sino de renuncia y dimisión; es decir, de negarse a sí mismo y esquivar a los demás; de dar quiebros toreros a la moral y faltar el respeto a lo circundante. El cronista político ha de poseer el temperamento del gótico flamígero y de una selva tropical. Ha de tener fundidos constantemente en mortal abrazo el pensamiento y el sentimiento. Y operar sobre la base de que la política es una milicia, una militancia. Las pulcras simierías, los atildamientos amanerados están muy en su lugar en un tí-rum, en una peluquería de señoras y en una tertulia de monas pintadas. Huelgan en un palenque o en un ring, en el que se ventilan los problemas de los que depende a veces la suerte de un siglo o de un país y ahora, incluso, de todo el muestrario zoológico del arca de Noé..." El público escuchaba en éxtasis y Álvaro examinó de nuevo los tres hombres de la tarima, el coronel Carrasco, el viejecito del pañuelo rojo, el ex ministro de Marina Mercante, los anarquistas aragoneses y el joven del chaquetón de pana, antes de entornar a su vez los ojos y abandonarse al efluvio magnético del discurso, inmensamente feliz de aquella inesperada ocasión de integrarse en un universo incomprensible pero real después de sus malogradas incursiones a la cola de un cine, a la conferencia sobre cibernética, al mitin estudiantil de la UNEF y al extravagante salón literario con el estómago, la frente y los ojos impregnados de p'tits calva, situado en el mismo campo de onda que aquellos hombres y mujeres admirativos, respetuosos y atentos que sonreían misteriosamente, aprobaban con la cabeza y se observaban mutuamente de modo cómplice, acunados por la voz bien timbrada y cambiante del orador: "El camino recto y seguro para llegar adonde Claret quería no es ése. El bramán contemplativo metido a redentor de miríadas de seres pren-

dados de su ombligo equivocó el método. La vía para forzar las marchas de la Historia son las reacciones de nervio
y no las oraciones. Hará un cuarto de siglo media docena de hombres animosos quisieron repetir en España el
prodigio de Moisés, golpeando la roca hostil con la
varita mágica de todos los taumaturgos y haciendo brotar de
aquélla un chorro de agua viva. Más que profetas y qui-
romantes, aquellos españoles eran personajes de Meunier.
Partían del concepto que la palabra es una simiente; que
hablar es un acto significativo y que escribir es obrar. Con
el bagaje de ese decálogo los innovadores a que aludimos
se embarcaron en la ruda empresa de torcer el curso de la
historia de nuestro país. El panorama que se extendía en
torno de ellos no era alentador sin embargo; el suelo era
un glaciar; el cielo una brumosidad petrificada; el aire
que bebía el pecho un mensajero de pulmonías. Los la-
bradores de las anteriores promociones que, cansadas de
luchar con el erial ingrato, habían clavado en el terruño la
azada y se habían tumbado en el surco..." El milagro se
había producido finalmente y, con los ojos abiertos a su
inexpresable dicha interna, Álvaro se sentía mecido y arrullado, penetrado y poseído, literalmente envuelto en la voz
persuasiva del Doctor Carnero, con la íntima y embriaga-
dora certeza de saberse miembro de una colectividad humana cimentada sobre un pacto no por ignorado menos
firme, lamentando tan sólo que la brumosa muchacha holandesa no estuviera allí para rematar aquel festín de paz,
amistad y camaradería con el aval de su presencia saludable y diáfana, vegetal y reparadora. "Una Monarquía re-
bosante de promesas halagüeñas —proseguía la voz—, restaurada en cualquier neo-Sagunto, previamente a toda libre, clara, meditada respuesta del cuerpo electoral, esto es,
de toda población mayor de edad y de ambos sexos es pura
y simplemente inadmisible. Sería una befa que, después
de todo lo que ha sufrido el español medio en su dignidad de hombre y de ciudadano, jamás podría tolerar. Para
eso mejor seguir en el atasco de hoy que, con la evidencia

de sus males, puede suscitar desasosiegos internos y asistencias del exterior, capaces de acelerar el remedio. Pero lo otro, manteniendo una situación política substancialmente idéntica, añadiría dentro y fuera del país, el desconcierto paralizante de la estafa. Sería el golpe de gracia a toda esperanza de auténtica y democrática normalidad. Y bastante hacemos ya los republicanos que, en aras de la paz, en ilimitado obsequio a la voluntad de la Nación, por escrupuloso respeto al juego democrático y liberatorio, renunciamos a la prioridad absoluta que en principio nos corresponde y aceptamos la comparecencia, en condiciones de paridad con otro régimen, ante el tribunal constituyente de la Nación para obtener del mismo, como esperamos, la confirmación de nuestro buen derecho..." En aquel punto no importaba ya abrir los ojos y recorrer el auditorio con la mirada, seguro como estaba de divisar el rostro devoto y fervoroso de los tres hombres del estrado, del viejito del trapo rojo y del ex ministro de Marina Mercante, totalmente cautivo también de la melodiosa cantinela que manaba de labios del orador, como el espectador neófito de una iniciación ritual o una representación en un idioma desconocido, satisfecho de haber concluido el día con un acto de fraternidad inolvidable, pese al tastillo amargo de los p'tits calva y la triste ausencia de la muchacha holandesa, a la que hubiera deseado estrechar apasionadamente entre sus brazos mientras el Doctor Carnero, acompañándose con vehementes ademanes, proseguía, incansable, su elevado y celestial discurso: "Si hay que restablecer inmediatamente algo es nuestra pura y bien amada República. Si, por presiones foráneas, esto es imposible, entonces, antes que el país decida con calma, no se puede restaurar nada. Pero, como por otra parte tampoco se puede seguir arrostrando la trágica alternativa entre la abyección y la desesperación del pueblo hay que salir del atolladero cuanto antes. ¿A dónde?, me dirán ustedes... A una situación que, no pudiendo ser por de pronto ni Monarquía ni República, no pudiendo tener precisa la forma institucional, ha de ser forzosamente interina, transitoria, exclusivamente dedicada a restablecer un esencial y genérico orden democrático durante el período al fin del cual el pueblo, pacíficamente, conscientemente, libremente, elija, con la forma institucional que prefiera, los representantes que la perfilen, la articulen y la instalen sólidamente, siempre a la vista y con el consenso del país. . .''

Transportado a las divinas alturas —Serafín, Querubín, Trono, Dominación, Príncipe, Potestad y Virtud a la par— Álvaro no había prestado atención al renovado batir de la puerta —con los ojos venturosamente cerrados y el resabio de los p'tits calva en la boca— hasta que el número y repetición de las pisadas adquirieron una intensidad alarmante y, paralelamente a los demás espectadores, volvió la cabeza atrás para descubrir con indignado asombro a un grupo de individuos que, profiriendo gritos tales que "Abajo los divisionistas" y "Las momias al Museo", intentaban abrirse paso hacia la tarima en donde el Doctor Carnero hablaba sin ser oído, derribando sillas y arrojando puñados de prospectos que caían sobre los asistentes en medio de una ensordecedora algarabía de chillidos, insultos, empujones y puñetazos.

—¡Jubilación!
—¡Esto es un atropello!
—¡Divisionistas!
—¡Fuera, sirvergüenzas!
—¡Al Museo!

El tole de voces aumentaba e, inmerso en la marea de los contendientes, Álvaro entrevió la figura majestuosa del Coronel Carrasco que, con la prestancia de un oficial recién salido de la Academia, blandía bizarramente frente al enemigo su airoso bastón de estoque. El público formaba una barrera en el pasillo y, renunciando a ocupar la tribuna, los invasores se replegaron poco a poco hacia la salida. El viejo del trapo rojo había asido a uno por el cogote y le arañaba ferozmente con sus manos apegarminadas y flacas. En la puerta hubo un último intercambio de puñetazos e insultos seguido de una nueva y más copiosa lluvia de prospectos. Antes de desaparecer del todo alguien lanzó un huevo podrido que fue a estrellarse con sacrílega exactitud y tras describir una parábola perfecta sobre el rimero de papeles que cubrían el severo y casi litúrgico pupitre del conferenciante.

El Doctor Carnero inclinó la cabeza como abrumado por la magnitud de aquel desastre tranquilo. Expulsados los agresores, los asistentes gritaban y discutían sin hacer caso de las palabras apaciguadores del autor de la presentación que, con ademanes e invocaciones patéticos, les exhortaba a mantener la calma.

—Compañeros... El espíritu de concordia que anima esta gran jornada de...

—La Constitución del 31 es letra muerta —gritaba el exministro de Marina Mercante, encaramado en una silla—. Si queremos renacer de las cenizas del pasado...

—El pueblo español tiene la palabra.

—Nuestros errores nos obligan a...

—Sólo la unidad nacional nos permitirá el derrocamiento de...

La algazara crecía por instantes y varios oradores se interpelaban a gritos, alzaban gravemente los brazos y exponían desde sus improvisadas tribunas programas políticos diferentes y contradictorios. El autor de la presentación palmeaba en un último y desesperado intento de hacerse oír y, aprovechó un momento de tregua, para proclamar con voz dramática.

—Seamos sinceros... La emigración no ha tenido líderes de talla que hayan sabido reunir alrededor de ellos las fuerzas desorientadas y dispersas que...

—¡Cómo que no ha habido líderes!

La interrupción sonó como un trueno y Álvaro vio a un caballero de una sesentena de años que, subido a su vez en otra butaca, manifestaba su indignación con una rápida serie de gestos y ademanes característicos de un hombre habituado a expresarse corrientemente en público.

—Y yo, ¿qué?

Todos callaban, obedientes al imperativo de su voz y, con la vista turbia, Álvaro contempló su puño crispado y las venas hinchadas y azules de su frente.

—Yo, que en las elecciones a Cortes del 33 obtuve en mi distrito de Manzanares una mayoría de seis mil quinientos votos sobre la candidatura de la reacción apoyada por...

Un eructo de p'tits calva más fuerte que los restantes le había obligado a correr hacia el vestíbulo y, sin darle tiempo de alcanzar el lavabo, Álvaro vomitó larga y espaciosamente con la frente apoyada en el zócalo que sostenía el busto de *Georges Louis Leclerc de Buffon, Montbard 1707—Paris 1788* bajo la mirada compasiva de una anciana vestida de negro y con aspecto de pertenecer a l'Armée du Salut que —habiéndose asomado a la sala de l'Académie de Sciences por casualidad se había retirado en seguida asustada por el incompresible y ruidoso espectáculo— le golpeaba cariñosamente en el hombro repitiendo con un inconfundible acento ruso: "Alors, jeune homme, ça ne va pas?"

Se habían citado en el café de la esquina, a una veintena de metros del domicilio del abogado. Cuando Artigas y Paco llegaron, Antonio rondaba la acera opuesta fumando impacientemente un cigarrillo. Al divisarles, les saludó con la mano y cruzó la calle. Su impermeable oscuro y la cartera le daban un aire caricatural de conspirador.

—Si fuese de la bofia te detenía ahora mismo por sospechoso —dijo Paco—. ¿No podías vestirte de otra manera?

—¿Cómo carajo quieres que me vista?

—Hubieras podido cortarte el pelo a lo menos... Un día, con tu pinta de macarra murciano, nos vas a traer el cenizo a todos.

—Soy perfectamente aséptico —dijo Antonio—. En el autobús había una pareja de grises a mi lado y me he entretenido en sacar el pliego de firmas de la cartera. En sus mismas narices.

—Tú ve gastando bromas y verás la que te cae encima. Como un día te agarren te afeitan en seco.

—¿Hay algo nuevo sobre Enrique? —preguntó Artigas.

—No, nada.

—Mi hermana fue a ver a su madre y, ¿sabes por dónde la vieja se apeó? —Artigas le miraba de hito en hito—: Dijo que la culpa era toda tuya

—¿Mía?

—Sí señor. Le encajó un discurso de más de tres horas sobre las malas compañías y las lecturas... Mi hermana dice que salió arañando por las paredes.

Se acodaron en la barra del bar y Paco encargó tres cafés.

—¿Has recuperado la máquina de escribir?

—Sí.

—Hay que sacar en seguida varias copias. Si firma alguno más lo añadiremos luego.

—A la una tengo una cita con Gasparini.

—Yo enviaré el texto a Álvaro, para los periódicos franceses.

—Alvarito... —dijo Antonio—. Me gustaría saber dónde coño para... Como se haya ido de viaje, échale un galgo.

—Ése no conoce ni a su padre —dijo Artigas—. Un tipo de la Facultad fue a verle a su casa y dice que se levanta borracho como una cuba.

—Lo mismo le da ya ocho que ochenta —dijo Paco— París lo ha emputecido.

—Hala, dejadle el alma quieta... ¿Vosotros qué sabéis?

—¿No lo crees? —dijo Artigas—. Pues cartas cantan. Paco estaba delante cuando lo contó, ¿no es cierto?

—Está bien, está bien... ¿A qué hemos venido aquí? ¿A ver al tipo o a criticar a Álvaro?

—Anda, sí —dijo Artigas—. Apuraos un poco o llegaremos tarde.

Paco pagó los tres cafés y, al salir a la calle, apuntó con el índice a un banco de madera.

—Yo os esperaré allí —dijo.

—¿Por qué?

—Parecemos una delegación. Con que vayan dos basta.

—Tú siempre descargándote el muerto —dijo Artigas.

—Si quieres quedarte tú, quédate. Subiré yo con Antonio.

—No. Iremos Artigas y yo. Aguárdanos tú aquí abajo.

Los siguió con la vista hasta que se embocaron en el portal. El público discurría apaciblemente por el paseo y, en el cruce, un guardia de tráfico apostado en el burladero dirigía la escasa circulación con ademanes solemnes y teatrales. Paco examinó, por turno, una nodriza con un cochecito de recién nacido, dos señoras con misal y mantilla que se susurraban confidencias al oído de vuelta de la iglesia, un viejo pulcramente vestido apoyado en un bastón con puño de plata. La gente parecía contenta de vivir, con la tranquila seguridad de quienes se sienten al abrigo de cualquier sorpresa, habitantes de un mundo sin principio ni fin, perpetuamente repetido hasta lo infinito. Tras unos segundos de vacilación se sentó en el banco y encendió un Rumbo. A su lado, un hombrecillo con la gabardina raída repasaba atentamente los titulares del periódico: "Manolo Cuevas y Carlos Ribero cortaron orejas en San Sebastián de los Reyes." Imaginaba el rostro a la vez inquieto y compungido de Tusquets, al enterarse del objeto de la visita: "Los españoles no tenemos remedio, créanme." Por la acera de enfrente una mujer con traza de fulana llevaba de la mano a un niño rubio, vestido como un figurín. A una señal del guardia de tráfico los automóviles que bajaban en dirección plaza Cataluña cedieron el paso a dos taxis procedentes de la izquierda de la travesía. El hombrecillo seguía enfrascado en la lectura del periódico. "Manolo Orejas y Carlos Reyes cortaron riberos en San Sebastián de las Cuevas." Una pareja de novios, un rapazuelo con un cajón de botellas, otra nodriza uniformada empujando un cochecito. La fulana se había eclipsado con el niño en el interior de una mercería. En el burladero del cruce el guardia se movía con la rigidez de un títere. "Sebastián Cuevas y Manolo Ribero cortaron reyes en San Carlos de las Orejas." Arrellanado en su butaca, con una copa de Carlos I en la mano, el abogado meditaba acerca del triste destino de sus compatriotas: "Todo es inútil, amigos míos... ¡Pobre España!" Los dos números de la policía armada que guardaban la entrada del establecimiento bancario —"Capital 2.000.000.000 de pesetas, enteramente desembolsado"— se acercaron a pegar la hebra con la vendedora de periódicos. "Sebastián Rivero y Reyes Orejas cortaron cuevas en San Manolo de los Carlos." El cigarrillo le sabía mal, lo arrojó al suelo y encendió otro. Los barceloneses circulaban satisfechos por el paseo, conscientes de vivir un día exactamente igual que los demás, sin perturbaciones hostiles ni cambios desagradables. Lo sucedido en los calabozos de Jefatura era tan sólo un accidente estúpido, la interferencia molesta de un parásito en un programa perfectamente sincronizado, de audición melodiosa y perfecta. "Sebastián Orejas y Rivero Reyes cortaron carlos en San Cuevas de los Manolos." Las dos nodrizas platicaban animadamente junto a sus cochecitos. La fulana volvió a reaparecer con el niño y se detuvo ante el quiosco de los periódicos. Arriba, el ex dirigente de Estat Catalá hablaba, hablaba de modo incansable: "Cada país tiene el gobierno que se merece..." La vida no cambiaría nunca, la mano firme de un prudentísimo piloto ponía la nave a salvo de cualquier imprevisible contingencia. Las nodrizas, los niños, los novios, las fulanas, podían dormir tranquilos, caminar dormidos, soñar caminando, vivir en sueños, engranajes felices de una maquinaria sin fallo, inmortales como el orden que velaba la simetría exacta y repetida de sus gestos. "Manolo Cuevas y Sebastián Reyes cortaron manolos en San Orejas de los Rivero." El hombrecillo captó su mirada torcida y dobló el periódico con acritud.

Casi al mismo tiempo Antonio y Artigas desembocaron

en la calle. Los dos parecían muy agitados y, al verle, Antonio se detuvo y golpeó en una mano con el puño de la otra.

—Qué cabrón, oh, qué cabrón.

—¿Qué pasa? —preguntó Paco—. ¿Traes la firma?

—La madre que lo parió —Antonio miraba rencorosamente hacia la andana de balcones del abogado y escupió con rabia en el suelo—: El tío maricón no ha querido.

El café de madame Berger tenía forma rectangular y ocupaba una superficie bruta de ochenta y seis metros cuadrados. Su mobiliario se componía de nueve mesas, dos bancos laterales y un número variable de sillas que oscilaba entre treinta y treinta y cinco. Sus luces eran de neón y sus paredes estaban adornadas con espejos, etiquetas, calendarios, botellines y el texto imprescindible de la Loi de Repression de l'Ivresse Publique.

Aunque la composición de la clientela se modificaba con alguna regularidad, el individuo que se ausentara de París unos años podía volver no obstante con la tranquila certidumbre de encontrar a su retorno una apreciable mayoría de caras conocidas. Los elementos integrantes de los distintos estratos geológicos proseguían su incansable monólogo sobre España y los españoles, sin escuchar nunca el soliloquio de los demás, como emisoras de voz gastada y rasposa que retransmitiesen a intervalos alternados diferentes programas radiofónicos. El repertorio de anécdotas e historias era el mismo de siempre y el viajero experimentaba una curiosa sensación de tiempo detenido.

Sin necesidad de poner los pies en el café de madame Berger —las tardes en que la abulia se adueñaba de él y permanecía en cama esperando el regreso de Dolores con la vista fija en las ruinosas y apuntaladas viviendas del viejo faubourg du Temple— Álvaro podía reconstruir las conversaciones de los contertulios con la escueta seguridad de un testigo.

—A mí, la proclama de Besteiro me pilló en el frente de

Albacete y, el día que los moros cercaron el pueblo, me escondí en casa de un amigo que tenía una hermana que había sido de Falange...

—Esto me recuerda una anécdota que me ocurrió la víspera del levantamiento de Fígols, durante el segundo ministerio de Azaña...

—Yo pensaba escapar de allí camino de Alicante, cuando me entero por la radio de la caída de Madrid y la victoria de los fascistas...

—...A mí me había enviado el Sindicato desde Barcelona para discutir con los representantes de los patronos...

—...La casa lindaba justamente con el comedor de Auxilio Social y, como yo no quería comprometer a mi amigo, me descolgué una noche por la ventana sin prevenirle...

—...Y al llegar a la estación veo un destacamento de la guardia civil en el andén, al mando de un teniente que le decían el Cara Quemada...

—...y atravesé a pie toda la provincia con otros dos soldados de mi división, comunistas los dos...

—...más malo que la tiña y con una cicatriz así de larga en la frente que le hicieron los rebeldes de Abd-el-Krim...

—...cuando en un pueblo que llaman Madrigueras oímos que nos dan el alto...

—...que luego fusilamos al empezar la guerra...

—...y mis compañeros y yo apretamos a correr como galgos, creyendo que eran los falangistas...

—...Apenas me apeo del tren los civiles me apuntan con sus armas...

—...hasta que de pronto reconozco la voz de un comisario de mi brigada, que se había agenciado no sé cómo un uniforme del Tercio...

—...y el Cara Quemada me dice: tú te vienes ahora mismo conmigo hijo de puta...

—A mí me sucedió algo parecido en Argelés...

—...un tal Pedro Oliveira que estuvo preso conmigo en Albatera y luego se fugó a México...

—...Como yo sabía la clase de bromas que se gastaba el gachó con los de la UGT...

—...con dos senegaleses que querían limpiarme un reló de oro...

—...Sí, hombre, sí, el comisario de la Quinta. Un extremeño muy renegrido, con la pinta de gitano...

—...Pensé, el tipo ése, lo que busca es aplicarme la ley de fugas...

—...que era un recuerdo de Sánchez Pascual, el diputado de Izquierda Republicana...

—...Bueno, como decía, Oliveira se había agenciado un uniforme del Tercio...

—...y echar la culpa a los de la CNT como hicieron con el pobre Pepito Blanco...

—...que me lo había dado mientras agonizaba en el hospital militar de Tarragona, un mes antes de que entrasen los fascistas...

—Esto es como lo que me pasó a mí en Miranda de Ebro con un francés muy golista que...

—...y Oliveira va y me dice...

—...Cuando en la calle me cruzo con una patrulla de guardias de asalto...

—...Los dos senegaleses me esperaban a la salida de las duchas...

—...habían cruzado los Pirineos para ir a África del Norte...

—...En Mazarrón hay un amigo mío que tiene una motora en la que podemos embarcarnos los cuatro...

—...al mando de un sargento republicano, un tal González Miret...

—Eh, tua, Español, fe vuar ta montre...

—...que se hizo amigo de menda porque era el único del barracón que chamullaba su idioma...

—Hombre, pues, a mí, una vez, en Brunete...

...Días, semanas, meses, años empleados en evocar, discutir, pontificar, no escuchar, decir pestes de Francia, desempolvar recuerdos de la guerra y anunciar la inminente caída del Régimen que, de vuelta al país natal, Álvaro revivía como en la época en que permanecía tumbado junto a la ventana de su estudio mientras el crepúsculo disolvía poco a poco la perspectiva de tejados grises y chimeneas de Carpaccio, diciéndose una y otra vez, con infinita amargura, los españoles llevamos el egocentrismo, la envidia y la mala leche en la sangre; si la sociedad española es intolerante, se debe ante todo al hecho de que hay un maniqueo oculto en el corazón de todo español, y —aislado ya en medio de la noche, inútil, injustificable y sin raíces— concluir, con una mezcla de grave estupor y horrorizada alegría, que vuestro país es irrespirable porque sois irrespirables vosotros mismos.

"Se habían pasado de raya esta vez todo el mundo estaba de acuerdo se habían pasado de raya parecía mentira que aquello fuera posible sobre todo tratándose como era el caso de muchachos de excelente familia hijos de mártires o de víctimas de dolencias contraídas durante los años del terror rojo educados todos cristianamente en colegios de pago algunos de ellos especialmente consagrados al Inmaculado Corazón de María y beneficiarios de la divina promesa respecto a la práctica de los Primeros Viernes de Mes muchachos que habían frecuentado más tarde con un impecable esmoquin los palcos del Liceo y habían sido socios activos de las Juventudes Musicales codeándose con el rovell de l'ou con la crema y nata de la barcelonesa sociedad huéspedes eventuales de los salones del Círculo Ecuestre o de las pistas del Real Club de Polo allí donde las bellas y recatadas muchachas de familia acomodada nuestras hijas se divierten honestamente en compañía de jóvenes perfectamente educados como ellos futuros médicos de renombre abogados de muchas campanillas diplomáticos de carrera dignos herederos de la fábrica de géneros de punto de papá o de telares de seda florecientes y prósperos pese a los altibajos y sustos del Plan de Estabiliza-

ción y la funesta restricción del crédito bancario fuente
de tantos sinsabores lágrimas y apuros asiduos del Palau
y de los teatros de cámara y cine-clubes suspirantes tal vez
de las modosas castas e ingenuas ex alumnas de la Asun-
ción o Jesús María nuestras hijas expuestas inocentemente
a la influencia de un contacto nocivo con aquellos amora-
les gusanos criados en el corazón jugoso de la fruta
serpientes albergadas en nuestro caluroso seno cuervos dispuestos a arrancarnos los ojos hijos manirrotos y despilfa-
rradores del capital de virtud del capital de tesón del
capital de honradez del capital de buen nombre del capital-
capital de acrisoladas y linajudas familias de apellido ilustre
enriquecidas en Cuba y Filipinas o en la Exposición Universal de 1888 o en la de 1929 amenazadas en su existencia
y en sus bienes por los pistoleros de la FAI y las checas
rusas y su séquito de traidores y emboscados lobos con
piel de cordero de la Generalitat y de la malhadada República del 31 sardanistas de barretina los domingos y salves
a la Mare de Deu de Monserrat antes del suspirado viaje
a la Francia del Front Populaire primer paso obligado
camino del cuartel general de Burgos y del regreso triunfal
con moros y cristianos brazo en alto como entonces se
imponía partidarios ardientes de la victoria de los alemanes y de la música de Wagner sostén de los heroicos expedicionarios de la División Azul en su noble empeño de
extirpar para siempre el cáncer del comunismo de la sufrida
Rusia habituales de la revista *Signal* y de los noticiarios
Ufa antes de suscribirse en el 45 al boletín de la embajada
americana y a la bonita edición española en colores de
Life desengañados de las exageraciones bien intencionadas
pero funestas de Adolfo Hitler aterrados por el asesinato
brutal de Mussolini y felices de que la providente gestión
de un jefe invicto supremo artífice de la paz y garantía
perdurable de que en sus manos el orden no solamente no
se quebrantará sino que no sufrirá jamás la menor sombra de vejamen les hubiera puesto a salvo de las imprevisibles contingencias del destino rompecristales del Instituto

Británico cuando la retirada de embajadores orgullosos del feroz particularismo ibérico que nos distingue de los otros pueblos corrompidos y decadentes espectadores entusiastas de las grandiosas manifestaciones de adhesión y de los saludables desfiles de advertencia satisfechos de la bienaventurada conclusión de los acuerdos hispano-americanos y del concordato con Pío XII Pastor Angelicus del dogma mariano amante de los corderos y los niños futuro santo venerado en los altares preludio de la triunfal admisión en la OTAN y con los aranceles proteccionistas necesarios en la Europa del Mercado Común europeos al fin con bikini definitivamente autorizado en las playas y películas francesas verdosas y hasta sesiones semiclandestinas de estriptís y todos temblábamos de horror ante la profundidad insospechada del mal sabiendo que pero Dios no lo había querido hubiera podido atacar igualmente a cualquiera de nuestros hijos extraviados por las malas lecturas y las películas neorrealistas y el contacto con agentes disfrazados como explicaban los avergonzados padres en su comprensible pero vano intento de blanquear aquellas almas perdidas asegurando a diestro y siniestro con lágrimas en los ojos que ellos no sabían nada que los habían liado sin darse cuenta que ignoraban el verdadero alcance de la maniobra y sus ramificaciones en el exterior y las consignas vociferantes de la Pirenaica y de los desacreditados partidos políticos gavilla de delincuentes comunes que desde el extranjero maquinan contra el orden español con la colaboración exigua pero infamante de los zascandiles de los traidores y de los resentidos de dentro que ellos los abochornados padres habían formado parte en su juventud del Somatén y habían sostenido el golpe de Estado de Primo de Rivera y habían sido víctimas de odiosas persecuciones durante la República antes de incorporarse al Movimiento salvador en Burgos San Sebastián o Salamanca garmanófilos hasta la muerte de Hitler y americanófilos a partir de la de Roosevelt mienbros de honrosas corporaciones ciudadanas y sostén de numerosas vocaciones sacerdotales y misioneras órdenes religiosas y obras pías y todos poníamos cara de circunstancias fingiendo creer lo increíble apiadados en realidad de nosotros mismos a quienes nos hubiera podido alcanzar el mal de haber sido ésta la voluntad de Dios situándonos mentalmente en su papel de padres humillados cuyos retoños han mancillado irremisiblemente el sacrosanto apellido de la familia y meditábamos sobrecogidos en la extensión del virus y en las perversas estratagemas del enemigo puesto que del enemigo se trata y las pruebas reunidas por una policía especialmente consagrada al arcángel San Gabriel no permiten duda de ninguna clase ya que es una organización modelo y el celeste enviado del Señor ejerce sobre ella su influjo y patrocinio en su labor de preservar al pueblo de los peligros que le acechan con lo que la sociedad puede descansar confiadamente gracias a su constante desvelo su espíritu abnegado y su vigilancia permanente y aunque en verdad nunca habíamos estado totalmente al abrigo del riesgo y el escándalo había salpicado más de una vez alguna piadosa y acomodada familia en forma de cornamenta con el mejor amigo de aún mejor familia o heredero perdidamente maricón o desliz de muchacha inexperta con el consiguiente y precipitado viaje a Suiza eran a fin de cuentas pecadillos menores sobre los que es prudente arrojar el velo del olvido expuestos como estamos todos por nuestra flaca naturaleza a las solicitaciones de la carne y no pudiendo decir de antemano de esta agua no beberé olvido que abarcaba inclusive las historias más picantes aún que eran la comidilla de las reuniones y hacían estremecer con un placer casi aterrador a nuestras cándidas y piadosas mujeres como aquella asombrosa de la película filmada por el marido impotente de su esposa muchacha de buena familia en compañía de dos negros soberbiamente dotados de viriles atributos dos senegaleses sexualmente superdesarrollados según decían los felices y privilegiados espectadores de la cinta como es común entre los pueblos subdesarrollados económicamente insolente paradoja que desafía la más chula doctrina o explicación cien-

tifica del mundo desde Aristóteles a Carlos Marx pero
aquel baldón era de una índole que ningún intento de pe-
nitencia o regeneración conseguiría borrar nunca tratándose como era el caso de jóvenes de excelentísimas familias
beneficiarios de una paz venturosa y unánime como no la
gozamos nosotros ni nuestros padres ni nuestros abuelos
una paz tan completa que a las nuevas generaciones puede
parecerles natural cuando en realidad no es obra natural
sino preciosa obra de cultura merced a la vigilancia de
un hombre siempre en su lugar descanso ojo avizor y centinela perenne en la defensa de los postulados esenciales
del orden público cierto que nuestro criticismo racial nos
deja a menudo insatisfechos y nos gusta pedir peras al
olmo o buscar cotufas en el golfo pero también es verdad
que lo último que dentro se nos rompe es la esperanza y
la esperanza cuando va escoltada por la fe y por el amor
es un valor cotizable en la bolsa del espíritu y la juventud
por muy exigente que sea sigue teniendo su vértice común
en ese nombre mágico que en toda la ancha piel de toro
resuena como un homenaje de fervor y erguido con su
espada invencible es el semáforo que cela día y noche y
marca nuestra ruta por nuevos y sapientísimos caminos
lejos de las negras y procelosas aguas del parlamentarismo
y la libertad de prensa aguardando sin prisa a que el
tierno fruto de una dinastía centenaria madure en su ca-
pullo amorosamente tejido para asegurar un día lejano muy
lejano la continuidad y pervivencia de la paz nosotros sabemos que juventud es sinónimo de generosidad y que el
entusiasmo aun el errado es propio de una estirpe que ha
dado gloriosos ejemplos de su espíritu de iniciativa en el
campo del comercio ultramarino y la industria textil en la
Banca y las Compañías de Seguros pero en ocasiones juventud buena crianza y fortuna no son excusa sino más bien
agravante y estos jovenzuelos agitadores callejeros propa-
gadores aviesos de bulos rumores despropósitos e infun-
dios que hubiesen podido ser nuestros hijos o futuros maridos de nuestras puras y virtuosas hijas y que no son ni

lo serán ya gracias sean dadas a Dios pese a toda la simpatía que sentimos por sus honradísimos padres cuyo dolor sinceramente compartimos merecen un escarmiento definitivo y ejemplar en su descabellado intento de abrir de nuevo las puertas del país a aquella inmensa turba de fanáticos desalmados que quieren arrastrarnos a la más sangrienta y espuria esclavitud castigo sí para quienes con olvido de los elementales deberes del reconocimiento y la gratitud intentaban precipitarnos otra vez en los abismos de la democracia inorgánica en un universo repulsivamente plebeyo haciendo cruz y raya de los valores espirituales de una civilización milenaria que es prez y antorcha de nuestra Historia una civilización ecuménica que descubriera y poblara mundos a los que llevó el crucifijo y la campana el libro y el arado la espiga y el romance y dentro de cada pecho español un incorruptible sentido racial de dignidad e independencia turbando la paz no sólo en su estéril concepto negativo de no lucha sino de paz nueva y potenciada por su visión revolucionaria del hombre criatura de Dios por eso nos es menester reforzar la vigilancia la necesaria higiene profiláctica del virus nosotros que nacimos como quien dice aquella fecha sublime que ahora se nos aparece como una cumbre divisoria de dos vertientes históricas y todo lo del lado de acá se desprende de la entraña de esa cima como un torrente cebado en hontanares milagrosos de heroísmo y no nos arredra hablar de milagro cuando desde la misma fosa de la muerte se vuelve a la merced de la vida y el espíritu asistido por lo sobrenatural con un prodigio único de voluntad se levanta y resucita glorioso y esto fue lo que sucedió entonces por obra y gracia de Dios y de la Santísima Virgen día fasto inolvidable por los siglos de los siglos."

La frecuentación diaria del café de madame Berger reservaba, en ocasiones, algunas sorpresas. Por punto común, a la monótona exhumación de los años de guerra sucedía el inevitable diagnóstico de los males de España: los contertulios comentaban los últimos acontecimientos de la Península —la abortada manifestación de universitarios, la carta de los falangistas descontentos, la baja espectacular del precio de la aceituna o una declaración del Consejo Privado de don Juan —con fórmulas breves y lapidarias tales como "El Régimen ha entrado en su última fase de descomposición y podredumbre", "Los desesperados intentos de la Dictadura muestran su creciente incapacidad frente a la acción unitaria de las masas populares", "La economía española es una nave sin timón" o "Las contradicciones interiores se agudizan" —sentencias que vibraban en la atmósfera densa de humo como un conjuro mágicamente repetido, mientras el gato negro de madame Berger dormía ovillado sobre la trampilla del mostrador y la pareja de clochards que usufructuaba el respiradero de metro de la rue de l'Ancienne Comédie mimaba una vez más su vieja disputa con amenazas de separación, acusaciones mutuas y reconciliaciones tiernas e inesperadas. De vez en cuando no obstante, los elementos de los estratos más jóvenes abandonaban, sin que nadie supiera por qué, los caminos trillados de la política para hacer el cómputo —e informar de paso al público del café— de una variopinta colección de aventuras que acreditaban, de manera patente, la innata posesión, por parte del interesado, de un temperamento sexual envidiablemente rico. En una de esas jornadas excepcionales —sin alusión a los males de España ni evocaciones penosas y consabidas— Álvaro fue invitado a asistir a una juerga.

El hecho había ocurrido poco tiempo después de la llegada de Enrique y los autores de la invitación fueron dos madrileños de la Cité Universitaire que Enrique había conocido en el patio de la prisión de Carabanchel unas semanas antes de que lo pusieran en libertad. El más alto habló del taller de una pintora noruega ninfómana y adicta a la mariguana, cuya llave, afirmó, le había sido confiada por su dueña a raíz de un oscuro incidente con un traficante en drogas. Bastaba telefonear a unas cuantas chavalas, dijo, y organizar un pijama-party para que la cosa se pusiera al rojo vivo y terminara por donde debía de terminar. Al parecer había un picú con una pila de discos y vino como para emborrachar a un regimiento.

Mientras el alto iba a buscar la llave, Álvaro y sus amigos se encaminaron hacia la Rhumerie Martiniquaise con la cabeza llena de confusos proyectos eróticos, alegres y rijosos como una banda de colegiales que hace novillos. El cielo de París era brumoso y vago y, en el mercado de la rue Buci, los vendedores pregonaban a voces su mercancía.

—¿A dónde vas? —preguntó Enrique.

—Quiero comprar cigarrillos y avisar a Michèle. Ese tipo de reuniones le divierten.

—Bueno. Te esperamos en la terraza.

Álvaro torció por el Boulevard Saint Germain hasta el Old Navy y, una vez en el locutorio telefónico, marcó el número de la rue de Belleville.

—Allô.

La voz de Michèle sonó junto a su oído melancólica, dulce, balsámica y como adormilada.

—C'est moi.

—Je suis fatiguée. Ça fait plus de quatre heures que je regarde la lampe au plafond sans fermer les yeux. C'est tellement crevant... Je ne sais pas si je tiendrai jusqu'au bout.

—Pourquoi la regardes-tu?

—Je ne sais pas.

—Dis-moi. Qu'est-ce que tu fais cette après-midi?

—Je te l'ai déjà dit. Regarder la lampe.

—Non, sans blague. Tu as ta soirée libre?

—Pourquoi me le demandes tu?

—Je suis avec des amis. Je voulais t'emmener à l'atelier d'un copain pour boire et écouter des disques.

—J'ai chaud. Je me sens incapable de bouger.

—J'emprunterai un ventilateur pour toi.

—C'est vrai?

—Je te jure.

—Merde, j'ai arrêté de regarder la lampe. C'est de ta faute, tu m'entends?

—Je t'attends à la Rhumerie Martiniquaise.

—Mais, qui sont tes amis?

—Des copains que j'ai connus au café.

—Des Espagnols?

—Oui.

—J'aime pas les Espagnols. Je n'aime les gens d'aucun pays sous-développé. Ils sont tous petits et horriblement sales.

—Mes amis sont très grands et très propres.

—Tu crois qu'il y aura des disques de Miles Davis?

—Certainement.

—Et je pourrai me foutre à poil?

—Tu pourras faire ce que tu veux.

—Bon. Alors je viens.

Álvaro salió a la pegajosa canícula del Boulevard Saint Germain. El éxodo de las vacaciones había empezado ya y el tráfico callejero disminuía de modo sensible. Frente a La Pérgola unos estudiantes barbudos habían estacionado un viejo automóvil pintado como un tablero de ajedrez. Enrique, Soler, Baró y los demás españoles ocupaban dos mesas en una esquina de la terraza de la Rhumerie.

—¿La has encontrado?

—Ahora mismo viene.

—Yo conozco a una chavala que está del carajo —decía el otro madrileño. Tanteó sus bolsillos en busca de la cartera y, al dar con ella, la abrió y sacó una fotografía—: ¿Qué me decís de eso?

—¿Es francesa?

—No, alemana. Uno de esos temperamentos que, bueno, para qué os voy a contar...

—Oye —dijo Baró—. ¿Por qué no la invitas?

—No está en París. Ayer se fue a ver su familia a Frankfurt.

—Me cago en la mar. Guayabitos así nos hacen falta.

—También jodo con una danesa... Esa otra rubia del impermeable... La foto la saqué yo mismo, en el Parc Monceau. Vamos a ver si está en su casa.

El madrileño se levantó a telefonear y la foto de la danesa circuló de mano en mano. Al terminar la inspección Soler examinó a su vez el contenido de su propia cartera.

—La mía tampoco se chupa el dedo... ¿Habéis visto?

—¿Es la que conociste en la cola de la Cinémathèque?

—No. Aquélla la dejé hace un par de meses... Ésta me gusta más.

—¿De dónde es?

—Argentina, pero de padres ingleses. Su familia la ha enviado a París para que aprenda cerámica.

—Anda, dile que venga. En el taller le daremos lecciones gratis.

—No puede.

—¿Por qué?

—Ayer comió algo que le sentó mal y está en cama... Esta mañana tuve que telefonear a un médico.

—¡Mira esto! —exclamó Soler—. ¡Qué cosa tan rica! —Por la acera caminaba una mulata contoneándose perezosamente. Tendría apenas dieciséis años y su cuerpo era el de una mujer. Vestía una falda de seda roja muy ceñida y una blusa que dejaba sus hombros al descubierto—. Voulez-vous boire quelque chose, mademoiselle?

—On vous offre un verre.

—Arretez-vous. Soyez gentille...

—La tía puta... ¿Has visto como menea el culo?... ¡Eh, mademoiselle!

—¿Qué haces?

—La voy a buscar...

—Si la convences, premio.

—Con probar no se pierde nada.

Soler corrió en dirección a la iglesia de Saint Germain des Prés hasta emparejar con la mulata frente a los jardines. Desde su puesto de observación de la terraza Álvaro le vio susurrar misteriosos piropos, con el empaque de los castigadores antiguos. La muchacha no ladeó la cabeza y se limitó a acelerar el paso.

—No está —explicó el madrileño, de vuelta del teléfono—. La dueña de la pensión me ha dicho que ha salido.

—¿Por qué no pruebas en el Cluny?

—No merece la pena. Según parece se ha ido al cine con su hermana.

Soler y la mulata se habían perdido entre la multitud. Por la acera cruzó una muchacha con camisa y pantalones tejanos.

—Mademoiselle, s'il vous plait ...

—Voulez-vous vous asseoir avec nous?

—¿Y Luis? —preguntó el madrileño.

—No sé. Todavía no ha venido ...

La rubia se alejó camino del Odeón. Uno de la peña, con acento andaluz, habló de una francesa casada, empleada en una agencia de viajes, con la que se acostaba regularmente. Ahogando un bostezo Enrique propuso que la invitara al taller. El andaluz dijo que no estaba libre.

—Su marido empieza a sospechar la cornamenta y la espera a la salida del trabajo.

—¿Cómo os apañáis entonces?

—La paso a recoger a la hora del almuerzo y nos vamos a un hotel.

—Oye —dijo Baró—. ¿Será por eso que estás tan flaco?

—Lo bueno del caso es que no es la única que me embotono.

—¿No?

—También me calzo a una italiana.

—Toma pipermín. Dicen que es afrodisiaco.

—Para mí todo es afrodisiaco —dijo el andaluz—. Hasta el agua mineral.

Una belleza castaña pasó por la acera del brazo de un negro. En el cruce de peatones un automóvil descapotado aguardaba la luz verde con un cargamento de chicas rubias. El madrileño emitió un silbido.

—Cinco hembras así y disfrutábamos en grande... Lo que no entiendo es el retraso de Luis... ¿Dónde dijo que tenía la llave?

—Eh, creo que te llaman —le interrumpió Baró.

—¿A mí?

—Sí, el camarero.

—¡Monsieur Alonso!

—Anda, es verdad... ¿Quién puede ser?

—A lo mejor, la danesa.

—C'est vous monsieur Alonso?

—Oui.

—On vous demande au téléphone.

El madrileño desapareció en el interior del bar. Instantes después Soler emergió entre los transeúntes con una sonrisa de triunfador a flor de labio. La mulata no venía con él.

—¿Qué hay, muchachos?

—¿Qué?, ¿te envió a la mierda?

—¿A la mierda?. —Soler sacó un papel escrito del bolsillo: —¿Qué os parece esto?

Lo exhibió por espacio de unos segundos y lo volvió a guardar de seguida, tras haberlo doblado cuidadosamente.

—¿Qué es?

—Su dirección. Mañana la telefoneo a las once.

—Anda, enséñanosla.

—¿Para que anotes el teléfono y la llames tú? Que no, muñeco, que no...

—Cuenta la historia a otro que yo no me la trago... Apuesto algo a que te estás echando un plante.

—Pues ya puedes apostar lo que quieras, nene, que, lo que es ésta, es pan comido... Aquí tengo el nombre y las señas, muchacho...

—Si tan conquistada la tienes —dijo Baró—, ¿por qué no la has traído contigo?

—Debía encontrarse con una amiga y no he querido insistir... Pero te digo que mañana salimos juntos o soy suizo y me llamo Guillermo Tell.

—¿Dónde vais a ir?

—Ése es un asunto entre ella y yo.

El madrileño regresó abriéndose camino entre las mesas. Su rostro reflejaba una viva contrariedad.

—¿Era la danesa?

—No, es Luis.

—¿Qué ocurre?

—Dice que no encuentra la llave... Por lo visto se la había entregado a la portera para que limpiara el taller y la portería está cerrada.

—Caray —dijo Enrique—. Entonces, ¿qué hacemos?

—Me ha dicho que va a buscar a la portera a un bar donde suele ir por las tardes, y que volverá a llamar.

—Qué cabronada —dijo Baró—. Con las ganas que tenía yo de correrla... ¿Tú. crees que es verdad?

—¿El qué?

—Lo de la llave. Para mí que es un farol.

—No —dijo el madrileño—. Conozco a la noruega, una tal Inge... Además, estuve una vez allí con Luis, en el taller...

—¿Qué tal el sitio?

—Para una juerga, formidable... Hay a lo menos cuatro sofás y una alacena así de grande, llena de botellas de vino...

—Habría que conseguir algunas chavalas.

—Mira; allí viene una... ¡Mademoiselle!

—Voulez-vous boire un verre?

La muchacha pasó junto a ellos, subió los escalones de la terraza y se plantó frente al grupo con una deliciosa expresión de cansancio y aburrimiento igualmente infinitos.

—Salut —dijo encarándose con Álvaro.

—Ah, ¿la conoces?

—Les copains dont je t'avais parlé. Mi amiga Michèle.

Hubo un coro de respuestas corteses seguido de un breve silencio admirativo. Michèle vestía un viejo pantalón de verano y una blusa cortada a la altura de las costillas. Su ombligo resaltaba delicadamente sobre la piel morena de su abdomen.

—Assieds-toi.

—Je suis morte —dijo—. Qu'est-ce que je pourrais bien boire?

— Je ne sais pas. Un rhum?

—J'ai déjà vidé une demi bouteille à la maison.

—Alors, prends un café.

—Un rhum double avec beaucoup de glace —ordenó—. Oh, ne m'approche pas, je t'en supplie... Il fait si chaud... Je voudrais être toute nue...

—Attends qu'on soit à l'atelier.

—Pendant le trajet en taxi j'ai décidé d'épouser un Esquimau. Ça doit être marrant de faire l'amour sur la glace, tu ne crois pas?

—J'ai jamais essayé.

—Tu devrais. Je suis sûre qu'à Paris il y a des endroits où on peut baiser dans des chambres frigorifiées. Sûre et certaine.

—Je ne suis pas convaincu que le froid est bon pour l'homme, tout a moins sur ce plan là.

—Mais, au contraire, c'est excitant, voyons... C'est un truc connu... Le froid endurcit le sexe... C'est la chaleur qui le ramollit.

Dos muchachas exquisitamente vestidas discurrían ante la terraza balanceando con suavidad sus caderas. Siguiendo las miradas del grupo, Michèle las contempló con despego.

—Me cago en diez... Unas cuantas gachís así necesitaríamos para el estudio...

—Mientras no tengamos la llave...

—Ha dicho que volvería a telefonear.

—Fíate del cabrón ese... El otro día me había citado en el Mabillón para ir a ver la película de Ivens y el tipo ni siquiera se presentó.

El camarero surgió con el ron doble. Michèle lo apuró de un trago, con inquietante avidez, y pidió otro.

—Je voudrais encore plus de glace.

—Anda, qué tía —dijo Baró—. ¿Has visto cómo bebe?

—Qu'est-ce qu'il dit?

—Rien —dijo Álvaro.

—C'est pas vrai —Michèle observaba a Baró con sosegada irritación—: Il a parlé de moi.

—Il a été surpris de ta façon de boire.

—Je n'aime pas qu'on me regarde comme ça. Je déteste le regard sournois des gens des pays sous-developpés. Dis-lui que je suis lesbienne.

—Dice que es tortillera.

—L'autre jour j'ai eu un Algérien toute la journée à mes trousses. Il me suivait partout, il me pelotait... Il était tellement collant qu'il a fini par m'avoir par l'usure...

—Tu as couché avec?

—Jamais plus je ne militerai pour l'indépendance de l'Afrique.

El camarero vino con un segundo ron doble. Aquella vez, Michèle lo medió de un sorbo.

—Bon —dijo—. Qu'est-ce qu'on fait ici?

—On attend celui qui a les clés de l'atelier.

—Il doit venir tout de suite —dijo el madrileño.

—J'ai chaud. Je voudrais me foutre à poil.

—¿Por qué no va alguno a buscarlo? —dijo el andaluz.

—Tú mismo, por ejemplo —dijo Enrique.

—Aquí estamos perdiendo el tiempo como imbéciles —dijo Soler—. ¿Dónde dices que queda el estudio?

—En la rue Saint André des Arts.

—Monsieur Alonso au téléphone.

—Anda, ve. Es Luis.

Michèle acabó el contenido del vaso e hizo una seña al camarero.

—Encore la même chose.

—Tu vas te soûler.

—Je m'en fous. J'en ai marre d'attendre.

—On part tout à l'heure —dijo Álvaro.

—Tu m'avais promis un ventilateur et des disques de Miles Davis.

—Patiente encore une seconde.

—Eh, tú, mira qué chavala... —dijo el andaluz.

—¿No ves que va acompañada?

—El tipo parece marica.

—Marica o no, el muy cabrón se la zumba.

El madrileño regresó cabizbajo. Michèle lo contemplaba de hito en hito.

—¿Qué pasa? —dijo Soler.

—Nada. Que no ha encontrado la llave.

—¿No te lo decía? —dijo Baró—. El tío nos ha encajado un cuento.

—Dice que va a volver a llamar.

—Yo ya no espero más —dijo Enrique.

—¿Adónde podemos ir?

El camarero sirvió el tercer ron doble. Michèle cerró los ojos, como si se tratara de una purga, y lo vació de un latigazo.

—Qu'est-ce qui se passe maintenant? —dijo con voz pastosa.

—La clé a disparu —dijo Álvaro.

—Ce qu'ils sont emmerdants ces Espagnols... Vous êtes tous des propres à rien.

—C'est de la faute à la concierge —dijo Soler—. Elle avait la clé de l'atelier et elle est partie.

—Vous êtes tous des arriérés et des incapables. —La lengua se le trababa al hablar.

—¿Y si buscásemos a un cerrajero? —dijo el andaluz.

—Des sous-developpés— repetía Michèle—. Maintenant je comprends pourquoi vous avez perdu la guerre civile...

Una hora después seguían todavía en la terraza de la Rhumerie Martiniquaise y Michèle bebía nuevos dobles de ron con hielo y les observaba con ojos llameantes. Luego, Enrique propuso un recorrido por los bares de la rue de la Huchette y la banda se disgregó poco a poco. Los amigos de Álvaro evolucionaban en torno de Michèle como zánganos pegajosos y sentimentales y terminaron entonando canciones típicas e invitándola, por turno, a sus hogares de Andalucía, Castilla, Cataluña, o Extremadura.

—Si vous venez avec moi à Almodóvar del Campo vous connaitrez ce qu'il y a de plus beau au monde.

En el taxi, de retorno a la rue de Belleville, Michèle hizo una bola de papel con sus direcciones y la arrojó por la ventanilla.

—Ah, mon chéri —sollozó—. Tu te rends compte?

Durante la fugaz iluminación de un escaparate, Álvaro entrevió sus bellos ojos arrasados por un flujo de lágrimas alcohólicas —brillantes e incontenibles.

—Je me demande ce qui est vrai chez vous... En tout cas, l'amour, est bel et bien un mythe.

Se presentaron en la habitación del hotel —tercer piso de un edificio macizo, con ascensor moderno y escalera alfombrada de rojo— a las diez y veintitrés minutos de la mañana. La camarera había subido momentos antes con la bandeja del desayuno y la taza de café humeaba todavía sobre la mesita de noche. Media docena de camisas limpias se amontonaban en la maleta abierta junto al pasaje de avión —Barcelona-Milán, vía Niza— y la cámara fotográfica. A través de la puerta entornada del lavabo percibía el sordo rumor del agua en la bañera.

—¿El señor Gasparini?

El primero llevaba una gabardina parda ceñida en torno de la cintura y se apartó para ceder el paso al otro —un hombre de una cuarentena de años, calvo, vestido de azul marino.

—Policía —dijo simplemente.

Le alargaba un carné rectangular con su número y su fotografía, pero lo volvió a guardar en el bolsillo, sin darle tiempo material de leerlo. Instintivamente, Gasparini se abrochó los botones del pijama.

—¿En qué tengo el honor...?

—Es una visita de cumplido —dijo el calvo—. Nuestros

servicios nos habían señalado su presencia en la ciudad y deseábamos tener con usted un cambio de impresiones —se llevó la mano al bolsillo y sacó una cajetilla de emboquillados—: ¿Quiere fumar?

—Acabo de encender uno, gracias.

—Nuestro propósito inicial fue de ir a verle en seguida, a fin de colaborar con usted y orientarle en la medida de nuestras posibilidades, pero el dichoso trabajo nos lo impidió —esbozó una sonrisa—: Le rogamos que nos disculpe.

—Son ustedes muy amables. En realidad estoy aquí de vacaciones, como quien dice ...

—El tiempo no ha sido bueno últimamente ... Cinco días con nubes y lluvia, algo excepcional en el mes de mayo ...

—¿Ha venido usted a descansar tal vez, señor Gasparini?

—Sí, como turista.

—Todos los extranjeros nos dicen lo mismo. La vida moderna, el ruido, alteran el sistema nervioso. La gente busca un poco de paz, un poco de sosiego ... —el calvo abarcó la habitación con una mirada circular—: Habrá recorrido usted nuestra ciudad me figuro.

—Sí, señor.

—Lo celebro —dijo—: Los países que tienen algo que ocultar cierran la puerta a los extranjeros, les impiden circular libremente ... Nosotros, no. Acá el que quiere venir viene, se pasea como Pedro por su casa y hace lo que se le antoja, con tal que respete las leyes nacionales... A usted, por ejemplo, ¿le hemos puesto algún obstáculo para entrar en España?

—No, ninguno.

—El turismo es nuestra mejor propaganda, créame. Usted mismo habrá podido apreciar la paz social, el orden público ... En cambio, en el extranjero tenemos mala prensa, ¿sabe usted por qué?

—No —dijo.

—Porque muchos periodistas que nos visitan, en lugar

de referir lo que ven con sus propios ojos, se encierran en la habitación del hotel y escriben una sarta de embustes y disparates. —El calvo había endurecido sensiblemente la voz—: ¿Qué opina usted de este proceder, señor Gasparini? ¿Le parece honesto?

—Perdónenme un segundo. El grifo del baño está abierto y el agua va a desbordar.

Abrió la puerta del lavabo y, al pasar junto al espejo, se contempló por espacio de unos instantes. El cabello revuelto y la barba de un día le avejentaban. Cerró el grifo, rompió la tarjeta de Antonio a pedazos, la arrojó al inodoro y tiró la cadena. De nuevo frente al espejo se remojó la cara y se peinó rápidamente. En el dormitorio, el hombre de la gabardina revolvía con calma el contenido de su equipaje.

—Naturalmente, como todos los países del mundo, tenemos nuestros descontentos —dijo el calvo—. Unos por ignorancia y otros porque les gusta pescar en aguas revueltas. Pero son un puñado y, socialmente, no representan a nadie, ¿comprende?

—Este señor...

—Oh, no se preocupe usted... —el calvo sonreía—. Mi compañero es un poco curioso y le gusta meter la nariz en todos lados —se volvió hacia la cómoda y examinó pensativamente el billete de avión—: ¿Se va usted hoy?

—Sí, señor.

—¿A qué hora ha de presentarse en el aeropuerto?

—Creo que es a las dos... Debe de estar escrito en el sobre.

—Si nos descuidamos se vuelve usted a su país sin habernos dado el gusto de conocerle... Hubiera sido una lástima, se lo aseguro... La máquina esa, ¿es alemana?

—Sí, señor.

—¿Es usted buen fotógrafo?

—Aficionado solamente.

—A mí la fotografía me vuelve loco —el calvo contempló la Leica unos momentos e inspeccionó el bolsillo supe-

rior de la maleta—. Lástima que las máquinas sean tan
caras... Si algún día voy a Alemania me compraré una.
Dicen que allí las venden a mitad de precio. —La mano
emergió de pronto con el sobre de las fotos y los negati-
vos—: ¿Me permite usted?

—¿Tienen orden de registrarme?

—Oh, por favor, se lo ruego —el calvo sacó las fotografías del sobre y comenzó a mirarlas una por una—: Es
mera curiosidad, ya se lo he dicho. También yo manejo
la cámara en mis ratos libres. La semana pasada mi cu-
ñado me prestó su Kodak y retraté a mis chicos junto a
las fieras del Parque... Treinta y seis fotos. Luego se las
mostraré.

El de la gabardina había dado con la agenda. Sin decir
palabra recorrió las direcciones telefónicas y se detuvo en
el calendario en el que solía anotar las citas.

—¿Qué día llegó usted a nuestra ciudad, señor Gasparini?

—El viernes hará una semana.

—Ah, sí ya veo... Arrivo a Barcellona, una letra muy
clara...

—¿El viaje fue bueno?

—¿Con qué derecho?...

—Digan lo que digan el avión es el medio de transporte
más cómodo y eficiente... —el de la gabardina sonreía con
una deferencia cortés—: Aquí veo, lunedi nuove mag-
gio, una cita con un tal Antonio... ¿Se acuerda usted?

—¿Antonio?

—Sí, lunes día nueve. En la libretita ha escrito usted,
Antonio a las doce. Venga, mire.

—Ah, ya caigo. Un amigo. Lo conocí en un café y me
acompañó por la ciudad.

—¿No tiene usted sus señas?

—No. Hablé con él por casualidad y nos hicimos amigos... No sé siquiera cómo se llama.

—Tampoco le dejó su número de teléfono, naturalmente.

—No, señor.

Hubo un breve silencio y el de la gabardina alumbró un cigarrillo. Su compañero observaba las fotos con gesto absorto.

—¿Conoce usted a un tal Enrique López Rojas? —preguntó el de la gabardina.

—¿Enrique López Rojas dice usted...?

—Exacto.

—No. No he tratado jamás con nadie de ese nombre.

—¿En Italia tampoco?

—Tampoco.

—¿Está usted seguro, señor Gasparini?

—Segurísimo.

—Es curioso, cuando le pusimos la mano encima llevaba anotada su dirección en un cuaderno... ¿No vive usted en el número quince de la vía del Torchio, en Milán?

—Sí, señor.

—En el interrogatorio nos confesó que le conocía. Dijo que usted y un profesor de la Universidad de Bolonia...

—Le repito que no sé quién es.

—En este caso me permitiré informarle un poco... Este muchacho procede de una excelente familia. Al padre lo asesinaron los rojos durante la guerra y un hermano de su madre murió combatiendo con los nuestros en el Tercio de Nuestra Señora de Monserrat... Aquí tengo una fotografía de él, ¿lo reconoce ahora?

—Ya le he dicho que no sé de quién me habla.

—El verano pasado anduvo unas semanas por Italia y, al regresar, traía instrucciones para organizar huelgas y disturbios estudiantiles... Acá se ligó con un puñado de gente indeseable. Cuando lo cogimos pudimos comprobar que había caído en lo más bajo: fotografías puercas, dibujos, petardos de grifa... Una verdadera suciedad. A propósito, ¿sabe lo que nos dijo de usted?

—Ni lo sé, ni me interesa. Ya les he dicho...

—Como usted quiera, señor Gasparini. Era para darle una idea tan sólo de su catadura moral...

—Sus actividades rozaban el delito común —dijo el calvo.

—La pobre madre, al principio, no podía creer que su hijo arrastraba el apellido sin remordimiento ni vergüenza ... Nosotros somos seres humanos como los demás, señor Gasparini. Le juro que, cuando le revelamos la verdad, personalmente pasé un mal momento...

—Estas fotografías, ¿son suyas? —preguntó el calvo de improviso.

—Sí, señor.

—¿Las sacó usted mismo?

—Sí, señor.

—¿Me permite usted un comentario, señor Gasparini? ... El juicio de un simple aficionado español.

—Desde luego.

El calvo encendió un nuevo cigarrillo y aspiró lentamente su aroma.

—Yo creo que no ha captado usted bien la realidad de nuestro país... ¿Por qué se empeña usted en retratar niños tristes y chozas en ruina? ¿Cree usted de verdad que eso es España? No; a usted le han guiado mal.

—No me ha guiado absolutamente nadie —protestó él.

—¿Qué diría usted si fuéramos a su país y en vez de fotografiar sus bellezas y sus realizaciones, buscásemos lo más miserable y más sórdido y regresáramos a España diciendo: Miren, caballeros, esto es Italia? Se ofendería usted, señor Gasparini. Como todo buen patriota se consideraría usted insultado por nuestra conducta... ¿A qué hora me ha dicho que se va usted?

—A la una.

—Veamos —el calvo consultó la esfera de su reló—. Ahora son las once menos diez. Me basta una hora y media para convencerle de su error... ¿Tiene usted la bondad de vestirse?

—¿Vestirme?

—Vamos a dar un paseo en automóvil y, de paso, sacaremos unas fotografías... He visto que en la maleta le quedan dos rollos.

—¿Es una orden?

—Es una amable invitación, señor Gasparini. Me apenaría muchísimo que se fuera de España sin haber comprendido una serie de cosas elementales... Nuestro país es muy bello y la gente vive tranquila y feliz. Le mostraré los cafés del Ensanche, el monumento a la Victoria, las escuelas de formación profesional... Allí verá usted una realidad que desconoce: hombres y mujeres alegres, niños que ríen... Esas fotografías que ha hecho usted son artísticamente pobres. Hay demasiado claroscuro, resultan monótonas. Por eso, si usted no se ofende, las haré desaparecer... No quisiera que en su país lo juzgasen mal, señor Gasparini... Si la luz nos acompaña un poco podremos tomar otras mejores.

El viejo café de madame Berger recibía, en ocasiones, la visita de algún viajero ilustre. Durante sus diez años de exilio parisiense, junto a la cáfila de emigrados políticos y estudiantes ociosos —para quienes el simple hecho de romper las suelas por el Quartier Latin servía de justificación a una existencia que fuera considerada inútil en cualquier otro lugar del mundo—, Álvaro había topado con una docena de escritores y artistas apercibidos a la difícil conquista de París, representantes efímeros del genio y figura de España en los salones y círculos literarios de la Rive Gauche a los que la brillante acogida dispensada por la intelectualidad francesa de izquierda había inducido a creer, por un momento, que había sonado, al fin y para siempre, la hora sublime de su triunfo y elevación.

Sobre el recién llegado español de largas patillas y tenebrosos ojos llovían las invitaciones a reuniones y cenas, las mujeres lo contemplaban intensamente y los hombres lo escuchaban con atención casi mística: era la figura del día, heredero glorioso de los combatientes de la guerra civil, víctima inocente de un Régimen impuesto por Hitler y Mussolini con la innoble complicidad de las democracias occidentales. Qu'est-ce que nous pouvons faire pour vous?, decían sus devotos y estremecidos admiradores, y bastaba entonces asumir una expresión sufrida y grave y encastillarse en un silencio desdeñoso y altivo para que el masoquismo colectivo se desatase y sus anfitriones se acusaran con ensañamiento de todos los males y desgracias que abruman a España, c'est de notre faute, nous sommes tous coupables, mientras él apuraba hasta la hez aquel instante único y exquisito, inesperado cabo de una carrera de genio en cierne, encarnación viva del drama de un pueblo indómito, vendido y entregado a explotadores y rapaces por los siglos de los siglos —respeto y veneración que un día aciago, obedeciendo al irresistible magnetismo de los titulares de *France-Soir*, se transfería a los refugiados húngaros o rebeldes tibetanos con la consiguiente búsqueda y hallazgo de nuevos héroes que se convertían de la noche a la mañana en el polo de atracción de las veladas y reuniones, agasajados con el mismo entusiasmo con que, semanas antes, se le había encumbrado a él haciéndole sentirse, de pronto, despojado de su fugaz aureola, como un rey destronado y vencido a quien se invita por mera conmiseración y como dándole a entender que en lo futuro deberá no usar y abusar de tal cortesía.

Álvaro conocía algunos de estos héroes de un instante que no repuestos aún del estupor de su propia caída, revivían su esplendoroso pasado en el café de madame Berger, disueltos ya en la masa anónima de estudiantes y emigrados políticos, al acecho del momento en que un nuevo y ambicioso voluntario subiría a la cuerda floja y se estrellaría contra el suelo. Tendido en la meridiana, a la luz de los ventanales de la galería, evocó la tarde en que Soler se había presentado en el café con el ganador del último Premio Planeta, un individuo denominado Fernández que había subido a París con media docena de novelas que eran best-seller en España y que, tras madura reflexión, había decidido confiar al editor francés de Hemingway. Su aparición había obrado el milagro de acallar las conversaciones y, lentamente, los expatriados de las distintas capas geológicas se agruparon alrededor de él dispuestos a escuchar el luminoso mensaje cultural que les llegaba de la Península.

—¿Por qué, precisamente, el editor de Hemingway?

—Me agradaría que *Vidas sin rumbo* se publicase en la misma colección que *El viejo y el mar*.

—¿Le gusta a usted William Faulkner?

—Es un camelo. Mis autores preferidos son Maugham y Vicki Baum.

—¿Conoce la obra de Sartre?

—Mi mujer hojeó uno de sus libros y dice que escribe porquerías.

—¿Y Kafka?

—No lo he leído.

—¿Qué piensa usted de Robbe-Grillet?

—¿Cómo dice usted...?

—¿Es usted partidario del nouveau roman?

—Ni mi mujer ni yo chamullamos francés. Nos basta y sobra con el castellano.

—¿Cuánto tiempo empleó usted en redactar su última novela?

—Ocho días.

—¿Corrige usted lo que escribe?

—Nunca. Lo que se gana en florituras se pierde en espontaneidad.

—¿Qué técnica narrativa prefiere?

—La técnica es otro camelo. Cervantes no sabía de teorías y escribió el Quijote.

—¿Prepara usted alguna nueva obra?

—Sí. Tengo proyectada una novela sobre la oposición generacional entre padres e hijos que voy a ambientar en el barrio negro de Nueva York.

—Ah, ¿ha visitado usted los Estados Unidos?

—No. Ésta es la primera vez que salgo de España.

—Y París, ¿le agrada?

—Pues sí. Mucho. Aunque la comida es infecta y la
monumentabilidad excesiva. En el hotel, mucha mandanga
de salsas y menjunjes, y muy poco espeso. A mí todo lo
que es salsas no me gusta. Yo voy al grano, nada de quesos ni mantequillas... He pasado tres días en Alemania
comiendo salchichas y nada más. Porque hay que ver cómo
tragan y luego se dicen tan civilizados.

El anillo se había cerrado en torno del novelista y la propia madame Berger parecía absorber la jeringonza acodada
en el mostrador del bar, mientras el gato se desperezaba
en el cestillo de los croissants y examinaba fijamente el
texto polvoriento de la Loi de Repression de l'Ivresse Publique.

—...Y pensar que hay un restaurante en Gracia en donde
por treinta y dos pesetas te dan una espaldita de cordero
asada... y por diez duros tienes Codorniu y no como aquí,
que pedimos una botella de champaña y tuvimos que de-
jarlo... Acá todo es yogurt y mermeladas y, a la hora de
pagar, ¡agárrate!... Cuando pienso que en Casa Agut
te ponen un filete a la plancha con setas por veinticuatro
pesetas... lo querrán creer ustedes, ¡veinticuatro pesetas!...
¿Y el pollo con patatas de El Abrevadero?... ¿Y esto que
llaman terrina de liebre, que te dan en Joanet? ¿Y los
pajaritos fritos que te sirven en El Canario?... ¡Cuatro
pesetas la ración de pajaritos con cerveza!

—¿Qué cosa le ha llamado más la atención en París?

—Las parejas. Qué manera de darse el filete por la calle, sin que nadie les diga nada, delante mismo de Notre
Dame...

—¿Ha entrado usted en la iglesia?

—Sí, ayer fui a misa con mi mujer... Por cierto que
hace poco leí el libro sobre la vida privada del sinvergüen-
za de Victor Hugo... ¡Dice Gilbert Cesbron que tuvo hijos
con todas sus criadas!...

—En lo que respecta a la novela, ¿qué piensa usted de
la censura?

—Lo que pasa con los libros es que los editores se han cansado de perder dinero y van a lo positivo. Es decir: sólo editan lo que saben con seguridad que se va a vender... Yo, por ejemplo, tiro a cincuenta mil ejemplares. En la librería de mi pueblo no despachan más que mis libros.

—¿Qué acogida crítica han tenido sus obras?

—No me puedo quejar. Algunos periodistas me llaman ya el Balzac español.

—Esto es bien verdad —dijo Baró con voz suave—. Aquí llaman también a Balzac el Fernández francés.

Hubo un silencio tenso. El novelista pasó la observación por alto.

—En cualquier caso a mí me interesa más el público que la crítica —añadió.

—¿Cómo ve usted el futuro de la cultura española?

—Magnífico. Ahí tiene usted el equipo de la revista Índice... En el último número rebatían a Carlos Marx.

—¿Se va a quedar mucho tiempo en París?

—No. Sólo lo indispensable para poner mis traducciones en marcha... Estoy mejor en Barcelona o en mi finquita de Cáceres.

La conversación duró varias horas y, al anochecer, el novelista se había despedido de los contertulios con la expresión de disculpa de un hombre que no puede disponer libremente de su tiempo: "Lo siento, pero mi mujer me espera en el hotel. Queremos ir a ver una de esas revistas con tías en pelota... Me han dicho que algunas de ellas son chavalas casadas que lo hacen para ganarse los cuartos. La verdad, a los que no entiendo yo es a los maridos..."

Cuando salió a la calle —Álvaro sonreía al recordarlo, con la vista perdida en el disco de la luna que coronaba ya la cima de los montes— Baró aguardó unos segundos con una sonrisa enigmática y exhibió ante la concurrencia del café la funda de cuero de un pasaporte que yacía sobre el hule rasgado de la banqueta.

—¿De quién es?

—Mirad. —El novelista posaba muy serio en la fotografía de identidad—: El tío cabrón lo ha olvidado.

—¿Por qué no se lo has dicho? ¿Quieres que se dé el susto?

—¿El susto?

Baró reía hasta saltársele las lágrimas. Inopinadamente cogió el pasaporte con las dos manos y lo rasgó por la mitad.

—¡Qué haces! —La exclamación brotó de modo simultáneo de varios rincones del café.

—Ya lo habéis visto. Al carajo.

—¿Y el tipo?

Baró se enjugaba los ojos y contestó, sencillamente:

—No importa. Un exilado más.

Unos meses después de la frustrada manifestación de estudiantes —el orden público y la paz social venturosamente restablecidos—, Ricardo y Artigas fueron un fin de semana a Madrid con objeto de ver a Enrique y sus compañeros del Comité de Coordinación transferidos a la cárcel provincial de Carabanchel. El encuentro se celebró en un amplio local dispuesto en forma de pajarera, a través de dos telas metálicas separadas por un estrecho pasillo por el que circulaba sin descanso un funcionario de Prisiones. Para oírse era necesario hablar a gritos y visitantes y presos se contemplaban mutuamente aturdidos por la simultaneidad de las voces, tratando de aclarar con ademanes y con gestos las frases caóticas, entreveradas e inconclusas. A los universitarios barceloneses el reposo forzado parecía pintarles bien y aferrados a la tela metálica como orangutanes del Zoo, acogían sus renovados intentos de charla con una sonrisa irónica. En sus ojos no había ninguna sombra de reproche. Al cabo de media hora de galimatías sonó un timbre y, sin darles tiempo de reaccionar, los presos se retiraron encuadrados por sus guardianes. Ricardo y Artigas se encontraron en la calle desorientados y confusos, perdidos en la cola silenciosa de amigos y parientes que se dirigían hacia la parada de autobuses, camino de la ciudad hostil, dilatada y anónima que se extendía ante sus ojos como una abrumadora pesadilla.

Unas horas más tarde, antes de tomar el avión que debía llevarles a Barcelona, un grupo de amigos les condujo en automóvil hasta el pueblo vecino de Paracuellos del Jarama. Allí, al pie de unas colinas ocres, desnudas de toda vegetación, existe un cementerio en donde fueron enterrados los nacionales fusilados durante los años de la guerra. Las tumbas de los militares, sacerdotes y demás personajes caídos por Dios y por España se alinean medio ocultas por la maleza y los hierbajos, con sus cruces, coronas mortuorias e inscripciones fúnebres, evocando pasadas hazañas y glorias pretéritas, condecoraciones y título obtenidos durante el levantamiento de Asturias, los sucesos de Jaca o la guerra contra los rebeldes de Abd-el-Krim. La perspectiva del lugar es espléndida y la primavera había transformado la llanura en un inmenso y enrojecido campo de amapolas.

El viejo guardián esperaba la hora de cierre sentado junto a la puerta y, cuando salieron, les sonrió con melancolía: "Los primeros años, dijo, venía muchísimo personal: las viudas, los padres, los conocidos, los curiosos... Todo estaba muy limpio y las tumbas bien cuidadas... Ahora no... La gente ha perdido el respeto a los muertos... Los domingos se acercan acá para comer y divertirse... El otro día tuve que echar a una pareja que bailaba entre las cruces con la música de un transistor... Otros se acuestan con sus novias o hacen sus porquerías... Es algo que le encoge a uno el ánimo... En mi tiempo esas cosas no se hacían, créanme..."

En el avión, a cuatro mil metros de altura sobre la oscura e invisible Meseta de Castilla, Artigas y Ricardo habían recordado las palabras del guarda y las habían repetido una y cien veces en el sopor intermitente de la vigilia, preguntándose cuándo Señor, al cabo de cuántos días, semanas, meses o años el Régimen y sus hombres desaparecerían en medio de la indiferencia y el olvido, lejanos y absurdos como aquellos tristes nombres grabados en las tumbas del profanado, marchito cementerio.

Horas y horas empleadas en reconstituir la existencia de aquellos años, la vivida por Álvaro y la que había proseguido sin él desde la fecha ya lejana de su partida, gracias a conversaciones interminables con Artigas, Ricardo o algún otro superviviente del grupo en el fresco nocturno de la terraza: el tiempo parecía escaparse a medida que pretendían calar en él, ofreciéndoles tan sólo un revoltillo de imágenes aisladas, escenas truncas, recuerdos descoloridos y borrosos, residuo de una época contra la que habían luchado sin éxito, de la que habían querido huir y que había acabado por devorarles.

...Como aquella tarde —recompuesta con ayuda de Dolores— en que, a la salida del café de madame Berger, habían vagabundeado por el barrio de la rue Mouffetard deteniéndose a tomar anís en los cafetines árabes y, en un minúsculo bar del Passage des Patriarches decorado con un acuario de peces de colores y una imagen de Santa Genoveva de París, habían trabado conversación con una pareja de clochards barbudos que, apoyados en el mostrador de cinc, criticaban ásperamente la concurrencia desleal de los basureros y les habían invitado a compartir su tintorro.

—Nosotros jugábamos al futbolín —dijo Dolores—. Tú ganabas siempre y yo estaba furiosa contigo, ¿te acuerdas?

El anís les había alegrado el ánimo y los dos se sentían inesperadamente felices, con ganas de reír y comunicar con el prójimo.

—Mademoiselle est Italienne?

—Non, Espagnole.

El clochard más viejo se acariciaba la barba y les contempló con orgullo.

—Ah, l'Espagne... Teruel, Belchite... Je connais.

Sus ojos eran como dos globos, azules y enrojecidos.
Dolores había vaciado su vaso de un trago y le miraba de
hito en hito.

—Ça fait longtemps que vous y êtes allé?

—Ça alors. —El clochard hizo un ademán impreciso—.
C'etait pendant la guerre... Boum, boum, boum...

—Vous habitiez l'Espagne?

—Moi? —El clochard denegó con la cabeza—. Je suis
parti m'engager, moi... Ah, sacré pays...

—Volontaire? —dijo Álvaro.

—Oui Monsieur..

—Mais, de quel côté?

La pregunta pareció cogerle desprevenido. El clochard
examinaba a Álvaro con recelo e hizo un visible esfuerzo
de concentración.

—Du bon côté —dijo finalmente.

—Qu'est-ce que vous appelez le bon côté?

—Vive la République —el clochard cerró la mano y levantó el puño—. Je suis républicain, moi.

—Ah, bon.

—Mon général était Queipo de Llano.

—Quoi?

—Queipo de Llano —el clochard se cuadró militarmente—. Ah, c'était le bon temps...

—Alors vous étiez avec les fascistes —dijo Álvaro.

—Avec les fascistes? —el clochard le observaba de nuevo con desconfianza—. Je suis patriote, moi... J'etais á
Paname et je suis parti.

—Queipo de Llano était du côté de Franco.

—De Franco? —el rostro del clochard reflejaba un
estupor real—. Ah, non.

—Mais si —dijo Álvaro—. Si vous étiez avec lui ça
veut dire que vous êtes engagé contre la République.

—Ça, jamais de la vie, J'ai lutté pour la République, moi.
Je suis blessé ici —se llevó la mano a la bragueta e hizo
ademán de desabrocharla—: Mademoiselle voudra bien
m'excuser.

—Je vous dis que Queipo de Llano était fasciste —dijo Álvaro.

—Je suis républicain et patriote.

—Et vous étiez avec Queipo?

—Oui Monsieur.

—Vous vous trompez, voyons. Si vous etiez républicain vous luttiez contre Queipo. Et si vous luttiez avec Queipo vous n'étiez pas républicain.

El clochard les miraba alternativamente con expresión incrédula. Al cabo se encaró con su compañero.

—Ça alors. Quel sac de noeuds.

—Tu déconnes —dijo el otro.

—J'ai oublié —dijo el clochard—. J'ai été blessé trois fois mais j'ai oublié.

—Voyons —dijo Álvaro—. Faites un petit effort.

El clochard apuró su vino de un trago y se dio una palmada en la frente.

—Je ne me souviens plus —dijo con gesto de excusa.

—Entonces le pregunté qué himno cantaban. El de Riego o el Cara al Sol...

Dolores había entonado una estrofa de cada uno y, las dos veces, el clochard la acompañó con voz ronca y agitó los brazos empuñando una imaginaria batuta.

—Ah, oui, c'est ça...

—Mais lequel des deux?

—Moi je chantais un qui disait.

> Ah, mon chéri
> oui joue moi z'en
> de la trompette
> de la trompette...

—Tu déconnes —dijo el otro.

—Toi boucle-la.

—Tu te trompes de guerre— insistió el más joven—. Ça c'était contre les ratons.

—Je ne me souviens pas... Ça fait si longtemps...

—Alors... —dijo Álvaro.

—Putain de bordel de merde. Je ne me souviens plus.

Dolores y Álvaro no habían podido contener un pujo de risa mientras el clochard se rascaba la cabeza y miraba en torno con gesto ensimismado.

—El tipo ha resuelto definitivamente el problema español. Todo el mundo debiera imitar su ejemplo... Borrón y cuenta nueva.

—Me gustaría que mi padre lo oyese —decía Dolores con las mejillas encendidas—. Él y los demás exilados de México, con sus manoseados recuerdos...

—Y mis tíos, repitiendo como loros las mentiras de los diarios... La eterna guerra civil... A nosotros, ¿qué nos importa?

Escoltados por los clochards barbudos habían recorrido la rue Mouffetard cantando y riendo como muchachos, alors vous ne vous rappelez vraiment pas, mais non pas du tout, lo ves, ya lo ha logrado, hagamos como él, tout cela est tellement vieux...

—Aquella noche nos acostamos juntos por segunda vez —dijo Álvaro—. Tomamos un taxi en la Contrescarpe y te llevé a mi estudio.

—Habías bebido y ni me tocaste siquiera —dijo Dolores.

—Tenía miedo.

—Todo comenzó al día siguiente, ¿recuerdas?

—No —dijo Álvaro—. Cuando te amé al fin también estaba borracho.

CAPÍTULO VI

Nubes grandilocuentes, pomposas, como anunciando una obertura de ópera, discurrían en dirección al mar, tras el verdor desnudo de los árboles. El calor de la víspera había cedido un tanto y una brisa apacible estremecía las agujas de los pinos y los brotes menudos de las acacias. Las ranas croaban, lentas, en el estanque. La criada había olvidado el libro de geografía de los niños al pie de la gandula y Dolores se inclinó a recogerlo y lo contempló con atención.

Era un atlas inglés anterior a la segunda guerra mundial y los dominios, protectorados y posesiones de la mancomunidad británica figuraban pintados con diferente color que los restantes países: la agresión nazi no se había producido todavía y el equilibrio político instaurado por los acuerdos de Locarno y la tutela de la Sociedad de Naciones parecía garantir un orden sereno y perdurable, al abrigo de revoluciones y amenazas subversivas, caución irrisoria y caduca, piensas ahora, como la Santa Alianza de los monarcas en la época fabulosa y lejana del imperio Austro-Húngaro.

Diez años atrás, algún tiempo antes de amaros, habíais abandonado vuestras familias con el propósito de viajar y conocer una vida distinta de la del núcleo español en que os educaran (la barcelonesa sociedad reconstituida después de los temores y sobresaltos de la guerra para ti; el universo gregal y anacrónico de los republicanos exilados en México para ella): abrir el libro de geografía y pasar las páginas era, entonces, una evasión, una fuga, un sueño, el vuelo libre y espacioso de algún faquir sobre la codiciada alfombra mágica. En los años de guerra y postguerra el proyecto parecía utópico y trasladarse a cualquiera de los países que ávidamente examinabais en el mapa equivalía a tropezar con dificultades y obstáculos insalvables y abruptos: solicitaciones denegadas, visados remotos, largas e inútiles colas ante funcionarios pétreos con rostro de inquisidores (salvoconductos, certificados, avales, permisos, sellos, timbres móviles reclamados hasta lo infinito como en una demencial y burlesca escena de *El Cónsul* de Menotti).

Cuando saliste al fin (adelantándote unos años a la ola de pioneros y conquistadores émulos de Magallanes, Cortés y Pizarro), el descubrimiento y exploración del mundo nuevo (el Quartier Latin y Saint-Germain, el cine soviético y la literatura prohibida en España) te aturdieron de salvaje y densa felicidad. El sueño largamente acariciado cobraba forma tangible y Dolores se había instalado armoniosamente en él, encauzando tu vida hacia otros horizontes, lejos de tu país y de su fauna. Poco a poco (sin advertirlo tú) tus deseos se habían cumplido con una facilidad desconcertante (la culpabilidad aleve de la recompensa obtenida sin mérito ni esfuerzo): el rodaje del documental sobre la emigración primero y tus obligaciones profesionales después os llevaban por turno a los lugares que ambicionarais conocer en la mocedad sustituyendo así la imaginación infantil y el mito adolescente con la realidad ambigua, contradictoria y compleja del recuerdo vivido, de la experiencia bruscamente ganada. Montecarlo, Suiza, Venecia, Hamburgo, Holanda dejaban de ser simples nombres aureolados con los fastos de los relatos e historias que sobre ellos leyeras para convertirse en las balizas e hitos de tu historia común con Dolores (el encuentro con Europa yuxtapuesto a la mutua revelación de vuestros cuerpos, la fallida inserción en el mundo de la civilización industrial urbana a los altibajos e incidencias de vuestra desmesurada pasión).

Las fronteras y límites que antes os aprisionaran habían sido abolidos de golpe y recorrer el mapamundi en este ingrato verano del 63 era evocar una a una las páginas de vuestro historial amoroso desde la época en que casualmente os conocierais en una casa de huéspedes de la rue Chomel hasta la fecha en que, agotados todos los medios de salvamento y rescate de una unión socavada día a día por el tiempo vengativo y avaro, te acostaste junto a ella en la oscuridad y le dijiste: "Nada podemos ya uno por otro." (Con el proverbial extremismo hispano el Régimen arrojaba del país a centenares de miles de españoles rebalsados antes por el muro infranqueable del Pirineo. Durante tu reciente convalecencia en la Costa Azul habías hecho amistad con uno de ellos en el puerto de Mónaco: hombre de una treintena de años, sencillo y tosco, marinero de un yate de recreo propiedad de un conocido barítono.

—Señor Álvaro. El gobierno que tenemos en España, ¿es bueno o es malo?

Le miraste: el rostro franco, la expresión abierta, una interrogación tranquila en los ojos. Resultaba cruel a su edad despojarle de tantas ilusiones y le diste unos golpecitos en el hombro.

—Bueno no, muchacho. Buenísimo.)

Las nubes escampan desmadejadas, veloces. Cielo y mar funden sus tonalidades en una imprecisa franja azul. Un mirlo vuela a ras de suelo y va a posarse en el caballete del tejado. De la otra vertiente del valle el eco transmite, espaciado, el hachazo rítmico de los leñadores.

El contenido del atlas geográfico es parte integrante de vuestra vida, e inclinándose sobre él, revivís el tiempo pasado.

Elíptico, embrollado, su curso reproduce cabalmente los meandros sinuosos de la memoria.

Hablan las voces del recuerdo.

Escuchad.

Un decrépito barrio burgués silencioso y sombrío. Un inmueble gris de una calle gris obra de algún arquitecto gris, de inspiración fúnebre. Una escalera venida a menos con viejos candelabros de cristal, una alfombra raída, vidrieras de colores, canapés de peluche. Una puerta maciza con una placa ilegible.

EDMONDE MARIE DE HEREDIA
SOLFÉGE — CHANT — DICTION.

Una ciudad: París. Y una fecha: 1954.

Tu primer encuentro con Dolores.

(Cuando unas semanas antes de tu síncope pasaste delante del piso de la profesora andamios y lonas cubrían la fachada del inmueble. Los pintores habían remozado sus lienzos, cornisas, jambajes, entreventanas y la Venus de piedra que sustentaba el vuelo del balcón central era objeto de un lavado minucioso por obra de un peón italiano: después de haber frotado espaciosamente sus pechos, vientre y muslos, se demoraba en retocar el triángulo oscuro olvidado entre el sexo y los ijares con una aplicación exaltada que azuzaba la risa de los otros. La Venus soportaba aquel ultraje con dignidad frígida y, mientras proseguías tu camino hacia la rue de Varennes, lamentaste no haber captado la escena con el objetivo de la Kodak.)

Era parienta lejana del poeta, d'une ligne collatérale, añadía apuntando con un dedo huesudo hacia la fotografía borrosa que reposaba encima del piano, il m'avait connue quand j'étais toute petite, ma mère me disait toujours qu'il me prenait dans ses bras et qu'il me regardait pendant des heures et des heures: el autor de *Trophées* figuraba en ella, creías recordar, con bigote y perilla, a la salida de su solemne recepción en la Academia Francesa, ceñido en el gallardo y suntuoso uniforme de los inmortales. A su alrededor, docenas de fotografías, desdibujadas también, reproducían en diferentes poses, tocados, peinados y vestidos un modelo único: Madame Edmonde Marie de Heredia retratada, adolescente aún, junto a una columnilla dórica, el día de su puesta de largo; años después, con un extravagante sombrero de plumas, a su entrada en el conservatorio de música de París; en la salle Pleyel, en compañía de Nadia Boulanger, durante un acto en favor de las víctimas del terremoto de Tokio de

1923. La belle époque, decía abarcando con un ademán de la mano los recuerdos hacinados en las paredes, vitrinas, cómodas y consolas del oscuro y vetusto salón, l'Art alors, était une religión qui avait ses dieux, ses prêtres, ses fidèles, ses temples, non la vulgaire entreprise commerciale qu'il est devenu aujourd'hui, où n'importe quel parvenu, qui ne connait même pas les premiers rudiments du solfege, se permet de donner des récitals sans que personne, je dis bien, personne, crie à l'imposture. Cubierto su rostro de polvos de arroz, protegida y difuminada por la penumbra, madame de Heredia permanecía tiesa en medio del sofá, con la mente evadida, diríase, en algún sueño esplendoroso, remoto. Las pesadas cortinas paliaban el huraño cielo gris y, al atardecer, las lamparillas encendidas en los rincones parecían velar exvotos o reliquias: los paños de verónicas, los brazos de cristos, las cabezas de santos que te sobrecogieran de temor y de culpa durante tu envenenada adolescencia española.

—Bon. Recommencez.

Y el alumno de turno (un canadiense miope y tímido o el argentino pedante que os hiciera desternillar de risa al anunciar con gran énfasis: "Madame, je voudrais être pénétré jusqu'au bout par la culture française"), terminado el inciso obligado y prolijo de las evocaciones personales, recitaba de nuevo

Comme un vol de gerfauts hors du charnier natal

bajo la vigilancia altiva de la profesora mientras los demás huéspedes de la vergonzante pensión fingían tomar apuntes y repasar las lecciones de solfeo que madame de Heredia postergaba regularmente con nuevos pretextos, contradictorios, absurdos.

—Non, pas comme ça. Ici vous n'etês pas à l'école Berlitz ni à l'Alliance Française. Un peu plus d'entrain, un peu plus de fougue. Nous reverrons ca demain.

(Los alumnos se recogían a sus habitaciones y ella rememoraba para su favorito la inolvidable escena de su condecoración por el general Pershing o las incidencias de su gira artística por Portugal. Un gato negro dormía ovillado sobre su falda y madame de Heredia lo acariciaba mecánicamente con la vista perdida en las peladuras de la alfombra.)

Os habíais cruzado tal vez en el pasillo sin advertir vuestra presencia mutua, ajenos a los vínculos que en adelante debían uniros, ignorantes aún del deseo escondido y de la evidencia de ser (existir) ya uno de (para) el otro. Recordabas tan sólo su fugaz silueta perfilada en el vano de la puerta mientras apagaba la luz y se hundía en la oscuridad del corredor, escurriéndose casi al pasar frente al salón de madame de Heredia y el cónclave de huéspedes reunido en él. Sabías que tenía la familia en México, que había venido a París a estudiar francés y dibujo, que debía dos meses de pensión. ¿Su rostro?: incapaz hubieras sido de describirlo. Habías tropezado con él en la cola del Foyer de Sainte Geneviève y, cuando te sonrió, tardaste unos segundos en reconocerlo como si, adivinando la violencia futura de la pasión, te decías, hubieses retrocedido asustado, hubieses querido cerrar los ojos.

La petite a des ennuis, murmuraba madame de Heredia en uno de los paréntesis biográficos que intercalaba en sus lecciones, elle a trouvé le moyen de se fâcher avec sa famille et elle ne reçoit plus un sou. Los alumnos volvían la cabeza hacia el pasillo por el que la culpable se acababa de escabullir y madame de Heredia elevaba la voz e imponía silencio con un enérgico movimiento del brazo.

—Bonsoir, mademoiselle. Vouz pensez à moi?

—Oui, Madame.

—Vous m'avez dejà dit ça la semaine dernière, ma petite.

—J'ai envoyé un télégramme à mes parents.

La historia había empezado a intrigarte. Una solidaridad muda te unía a Dolores, a la silueta esquiva de Dolores hurtándose de la presencia de madame de Heredia y de su severo tribunal de alumnos. En más de una ocasión, durante uno de tus frecuentes insomnios, la habías oído regresar de madrugada, caminando de puntillas, y meterse en la cama, sin encender la luz. Un impulso sordo te instigaba a seguir sus pasos cuando, aprovechando el tocado matinal de la profesora, abandonaba silenciosamente el piso y, envuelta en su anorak blanco, se perdía en el sombrío y melancólico invierno de París. La escoltabas a prudente distancia hasta el Bureau de la Main d'Oeuvre Étrangère adonde acudía frecuentemente con la esperanza de encontrar trabajo, sin decidirte todavía a hablar con ella, intuyendo quizá la intensidad del amor que había de nacer entre vosotros, retardando, con egoísta delectación, el instante de descubrírselo.

¿Presentiste, entonces, la gravedad de su desamparo? Seguramente no, absorto como estabas en la certeza de tu inclinación por ella, en el preámbulo jubiloso de vuestra historia. Dolores parecía ensimismada también y espiarla sin despertar sus sospechas era para ti, habituado ya a estos lances, juego de niños. Un día la viste conversar con un desconocido en medio de la calle y, bruscamente, la congoja te invadió. ¿Estabas celoso de ella? Resultaba absurdo de tu parte, tú que no habías hecho hasta el momento ningún esfuerzo por conquistarla y la rehuías si, por casualidad, topabais en la escalera. Cuando se despidieron y ella continuó su paseo a solas una felicidad desconocida se adueñó de ti y, buscando una instancia superior a quien dirigirte, tan milagroso te parecía el incidente, diste gracias a Dios.

Días más tarde, al distribuir el correo por las habitaciones, madame de Heredia había golpeado con los nudillos en la puerta de ella: "Rien encore pour vous, ma petite. Est-ce que vous comptez vraiment sur votre mandat?"

—Oui, Madame.

—Ça fait deux mois que vous me faites attendre. Je ne peux pas vous garder la chambre indéfiniment.

—J'attends une réponse pour aujourd'hui.

—Vous êtes sûre?

—Je l'espère.

—Bon. Nous en reparlerons demain.

La seguiste por el Quartier Latin hacia el centro de ayuda estudiantil de la rue Soufflot. Dolores había comprado un periódico en un quiosco del boulevard Saint-Michel y leía los anuncios con una expresión ausente y premiosa. Varias veces le viste sacar un lápiz del bolsillo del anorak y señalar alguna dirección con un trazado rápido. Mientras se eclipsaba en el portal del inmueble entraste en el café vecino y bebiste una taza de té. Dolores salió unos minutos después, atravesó el bulevar y entró en los jardines del Luxembourg. Diciembre había desvestido las ramas de los árboles, corrían los niños arropados como duendecillos. El sol era un disco blanco, sin brillo ni calor. Se sentó en un banco de cara a los arriates de flores y arrojó el periódico a la papelera. Sus ojos contemplaban, extraviados, la desolación invernal del jardín. Inopinadamente había ocultado la cara entre las manos y rompió a llorar.

Te alejaste confundido. Una culpabilidad retrospectiva te hostigaba y el firme propósito de asumir en adelante tu responsabilidad, de aceptar gozosamente la ofrenda, inesperada para ti, de aquel amor. Cuando llegaste al piso de la profesora madame de Heredia había concluido su laborioso tocado matinal.

—Excusez-moi, Madame, avez-vous parlé avec Dolores?

—Oui, mon petit. Je lui ai dit ce matin que je ne peux pas lui garder la chambre. Elle est gentille sans doute mais, qu'est-ce jé peux faire d'autre? Le Centre d'Accueil m'envoie tous les jours de nouveaux élèves. Je dois respecter mes engagements.

—Combien d'argent vous doit-elle?

—Deux mois de chambre, plus les leçons.

—Quatre vingt mille?

—Exactement.

—Je viens de la rencontrer en face des PTT et elle m'a prié de vous remettre cette somme. —Le alargabas el fajo de billetes y madame de Heredia te observaba con incredulidad—: Vous pouvez compter.

—Elle a reçu le mandat?

—Il était retenu depuis longtemps à la Poste.

—Pauvre petite. Où est-elle maintenant?

—Elle est partie faire des courses.

—Je vais prévenir tout de suite le Centre d'Accueil. Je leur dirai que la chambre n'est pas libre. A quelle heure doit-elle rentrer?

—Je ne sais pas.

—Je voudrais lui faire une surprise. Lui acheter un bouquet de fleurs.

—Vous êtes trop gentille, Madame.

Esto fue todo: su destino sellado a espaldas de ella, irremediablemente decidido en unos segundos por la violencia desnuda de tu amor. (Dolores seguía tal vez en el banco del Luxembourg sin barruntar el cambio de rumbo, sustraída aún, por espacio de unas horas, a la vida que, en lo futuro, debía de compartir contigo, al deseo recíproco que, por su latitud y hondura, un año y otro y otro os sería imposible aplacar.)

Cuando regresó al fin, madame de Heredia había terminado las lecciones y el salón estaba desierto. Tú fumabas en tu cuarto, tumbado sobre el viejo edredón de color malva y el ruido apenas perceptible de sus pasos te sobresaltó. La oíste cruzar el corredor junto a tu puerta, meter la llave en la cerradura de la suya. Luego, la voz vehemente de la profesora, el silencio asombrado de ella te colmaron a un tiempo de dicha e inquietud. Abriste un cuaderno del IDHEC y fingiste absorberte en su lectura. Durante unos minutos los latidos de tu corazón pautaron acompasadamente el monólogo. Madame de Heredia aseguraba n'avoir jamais mis en doute sa parole y Dolores callaba con enigmática complicidad. Al despedirse una de otra el reló señalaba las diez en punto. Instantes después llamaron a tu puerta.

—Entrez —(¿Lo dijiste en castellano o en francés?)

Dolores apareció por la rendija entornada y permaneció unos segundos en el umbral, impasible y como resignada de antemano a tu presencia, con una expresión rencorosa y ajena que jamás se despintaría de tu memoria. Vestía unos pantalones negros y un grueso jersey de malla. El pelo corto, peinado sobre la frente, le daba una apariencia ambigua (feliz) de muchacho.

—Madame de Heredia me ha dicho que usted. . . —su voz sonaba extrañamente dura.

—Sí.

—¿Por qué ha hecho eso?

—No lo sé —balbuciste.

—Supongo que debo darle las gracias.

Sacó un cigarrillo del bolso y lo alumbró con un ademán brusco. Tú te habías incorporado del lecho y estabas de pie junto a ella, sin atreverte a mirarla.

—Sabía que andabas en un apuro.

—Ha sido usted muy amable.

—Yo no quería que. . .

—Por favor. Vuélvase mientras me desvisto.

Le diste la espalda sin comprender todavía sus intenciones y observaste, aterrado, la luz verdosa de la lámpara de flecos, los pesados cortinajes de la ventana. Una pastora rubia sonreía con gesto cómplice enmarcada en un óvalo de guirnaldas y tréboles. La cama arrugada, deshecha, invitaba torpemente al amor. De improviso tus ojos se aguaron.

—No —dijiste—. No, no, no.

Dolores se había quitado el jersey y te contemplaba con la blusa desabrochada y el pantalón a medio caer, súbitamente interceptado (roto el resorte interior) de su abrupto (armonioso) movimiento de desafío.

—Por dios, no.

Os mirasteis entonces por primera vez. La expresión de cólera había desaparecido de su rostro y su desamparo se había acordado espaciosamente con el tuyo, fundidos los dos en un solo arpegio, larguísimo, insostenible.

—¿Qué te pasa?

—No sé.

—Perdóname —dijo ella.

Su voz se quebró también. Los ojos naufragaban, brillantes, enfrente de los tuyos.

—Creía que tú. . .

—No.

—No quería herirte.

—Ya sé.

—No me mires así.

Cerraste los ojos y la mano de ella te acariciaba anestésica, salvadora. —Querido. Querido mío —con una voz transparente y magnética que parecía estrenar para ti.

Aquella noche dormisteis los dos juntos y no la penetraste. La unión de vuestras lágrimas había precedido en unos días a la de vuestros cuerpos y las nupcias salobres y tiernas en el anacrónico dormitorio de la pensión anularon de modo imperativo vuestro pasado haciendo de ti y de ella los instrumentos ciegos de una aventura moral común que ni el implacable y escueto tiempo humano conseguiría arruinar del todo. La erosión cotidiana (¿o era espejismo tuyo?) no prevalecía contra lo que entre vosotros había de precioso, de único, de irremplazable. Sólo la muerte (lo sabías) y su tranquila destrucción. Pero barridos los dos (te decías), ¿a quién le importaría el desastre?

Por el espejo veneciano suspendido en la pared abuhardillada del estudio de la rue Vieille du Temple seguías el movimiento sincronizado de vuestros cuerpos amándose y, saciado tú, aquilatabas a menudo, en silencio, la singular perfección del suyo. Especialmente creado para ti, dispuesto a tu medida, Dolores conjugaba en él, en delicada síntesis, belleza y gracia, fortaleza y ternura. Grato y propicio a la vista, cordial y acogedor al tacto, ¿era, como pensabas a veces con orgullo, una simple, tangible proyección de tu espíritu? Su comprensión y tu rareza se complementaban mutuamente y todo el oro del mundo no hubiese bastado para liquidar la deuda que contrajeras entonces. Tu boca ávida sobre la suya ardiente, tu sexo demorándose en el de ella, la tregua de paz que sucedía a tantos años grises de soledad y hastío, ¿tenían precio? Su sonrisa de después y el gesto triste de cuando, dolorosamente, de ti se desprendía,

¿cómo pagarlos? Exorcisados ya los preceptos y códigos que tus educadores te impusieran, aceptada tu manera de ser y el brusco placer de sus íncubos, Dolores había disciplinado sabiamente tus impulsos, había satisfecho año tras año tu creciente necesidad de amor. Vuestra unión reposaba sobre una armonía preestablecida: ninguna casualidad, ninguna contingencia entre ella y tú. Como si de antemano, concluías, alguno, demonio o ángel, hubiese previsto por vosotros.

Cuando el sol se ponía tras los tejados grises y chimeneas rojas, los gatos negros y las palomas blancas modificando sutilmente la proporción de tonos fuertes y débiles que constituía de suyo uno de los mayores encantos del cuadro, la luz del crepúsculo esfuminaba las líneas y contornos de los cuerpos reflejados en el espejo y os devolvía poco a poco, a ti y a ella, a vuestra remota, extraviada identidad. Dolores permanecía impasible, absorta en algún pensamiento secreto y tú resucitabas a la calma de la noche diciéndote una y otra vez, como te dices ahora, en este apático e indolente verano de 1963, el día en que todo haya sido olvidado y nuestros huesos se pudran lejos tal vez uno del otro, nuestro amor parecerá todavía indispensable y justo frente al azar y gratuidad de los otros, fortuitos siempre, siempre eventuales, imprevistos, absurdos, a merced de la suerte, arbitrarios, inútiles, siempre aleatorios.

Dolores se había retirado unos minutos al interior del Mas y aguardando su regreso, evocaste con una sonrisa el rostro de madame de Heredia perennemente espolvoreado de arroz, el gato negro acurrucado sobre su falda, la tertulia de alumnos reunidos alrededor del sofá isabelino. Trofeos y recuerdos de su carrera artística se confundían, nulos, allá en la sombra y una imprecisa sensación de irrealidad infectaba el ambiente como si, sustraído a las leyes de la física, el universo acolchado de la pensión bogase fuera del tiempo y del espacio, sujeto a un sistema particular y autónomo que, curiosamente, hallara su justificación en sí mismo, vous voyez la photo, c'est lui, Frédéric, un hombre de una cincuentena de años, canoso, elegante, retratado con una simple camisa de hilo y un pantalón claro junto a un panorama de nobles ruinas, probablemente Paestum o Pompeya, un être extraordinaire, Monsieur, un vrai amateur de belle musique, nous nous fréquentons depuis quelque temps y madame de Heredia suspiraba antes de proseguir la lección y posar la mano, flaca y amarilla, sobre el teclado marfileño del piano. En varias ocasiones, durante aquel novador y estimulante otoño del 54 te habías cruzado con él mientras, acompañado de la figura extática de madame Heredia, se dirigía al salón con un severo y riguroso atuendo bursátil. La profesora suspendía entonces sus lecciones y, con una mirada apremiante, hacía comprender a los alumnos que su presencia resultaba innecesaria, pues ella, madame de Heredia, iba a escuchar a solas a Frédéric, alguna obra inspirada de Schubert, quizá las sonatas de Scarlatti que él desgranaría nota a nota para ella con sencillez melancólica y distinguida. La profesora ajustaba cuidadosamente la puerta y, a lo largo de la tarde, los acordes melodiosos del piano se sucedían en la penumbra interpolados, a trechos, con breves silencios agudos, eléctricos, paralizantes. Madame de Heredia permanecía inmóvil en el sofá, con una taza de té en la mano y, al concluir su delicada interpretación de la partitura, Frédéric cambiaba la orientación del taburete y acogía, modesto, el hondo suspiro de agradecimiento de ella, un artiste d'une sensibilité raffinée, Monsieur, et un critique musical incomparable, feliz ella de no tener que compartir tanta dulzura con nadie, de apurar hasta la hez aquellas horas fugaces de comunión íntima y exquisita. Nous avons tous les deux les mêmes goûts et un même amour pour les belles choses, Mozart Beethoven, Schubert, Mendelssohn, y tú les imaginabas a los dos, dialogando sin necesidad de palabras, arrebatados por la música serena y luminosa de él, habitantes de un mundo perfecto y sin pasiones, acendrada y dinámica creación de su espíritu. El otoño transcurría moroso y, dos veces por semana, madame de Heredia desempolvaba sus viejos vestidos de soirée para ir con Frédéric a la salle Gaveau o al teatro des Champs Elysées, acompañada a menudo de Sébastien, el hijo de dieciséis años que tuviera de su marido meses antes del ansiado divorcio solicitado por ella a causa de la grosería y vulgaridad de él, j'avais peur au début de lui imposer sa présence mais il a été tout de suite touché par sa jeunesse et maintenant il l'aime presque comme s'il était son fils, y la profesora contraponía entonces, prolijamente el carácter común y plebeyo del padre de Sébastien, interesado sólo en los bienes y apetitos materiales, a la nobleza y elevación de Frédéric, amante límpido de los placeres ideales e incorpóreos, alerta y ágil cazador de la hermosura. Il est trop pur pour être de cette époque, murmuraba madame de Heredia, nous vivons lui et moi comme deux exilés y, en el silencio oportuno del crepúsculo, propicio, favorable a lo secreto, te confiaba que su amistad recíproca se había transformado paulatinamente en amor, no amor físico, precisaba en seguida, al menos por el instante, platónico todavía y casi angélico, pero de una intensidad y violencia·como ella, ma parole, nunca había conocido: parfois, en jouant du Schubert, il me regarde et ses yeux se remplissent de larmes, sa mère est morte quand il avait dix ans et il ne s'en est jamais remis. Tú la escuchabas sin decir palabra y madame de Heredia distribuía por los floreros y búcaros del salón las rosas que Frédéric le había enviado con una tarjeta escrita de su puño y letra, distraída, por aquel amor absorbente, del estudio y recitación de sus lecciones. Bon, recommençons, suspiraba, pero su imaginación, sabías tú, volaba, ligera, hacia los salones en donde Frédéric, retenido por sus obligaciones mundanas, discutía con algún otro melómano del último y magistral concierto de la Orquesta de Cámara de Stuttgart o ejecutaba con una frase lapidaria el mediocre recital de la Schwarzkopf, rodeado de seres excepcionales como él, inocentes, risueños, poéticos, imprevisibles. En los tres meses que llevaban frecuentándose Frédéric no le había declarado su amor ni revelado sus verdaderos sentimientos pero, ¿tenía, eso, alguna importancia? Sus miradas bastaban y los silencios densos que invariablemente seguían a la interpretación fascinante de una partitura, la amaba, sí, la amaba y ella también le amaba a él, aunque, a diferencia del prosaico y brutal marido de aborrecida memoria, Frédéric no buscase su cuerpo ni tan siquiera la besase y se limitara a estrechar con fervor la mano de ella entre las suyas y a mirarla, acariciante, con sus aterciopelados ojos de gamo. Il a vécu jusqu'à maintenant si sevrè d'amour qu'il n'ose pas y croire, Monsieur, notre historie lui parait un rêve y, corroborando puntualmente sus palabras, Frédéric aparecía en el piso con su austero atavío de la City y el consabido ramo de flores, virginal y perfecto, con esa distinción quintaesenciada e impalpable que, según la profesora, constituía el sello inconfundible del gentleman. Tú te retirabas a tu habitación, abandonándolos en su tierno remanso de amor y de ventura y acechabas, curioso, el momento en que el primer acorde del piano inauguraría el esotérico diálogo entre los dos y Frédéric le miraría de modo intenso a los ojos y le estrecharía apasionadamente la mano como si quisiera pasarle por ósmosis todo el amor indecible, intacto, que en él había. Non, il n'y a rien encore, il a une sensibilité à fleur de peau et je ne veux pas brusquer les choses, decía madame de Heredia después de la visita, las mujeres le infundían miedo sin duda, probablemente en su juventud había conocido amargas decepciones sentimentales o, quizá, como aquel primo lejano de ella de quien te trazara en una ocasión la biografía, permanecía sentimentalmente ligado a la madre y le había jurado fidelidad hasta la muerte, l'amour, alors, est une profanation, vous comprenez? y tú asentías, en silencio, a aquel cursillo acelerado de ideas de Steckel, Marcelle Segal y Monseñor Fulton Scheen, sumergido en la penumbra submarina del salón, con el adusto gato negro de la profesora acomodado en el regazo. Casi diariamente Frédéric se presentaba en el piso con su ramillete de rosas y había que ver entonces a madame de Heredia precipitándose a rehacer su tocado para surgir minutos más tarde con la cara empolvada y un agresivo hálito de perfume, rejuvenecida y vibrante, recobrado el aplomo mundano de sus galas triunfales y de sus amarillentas fotografías. Resonaba otra vez el piano, dócil a la magia leve y alada de las manos de Frédéric e imaginabas el rostro tenso y receptivo de la profesora durante la transparente y concisa interpretación del Adagio en sí menor de Mozart: vous jouez mieux que Gieseking, il est trop froid pour moi, il néglige parfois la résonance tragique de l'oeuvre. Frédéric acogía los cumplidos con humildad devota y, dejando a un lado los libros de texto del IDHEC, aplicabas el oído, con cautela, a la puerta condenada que comunicaba tu dormitorio con el salón y tratabas de adivinar por la intensidad del suspiro de madame de Heredia si Frédéric se había sentado junto a ella y, como era ya de rigor entre los dos, le retenía suavemente la mano. Nada, nada aún, informaba después la profesora, Frédéric era demasiado tímido, la proximidad de los huéspedes le angustiaba, un respeto excesivo hacia el bello sexo, resultado de la muerte cruel y prematura de la madre, inhibía sus naturales impulsos y le enclavaba en una adoración sublimada de la mujer, inmaterial y distante. Había que tener gran tacto, desplegar mucha paciencia y dulzura para no herir su sensibilidad fina, para forzar poco a poco su pudor exquisito, para transformar imperceptiblemente aquel amor hasta entonces etéreo en una relación física que, con femenina intuición, presentía vehemente, impetuosa y volcánica. Madame de Heredia contaba para ello con una excursión al campo, un bon déjeuner sur l'herbe, la caricia del sol otoñal y perezoso, la ayuda discreta de una comida bien sazonada y de una insidiosa botella de vino. Sébastien iría con ellos y, a una señal de la madre, se eclipsaría por el bosque, dejándolos a los dos en una soledad cómplice, turbadora, casi culpable. Lábas il va me déclarer son amour, il a encore peur mais, comme je le comprends, y la profesora desenterraba para ti antiguas historias de hombres famosos cuya existencia ejemplar fuera destrozada un día por alguna aventurera ruin y sin escrúpulos y aseguraba a Frédéric, a la presencia ideal,

perseverante y asidua de Frédéric, su desmedido afán de
amor, su comprensión vasta, su honda y palpitante ternura.
Sébastien venía a verles a menudo en los últimos tiempos
y el afecto paternal de Frédéric para con él era motivo de
beatitud y pasmo por parte de madame de Heredia, il se
sent seul, vous comprenez? Il éprouve le besoin de s'inté-
grer dans une famille y, descuidando una vez más la lección
de solfeo de alguno de sus alumnos, te refería con todo lujo
de pormenores el concierto al que, la víspera, habían asistido los tres, subrayando con su bella voz de soprano la
generosa solicitud de Frédéric, el esmero singular que ponía en la educación auditiva de Sébastien, en la formación
y afinamiento de sus gustos artísticos. Il m'aime, oui, il
m'aime, il va me parler bientôt, je le sens: madame de
Heredia divagaba para sí misma en la oscuridad del salón y
el gato convenía, tácito, con un voluptuoso estremecimiento,
ce soir, peut-être demain. Las rosas se sucedían cotidianamente y las interpretaciones subyugadoras de Brahms y los
embelesados silencios, rien encore aujourd'hui, patientons,
intercalados entre veladas musicales en la salle Pleyel y
visitas instructivas a la casa natal de Debussy o al palacete
en donde viviera Mozart durante las cuales Frédéric exhibía ante el niño el tesoro precioso de su erudición, de sus
juicios meditados y graves, de su variada y rica cultura.
Nada, nada aún; pero, en su recato, ¿había, realmente,
razón de alarma? Frédéric ignoraba aquella forma baja
y grosera del amor, su reino se extendía únicamente por
los dominios superiores del espíritu. Ella le comprendía,
ah, cómo le comprendía: nacido en un siglo simoniaco y
sin alma, en el que el provecho, la concupiscencia y el lucro
corrompían la esencia misma del Arte, ¿había algo más
natural y más lógico que su florido retraimiento? Le bastaba su mirada apaciguadora, el contacto primoroso de sus
manos, la atención diligente que, por amor a ella, escrupulosamente, manifestaba por el niño. Sus rosas de la tarde,
¿no eran prueba suficiente de amor? Y los billetitos infla-
mados que deslizaba con ellas, ¿no revelaban, acaso, de

modo cabal, la latitud de su ternura? S'il parlait enfin, si au moins il me disait quelque chose; pero no, tonterías, su circunspección era más elocuente que los discursos, las largas pausas entre los dos jugaban el mismo papel armonioso que los silencios en la música. Entonces, ¿por qué inquietarse? Frédéric no disponía quizá de otro medio de comunicación y el lenguaje tonal, nítido y claro, substituía en su fuero interior el idioma utilitario, mercantilizado y equívoco de los demás seres. Sin embargo, ah, sin embargo, cuando madame de Heredia, con astucia prudente, aludía de pasada a la necesidad de constituir un hogar, de fundar una familia, Frédéric se encastillaba en un precavido mutismo, aflojaba sensiblemente la presión de los dedos, miraba con expresión ansiosa hacia la salida. Al cabo de cierto número de tentativas ella no había vuelto a insistir. Frédéric la amaba sin duda con amor celestial y puro pero, ¿cómo explicar, entonces, su repugnancia a regularizar de puertas afuera su situación? Un mariage blanc, ça m'est bien égal, ella no pedía más que aquel arrobo místico con que él interpretaba para ella las sonatas de Schubert, el intercambio de miradas que atemperaba y revestía la magnitud de los silencios, el roce sutil y delicado de sus manos. Sébastien estaba con ellos: tú escuchabas desde tu habitación el Rondó en sol mayor opus 51 de Beethoven, la progresión sonora y dinámica, sin cambio de tempo, que confería al tema su perfecta continuidad, su brillantez articulada y robusta. Desde hacía unos días madame de Heredia daba señales de nerviosismo y cuando repasaba las lecciones de solfeo de los alumnos se interrumpía en medio de una frase y miraba, perdida, hacia las rosas de color carmín que emergían de los floreros y jarros de porcelana: il faut qu'il se décide, te decía, antes de salir, con el hijo, para el concierto habitual de los jueves, je n'en peux plus de cette partie de cache-cache. La oías regresar abatida y, egoístamente, apagabas la luz de tu cuarto para evitar el estribillo de sus lamentaciones. A cada uno de sus ataques frontales Frédéric respondía con nuevas evasivas y las cosas estaban en el mismo punto que al comienzo, esto es, a cero, pese al extenuante derroche de argucias, de estratagemas de ella. A momentos madame de Heredia se figuraba que Frédéric había dejado de amarla, creía sorprender en sus ojos un brillo metálico y duro. Imaginaciones, delirios, il va me rendre folle, decía, c'est aujourd'hui ou jamais. Y de nuevo el ritual de las flores, de sus tarjetas de enamorado, de la música evocadora y sugerente, de los silencios hondos e interminables. C'est la dernière fois, nous n'allons pas quand même rester dix ans comme ça parce que Monsieur est timide, y otra vez las gamas, las escalas cromáticas, las octavas, los acordes, los trinos de una interpretación virtuosa y barroca que sumergía la casa entera en una atmósfera receptiva y sensual, en un estado de trance amoroso exaltado y rítmico. J'aurais dû le comprendre dès le début, c'est un lâche; madame de Heredia se dirigía a la imagen borrosa de sí misma que veía reflejada en el espejo y una inmensa piedad por su suerte había empañado sus ojos de lágrimas. Et pourtant je l'aime, oui, je l'aime, mon Dieu, quel gâchis. El taxi la esperaba a la puerta con Frédéric y el niño y la presencia balsámica de éste y la ternura recoleta de aquél la reconfortaban, desvanecían milagrosamente sus dudas. Après tout, Monsieur, à mon âge, qu'est-ce qu'on peut demander à la vie? : y, aún, la ronda de flores, veladas musicales, furtivos roces, emotivos silencios, los ah, non, cette fois c'est bel et bien terminé, dorénavant je ne marche plus, hasta la noche memorable en que él no apareció y no le envió ramo de rosas ni tarjeta encendida y ella le telefoneó centenares de veces sin dar con él, sin poderle arrojar a la cara, como un puñado de confetti, sus reproches y agravios, sus amenazas e insultos, resuelta a olvidar todo media hora más tarde con tal de oír su voz y escuchar sus razonables excusas, imaginando, en su delirio insomne, el timbre suave y lenitivo de él, susurrándole frases de amor viejas como el mundo, je t'aime, Edmonde, je t'aime, pardon, pardon encore, ma douce, ma belle, ma tendre amie. Tú te habías dormido al fin, acunado por el ru-

mor de sus pasos y el eco de su demencial soliloquio, oui,
c'est ça, il a une maîtresse et il en a peur de me l'avouer,
mais je lui pardonne, sa présence seule me suffit y, cuando
despertaste, el piso parecía sacudido por un violento cataclismo y madame de Heredia iba de un lado a otro agitando
un sobre rectangular entre las manos, descompuesta e hirsu-
ta en medio de aquel decorado angosto de fotografías muertas, de rosas marchitas para siempre, de veladas sublimes
que jamás nunca volverían a existir, mon Dieu, oh, mon
Dieu, devuelta a la vejez ingrata y a la realidad arisca,
prisionera de un tiempo y un don de vida precarios, Monsieur, vous vous rendez compte?, sollozando mientras te tendía la carta, le salaud il a foutu le camp avec mon fils.

Sentados los dos en un rincón del jardín, tejías y des-
tejías con la humilde tenacidad de Penépole las mallas morosas y finas del imaginario diálogo.

—¿Me quieres?

—Sí.

—Me conoces desde hace ocho días. Apenas sabes quién
soy.

—Te conozco desde siempre.

—Bésame.

—Me estoy enamorando de ti.

—Dame tu boca.

—Eres distinta de los demás y yo también. Estamos hechos uno para otro.

—¿Por qué no te acuestas conmigo?

—Tengo miedo.

—¿Te dan miedo las demás mujeres?

—Me das miedo tú.

—Déjame acariciarte.

—No existes. Te he inventado yo.

—Hace seis meses que nos queremos. ¿Te intereso aún?

—Un aún infinito.

—¿Te gusta ·mi cuerpo?

—No lo conozco. Nunca llegaré a conocerlo del todo.

—También yo recreo el tuyo. Todos los días. A cada instante.

—Me pierdo en ti. En tu sexo. En tus ojos.

—Amor mío.

—Eres mi única mujer.

—¿Te acostumbras a mí?

—No me acostumbraré nunca.

—Un año. Un año ya que vivimos juntos.

—Deja en paz el tiempo.

—Es él quien no nos deja en paz a nosotros.

—Lo pasado no cuenta. Sólo cuentas tú.

—¿Echas de menos lo de antes?

—No hay antes contigo. Nací contigo. Empiezo a partir de ti.

—¿Recuerdas cuando me temías?

—Te temo aún.

—Mi cuerpo es tuyo.

—No puedo poseerte. Eres el aire que respiro. El agua que escurre entre mis manos.

—¿No te cansas?

—Bebo, y todavía tengo sed.

—Necesito saber que me quieres. Cada minuto. En este mismo instante.

—Dos años de paz y de olvido. Nací hace solamente dos años.

—El tiempo no existe.

—Mi pasado eres tú. Mis señas de identidad son falsas.

—¿Me quieres?

—No conozco aún tu cuerpo. No he llegado hasta el fondo.

—¿Por qué bebiste ayer?

—Es algo más fuerte que yo. Al principio podía aceptar la idea de que mirases a otro hombre. Ahora me es imposible.

—¿Por qué no me lo dijiste?

—No quise entrometerme. Eres libre.

—Ni yo soy libre ni tú tampoco.

—Los celos me repugnan.

—Eres demasiado secreto. Llevamos juntos tres años y a veces pienso que no sé nada de ti.

—No soy secreto, soy púdico.

—Yo nunca guardo las cosas dentro.

—Eres más fuerte que yo.

—Desde hace un tiempo te noto cambiado.

—Envejezco.

—Me miras y pareces pensar en otra cosa.

—El trabajo que hago me aburre.

—Déjalo. Vuelve a España.

—España se acabó para mí.

—Viaja.

—Los viajes no resuelven nada.

—Bebes demasiado.

—Dime qué otra cosa puedo hacer.

—¿No te soy de ninguna ayuda?

—No he dicho esto.

—Cuando te siento triste me entristezco también.

—No es culpa tuya.

—Me horroriza la idea de hacerte daño.

—No te preocupes.

—Te quiero. Estoy enamorada de ti.

—Yo también. Pero no podemos nada uno por otro.

—¿Por qué lo dices?

—Ya sabes cómo soy.

—No me importa. Me enorgullece.

—Nunca podremos encontrarnos.

—¿Te disgusta mi cuerpo?

—Me ahogo en él.

—Cinco años los dos, ¿te das cuenta?

—Últimamente también te encuentro triste.

—Es a causa de ti. Cuando haces las cosas con desgana. Cuando bebes. Cuando adivino el deseo contra el que no puedo luchar.

—Carácter es destino.

—Hay momentos en que no sé si me quieres.

—Sí te quiero.

—Siento tus celos, pero no siento tu amor.

—¿Por qué lloras?

—Cosas de mujeres.

—¿Fue por esto que ayer ...?

—Me temo que sí.

—Te luciste.

—No te preocupes. Lo arreglaremos.

—No quiero forzarte.

—Me fuerzo yo.

—No quiero dejar nada detrás de mí, ¿comprendes?

—No dejarás nada, ni en mí ni en los otros.

—Es mi única libertad.

—Me la haces pagar cara.

—Olvídalo.

—No puedo. Lo veo inclinado sobre mí. Su cara sucia. Sus sucias manos.

—Hay un brillo en tus ojos que no conocía.

—Todavía no he digerido Ginebra.

—Es pronto aún. Un día también la olvidarás.

—La tengo atravesada. Por esto me fui con Enrique.

—No menciones su nombre.

—Tú me manchaste. Necesitaba vengarme de ti.

—Hay cosas de las que no puedo hablar. Mi biografía está llena de agujeros.

—Hubiera ido con el cielo y la tierra con tal de purificarme. Para enterrar para siempre aquel recuerdo en el que figuras tú.

—Cállate. No me hagas más desgraciado de lo que soy.

—Quisiera que fueses feliz.

—Ya ves el resultado.

—¿Por qué has hecho esto?

—Subí al tobogán y, al bajar, me dio un síncope.

—¿Tenías ganas de acabar?

—Sí.

—Ojalá estuviese muerta.

—No llores.

—Yo creía que en Cuba volverías a encontrarte.

—He perdido mi tierra y he perdido mi gente.

—¿Qué piensas hacer?

—No puedo hacer nada. Ni siquiera sé quién soy.

—¿Y tus amigos?

—No tengo amigos.

—Nada importa si quieres salir adelante.

—Quiero salir adelante.

—¿Qué buscas aquí?

—No lo sé.

—¿Me quieres

—He nacido para quererte y para sufrir por ti.

(Imágenes del tiempo lejano se desvanecen en el aire tras la ronda fantasmal de personajes captados para el álbum familiar, en el mismo jardín en el que ahora reposas, a la sombra de los mismos eucaliptos: entrecruzado y ágil ballet de pasos idos y de voces muertas, hecatombe tranquila e incruenta de momentos intensos y ya agotados; inasible correr de los días que todo erosiona y corrompe. Solos tú y ella, en precario equilibrio, a salvo, y a merced, del inevitable naufragio.)

Una escena familiar te ronda la memoria: estás en el París industrioso del canal Saint Martin y un sol invernal, rezagado, brilla sobre las aguas.

Paseas despacio. El árabe ha abandonado la contemplación del panorama de las grúas y suelta a andar a su vez, cauto y receloso, con las manos hundidas en los bolsillos. A una veintena de metros de él puedes observar a tus anchas sus botas de goma, los pantalones de burdo azul mahón, la zamarra de cuero con las solapas forradas de piel, el pasamontañas de lana ceñido a la cabeza. Su presencia discreta gobierna la calle. Al llegar a los jardincillos desnudos del square tuerce en dirección al bulevar, aguarda sin volverse el semáforo verde, atraviesa la calzada y, tal como has previsto tú, continúa su marcha hacia La Chapelle bajo el techo herrumbroso del aéreo. Le imitas.

El viento ha ahuyentado a los habituales clochards tumbados en los bancos de madera y, con excepción de algunos atareados y absortos transeúntes, en el andén central no hay más que un reducido corro de curiosos y una pareja de inveterados jugadores de pétanque. El árabe se demora a mirar con expresión ausente. Al llegar tú y seguir su ejemplo te examina unos segundos con sus ojos profundos y negros. Ha sacado la mano derecha del bolsillo de la zamarra y, de modo mecánico, se acaricia el bigote con el índice y el pulgar.

El metro pasa zumbando encima de vosotros y su sacudida estremece brutalmente el suelo. Sustraído de pronto al tiempo y al espacio recuerdas que un día, en un hotelucho cercano, hiciste el amor (¿con quién?) aprisa y corriendo (era tarde, tenías una cita en la France Presse) y tu eyaculación había coincidido exactamente con el temblor provocado por el tránsito de los vagones. (¿Consecuencia lógica del ruido o casualidad pura?) Desde entonces, piensas con nostalgia, no has vuelto a probar jamás.

Niños vestidos de Sioux corren delante de ti disparando con revólveres de juguete. El árabe camina pausadamente y escudriña con gesto atento los comercios y tiendas de la acera de los impares. Dos celadoras de l'Armée du Salut se dirigen hacia Barbés recogidas y mudas, con la inepta gracia de Dios pintada en el rostro. Escuálido, el sol parece descarnar aún las fachadas carcomidas de las casas y se refleja en los cristales sin hacer escardillo.

(Como necesario horizonte para ti, el rostro de Jerónimo, de las sucesivas reencarnaciones de Jerónimo en algún rostro delicado e imperioso, soñador y violento había velado en filigrana los altibajos de tu pasión por Dolores con la fuerza magnética y brusca con que te fulminara la primera vez. Cuando os separasteis se fue sin darte su dirección ni pedirte la tuya. Tenía dos mujeres, seis hijos y nunca supiste cómo se llamaba.)

Pasabas despaciosamente las páginas del atlas y cada lámina en colores de la accidentada y mudable geografía política europea traía a tu memoria alguna imagen que, como acusación o descargo, se agregaba al expediente de tu historia común con Dolores y, de modo sutil, lo modificaba. Desde tu ingreso en la France Presse la dirección te enviaba por el mundo a fotografiar el idilio de las princesas tristes (el fatuo de Rubén Darío promovido al cargo de redactor-jefe de *France Dimanche*) o el sonado divorcio de una actriz famosa ("J'ai surpris Annette dans les bras de Sacha") y, por un tiempo, tu agitada existencia de paparazzo te había consolado del fracaso e irreparable ruina del 'proyectado documental sobre la emigración. Dolores viajaba contigo y la nostalgia de España se había desvanecido poco a poco, como si las raíces que te unieran a la tribu se hubiesen secado una tras otra como consecuencia de tu dilatada expatriación y de vuestra indiferencia recíproca. Rama amputada del tronco natal, planta crecida en el aire, expulsado como tantos otros de ahora y de siempre por los celosos guardianes de vuestro secular patrimonio.

Recostado en el jardín en el que el inconsistente niño que fuiste tú vegetó y languideció con los suyos hasta la revelación súbita de su pasión por Jerónimo, evocabas perezosamente Amsterdam y sus canales, los escaparates fosforescentes de Zeedijk con sus seductoras prostitutas como sirenas cautivas dentro de un acuario, el bar Mascotte y la orquesta de robots que interpretaba calypsos emitiendo por los ojos feroces destellos, las manchas de grasa de los barcos como balsas flotantes o gigantescas mariposas ahogadas, la cola de marinos que se tatuaban en Sint Olofs Steeg, el dancing en el que Dolores coqueteó con un antillano y, después de una escena tuya, os besasteis hasta perder el aliento.

Ella miraba contigo el diminuto plano de la ciudad que figuraba junto al mapa de Holanda e instantáneas olvidadas de vuestros paseos y jirones remotos de vuestras conversaciones afloraban, como burbujas, a tu memoria, disueltas en seguida en una vertiginosa sucesión de imágenes proyectadas, dirías, en un calidoscopio. (Como en otros lugares de Flandes y Países Bajos la cultura española, asfixiada por la inhóspita aridez de la estepa y la proverbial intolerancia de su fauna, arraigó allá, al amparo de la Reforma protestante y su generosa latitud de pensamiento, plasmando en multitud de obras de inspiración justa y libre, serena y perdurable. Semilla desperdigada por el viento, la inteligencia de los tuyos había caído en terreno dúctil y sus frutos testimoniaban al cabo de los siglos un impulso innovador y rebelde que hubiera merecido sin duda, meditabas, fortuna mejor. Aquella España errante, la España peregrina, substituía en tu corazón a la España oficial y aprendida de señores y siervos, al pueblo cerril de las fallas y los sanfermines, los cosos taurinos y las procesiones de Semana Santa.)

En Hamburgo habíais visitado, hasta agotarlos, los bares de Reeperbahn y St. Paoli (el Rattenkeller, el Katakombe, el Rote Katze, el Mustapha, el Venus) y en Brujas presenciasteis una escena insólita (¿recuerdas Dolores?): severos niños flamencos, que parecían surgir de algún retablo barroco, habían organizado una carrera de abuelas y asistían, impasibles, a los meritorios esfuerzos de media docena de viejecitas que, obedientes al silbato del árbitro, daban vueltas y vueltas, sonrientes y dóciles, alrededor de un laguito artificial con nenúfares. Poco a poco, a la admiración ciega de los primeros meses, había seguido una actitud ambigua respecto a la nueva y helada religión industrial de los europeos: el decorado de grúas, andamios, bulldozers, chimeneas de fábrica que contemplaras en el valle del Rhur durante tus viajes te había hecho comprender de pronto que estabas luchando por un mundo que sería inhabitable para ti. Bajo una apariencia engañosa de confort las condiciones de vida eran duras, los sentimientos tendían a desaparecer, las relaciones humanas se mercantilizaban. Tu rebeldía tampoco cabía allá y era una mera prolongación, te decías, de vuestro mundo español precapitalista y feudal, hoy en vías de liquidación y derribo, sin necesidad de tu intervención ni la de tus amigos, sin nobleza, sin moral, sin justicia, por la escueta y simple dinámica del proceso económico.

Cada página del atlas geográfico suscitaba algún recuerdo tuyo y Dolores figuraba en todos sucesivamente lejana, hostil, apasionada, amante: un sol devorado por su propio fulgor se reflejaba en sus anchos ojos sin cauce frente a los farallones de Marina Piccola; paseando por las calles de Roma parecía ajustar sus movimientos a las reglas de un ley armoniosa e imprevisible; absorta, contemplaba las admirables Regentas de Hals, el prodigioso juego de luces y de sombras, la densa y rítmica musicalidad del cuadro.

Hubo una pausa durante la cual las nubes que bogaban en dirección sureste adquirieron una tonalidad sorda, opaca. Se oía a lo lejos el claxon de los automóviles y el jadeo enfermo de la locomotora del ferrocarril.

Dolores había ido a buscar hielo a la cocina y puso a enfriar una botella en el cubo. Faltaban unos minutos para el toque del Angelus y las gotas amargas del Dr. d'Asnières. Las cigarras coreaban sus estridencias en el bosque y abriste el atlas por la mitad.

MÓNACO, pequeño principado de Europa, situado en el dep. francés de los Alpes Marítimos; 1 y 1½ Km²; (monegascos); Cap. *Mónaco*. Puerto en un promontorio del Mediterráneo. Célebre *Casino de juego*. Baños de mar.

La última vez que estuviste allí, semanas después del síncope que te fulminara en el Boulevard Richard Lenoir, habías asistido ocasionalmente a una exhibición de conjuntos y orquestinas de twist, rock y mádison de extravagante nomenclatura y el delirio místico que se adueñara del público y el estado de trance religioso en que cayeran

algunos mozos obraron el prodigio de sacudirte de tu torpor.
¿En qué extraño planeta habitabas?

...En 1956, jóvenes e indemnes todavía, Dolores y tú habíais visitado las salas de juego en que tu tío Néstor dilapidara su fortuna y, luego de haber tentado en vano la suerte, os asomasteis al belvedere que, a la sombra del hotel de París, domina el barrio de La Condamine. Anochecía: de las aguas grises del puerto emanaba una fosforescencia sonámbula que la luz roja de las balizas y el neón blanco de los faroles se esforzaban inútilmente en paliar. La vida os sonreía a los dos y en la plenitud tú de una pasión que parecía que no alcanzarías a saciar nunca te asaltó de pronto, con violencia, la intuición del tiempo y su soterrada labor de desgaste, de la muerte irremediable de los sentimientos y vuestra propia caducidad: antes de vosotros el tío Néstor y su amiga irlandesa habían recorrido los mismos lugares absortos, igualmente, en el goce de su peripecia amorosa; reconocida la causa por la que lucharan, un porvenir limpio se abría a sus ojos y ninguna fuerza en el mundo, pensaron acaso inocentemente, podría socavar su unión. Eternos, intactos, su aventura se prolongaba dócilmente con ellos, como si jamás, te decías, hubiese de tener fin.

Seis lustros se habían anulado de golpe y el destino mezclaba sus cartas. Poco a poco, recordabas, el promontorio rocoso del palacio se disolvía en la penumbra. Una quietud arrobada paralizaba la vida del puerto. Venía un fuera bordo del otro lado del cabo y, al llegar frente al Casino, aproó de nuevo hacia el mar.

La pareja que contemplaba el paisaje insomne, ¿erais vosotros?, ¿o eran ellos?

Repetida la pregunta siete años más tarde, piensas ahora, no hubieras sabido qué contestar.

Los gritos lejanos de los niños te sobresaltaron
tía Dolores

aah
a Luisito le ha picado una avispa
aaah
una avispa
aaaah
tía Dolores
aaaaah aaaaaah
tía Dolores
cuatro años atrás
pocos meses después del fracaso de la huelga nacional pacífica y de la segunda oleada de detenciones
con la vista perdida en los cisnes sonámbulos del lago de
Ginebra recorrías el pont du Montblanc en medio de una
delegación de congresistas reunida allí sin duda con algún
fin altruista servicial y benéfico
uno de esos congresos magnánimos contra la guerra el hambre el paro las enfermedades el subdesarrollo inventados
por la próspera industria hotelera suiza
(por qué no existirán Congresos
te decías
para la ruina y perdición del género humano patrocinados
por los criminales más notorios del siglo
Landru Petiot Giuliano Al Capone Dillinger)
y el niño caminaba junto al pretil del puente y examinaba
el triste panorama suizo de tarjeta postal 'suiza con mirada crítica y censoria
qué hacemos aquí
Dolores tiene que ver a un señor
qué señor
un amigo
yo me aburro
mira el lago
no me gusta
quieres dar un paseo en barca
quiero volver a París
aquí se ahorcó tu tío Néstor antes de que tú nacieras en su
habitación del sanatorio de Bel-Air y su rebeldía contra

la sociedad española de su tiempo murió con él como morirá sin duda la tuya si no le das forma concreta y precisa si no logras encauzarla antes *quieres un helado* había contemplado el frigorífico paisaje de agua abetos montaña nieve *no no quiero* la nórdica blancura del aire el mustio sol aterido mientras anudaba su bufanda de seda a la falleba de la ventana y releía por última vez la carta que dirigió a tu abuela *qué quieres hacer entonces* la carta que guardó consigo hasta su muerte y que tu madre no quiso enseñarte *volver a casa* todo su potencial de rebeldía sepultado en la nada digerido en el recuerdo de ellos un simple nombre inútil del moribundo árbol genealógico *dónde está la tía* quieres ser epílogo y no comienzo el error de ellos debe terminar contigo *ahora vamos a verla* que lo que venga de ti sea enterrado *adónde* reparación y olvido *aquí cerca* en el fondo de un lago suizo mezclado con el semen la sangre y los residuos de todas las cloacas

cómprame Mickey

sentada ella frente a ti examinabas sus rodillas con atención casi dolorosa la curva refinada y casi perfecta que se hundía en los bajos de la falda *qué podemos hacer* las piernas admirables que tú conocías centímetro a centímetro con la morosidad y latitud prolijas de la pasión *no sé es algo tan inesperado* brutalmente interrumpidas por el dobladillo de la tela escocesa *qué piensas tú* había en sus ojos una chispa de rencor como el día en que ella vino a tu habitación en casa de madame de Heredia y comenzó a desnudarse con desafío *bueno mi manera de pensar ya la conoces pero si tú quieres* volviste la mirada hacia los bajos de la falda de cuadros *no he dicho eso me interesa sólo tu opinión* a la línea convexa de los muslos que apuntaba hacia el sexo escondido y codiciable *si tienes miedo de* otra vez el brillo insólito de sus ojos buscando furtivamente los tuyos *no no tengo miedo* con un ademán púdico estiró la falda hacia las rodillas *si piensas que corres un riesgo cualquiera* encen-

dió un cigarrillo y hojeó nerviosamente las páginas de
un semanario ilustrado *nunca pasa nada no te preocupes
éste es un asunto de mujeres ya lo resolveré yo*
teníais cita en un café de la place Bourg-du-Four frecuentado por los alumnos de la escuela de arquitectura
el niño caminaba momentáneamente absorto en la lectura
de Mickey y nuevas delegaciones con emblemas y bande-
ritas afluían de los hoteles de la place Longemalle
americanos con pinta de vaqueros pastores protestantes con
alzacuello blanco grupos folklóricos de algún país africano virtuosas mujeres de sonrisa helada y dentífrica
el tío Néstor probó la resistencia de la bufanda antes de
anudarla al pomo de la falleba y mirar por encima de
los abetos del jardín de Bel-Air las aguas oscuras e inmóviles del lago Léman meditando tal vez en la vanidad
de una rebeldía condenada a desaparecer con él
adónde vamos
a esperar a Dolores
estoy cansado
es aquí mismo
su fotografía no figura en el álbum familiar y la que había
sobre la cómoda de tu madre se extravió después de su
muerte apenas la recuerdas una cara insolente y romántica que atraía el instinto maternal de las mujeres completamente olvidada al cabo de treinta años como si no
hubiese existido nunca
te sentaste a la primera mesa libre del café de cara a la
puerta por donde debía salir Dolores
qué quieres
inmerso en la lectura de Mickey
una naranjada con mucho azúcar
ninguno pudo elegir mejor para acabar aquí al borde del
lago en donde se colgó tu tío Néstor como si una fata-
lidad pesara sobre la familia en el mismo lago suizo
frente al mismo paisaje neurasténico
te levantaste de la gandula abandonaste la contemplación
de las láminas en colores del atlas que representaban la

Confederación Helvética física política económica lingüística simultáneamente al correcorre de la criada atemorizada por los chillidos del niño y la serena voz de Dolores

por favor puede traerme algodón y la botella de formol

en uno de los cajones del despacho había una carta de tío Néstor escrita desde el sanatorio de Bel-Air fechada unos meses antes de su suicidio

la buscaste en la carpeta religiosamente conservada por tu madre entre los borradores de sus traducciones de Yeats y las notas destinadas a una futura antología de la poesía irlandesa contemporánea

si no voleu enviar més diners no n'envieu de totes maneres no tornaré a Barcelona

ni jo us vaig escollir a vosaltres ni vosaltres em vau escollir a mí ningú no en té la culpa

morir per Irlanda hauria estat una exageració estic millor aqui en aquesta botiga de rellotges

em moriré de fàstic a Suissa lluny de les vostres esglesies i dels vostres capellans tot això us estalviareu el preu del meu enterro i dels meus funerals

volviste al jardín

Dolores había aparecido de pronto por el portal y acechaste su rostro tratando de adivinar sus emociones

el vientre liso las piernas esbeltas unos zapatos italianos de línea audaz y elegante

un café s'il vous plait

tía Dolores

sacó un cigarrillo de la pitillera lo alumbró exhaló pausadamente el humo

qué ha dicho

esta tarde a las cuatro

tía Dolores

corazón

cuándo nos vamos

vuelca su maternidad frustrada en el niño ensaya cada ademán de ternura como si no lo hubiera de repetir jamás

te parece serio
me da exactamente lo mismo
dentro de cuatro horas volverás a ser libre sin ataduras
que te sujeten a la vida dueño del denso olvido como
el tío Néstor
si quieres probar la otra dirección
por dios cállate
aguardabais tumbados en la habitación del hotel sin saber
tú lo que fermentaba dentro ajenos uno a otro como
dos desconocidos después de un encuentro casual y for-
tuito
el niño botaba una flotilla de barcos de papel en la bañera
provocaba guerras combates navales bombardeos aéreos
encuentros submarinos explosiones atómicas mientras Dolores encendía un cigarrillo con la colilla de otro y miraba absorta el empapelado de flores de las paredes
evocando tú el sombrío edificio del sanatorio de Bel-Air
que visitaste durante tu primer viaje a Suiza habitado
aún al cabo de treinta y cinco años por el fantasma errante de tu tío Néstor
el aire helado y ventoso la lluvia oblicua el húmedo y triste
jardín que te trajera a la memoria el del convento en donde viste por última vez a la abuela
como él quisiste romper con todo lo que recibiste de prestado con todo cuanto sin pedirlo tú te dieron ellos
dios religión moral leyes fortuna
intentando imaginar sus paseos solitarios a orillas del Léman
por aquel sanatorio de extranjeros ricos con glorietas senderos cenadores lagos artificiales construido a primeros de
siglo para albergar los delirios de grandeza de algún aristócrata ruso
la exigua herencia que ha dejado tras él las traducciones y
poemas extraviados durante la guerra muerto sin pena ni
gloria en una casa de reposo suiza
diciéndote
no estás aquí por casualidad la agonía de hoy es premonitoria

cuánto tiempo falta para que te extingas tú

autor fallido de un documental sobre la grey española expulsada de su tierra por la opresión el paro el hambre la injusticia

tu rebeldía desemboca aquí tu rebeldía morirá contigo

con supersticiosa solemnidad Dolores cumplía los ademanes del torero que reviste el traje de luces antes de ir a la plaza y admiraste una vez más su cuerpo doliente y cuitado hecho para el amor y la ternura

me guardas rencor

no

una sandía partida en dos el cuchillo se hunde en el jugoso corazón de la fruta

adelantaste hacia ella y la enlazaste torpemente por el talle

júramelo

cuando escribió su carta de adiós era a finales de otoño y un sol amortiguado y aprensivo iluminaba quizá la nieve de las montañas

suelta voy a llegar tarde

anudó su bufanda al cuello y se dejó caer

te acompaño

prefiero ir sola

la flotilla de barcos de papel reposaba en el fondo de la bañera y en la cara del niño se insinuaba un aburrimiento implacable

adónde vas

tengo que hacer un recado

y el tío

te llevará a pasear

estoy cansado

iremos al parque

no quiero

qué quieres

volver a París

perfumada y vestida como para una ceremonia nupcial la semilla sangrienta eternamente diluida en las aguas obscenas del lago

podías retenerla aún abrazarla suplicarle que no fuera a la
cita
te esperaré en el bar de enfrente
como tú quieras
no me moveré de la terraza
te aproximaste a la ventana descorriste el visillo y la espiaste mientras atravesaba la calle en medio de la disciplinada
muchedumbre suiza
qué miras
nada
me aburro
vamos a salir
bajasteis la escalera alfombrada de rojo entregaste la llave
al conserje compraste un ejemplar de *La Tribune*
los millones de indios que mueren de hambre las minorías
raciales oprimidas las víctimas de las radiaciones atómicas servían de pretexto al desfile incesante de comisiones
subcomisiones comités delegaciones secretariados
toda una fauna escurridiza y fría metálica y moderna exclusivamente consagrada
eso decía
al bien de sus semejantes y a la salvación de la humanidad
monjas de tocas blancas aleteando como mariposas hindúes
de cara apretada y densa como el puño de un bastón turistas escandinavos de rostro aguanoso y pajizo mezclados
con el orondo y pacífico pueblo de relojeros los obreros
italianos de manos callosas y rasgos mal esculpidos
los corros de mujeres españolas catapultadas desde los pue-
bls de la meseta con sus inevitables vestidos negros y los
consabidos maletones de cartón
Ginebra es una estación terminal nadie puede vivir impunemente en ella tío Néstor no pudo elegir sitio mejor para
acabar ni Dolores para destruir el germen de la odiada
semilla
pardon vous désirez quelque chose
merci Madame je me promenais
sonreíste

quelqu'un de ma famille est mort ici il y a longtemps vous
comprenez
no no comprendía
en sus ojos había una neta sospecha y sin asomarte al pórtico en el que dos señoras de edad avanzada parecían
apreciar con embeleso la sutilidad de la llovizna volviste
pies por el sendero orillado de abetos hacia la verja he-
rrumbrosa de la calle
CLINIQUE DU BEL-AIR
estabas de nuevo en la terraza con la vista fija en el mapa
de la Confederación Helvética y los gemidos del niño se
filtraban apagados desde el interior de la casa
quiero ir al cine
MONKEY-BUSINESS by the Marx Brothers doublé en français
dentro de una hora en el boulevard des Tranchées en la
terraza del café que está frente a la portería
deux places s'il vous plaît
Álvaro confunde siempre Marx (Karl) con Marx (Brothers)
y Monroe (Presidente) con Monroe (Marilyn)
el público reía a carcajadas y seguisteis la linterna de la
acomodadora hasta dos asientos libres situados en la primera fila de butacas
no veo bien
chist
quiero ir atrás
estáte tranquilo
las imágenes te recordaban vagamente alguna película que
habías visto con tu madre un jueves por la tarde en los
limbos remotos de tu niñez
cómo diablos se llamaría en español
tu vois ce revolver
qu'il est mignon c'est le père Noël qui vous l'a apporté
moi j'ai eu une locomotive
ecoute espèce d'idiot sais-tu qui je suis
oh ne me dites rien animal ou végétal
uuh
animal

écoute je suis Alky Briggs
et moi je suis le type qui parle tellement drôle de rencontre
as-tu une dernière question à me poser avant que je te
  descende
oui
vas-y
croyez-vous vraiment que les filles aient tendance a etre
  déçues par un garçon qui se laisse embrasser
las cuatro en el reloj luminoso de la pared las manos sucias
  del hombre manipulando los instrumentos
por qué no dispara
Dolores salió de la galería llevando de la mano a Luisito
  y su rostro era otra vez inocente y feliz
le ha picado una avispa
te hace daño
sí
los muchachos de once años no lloran
estará acostada en la cama quién sabe si querrá abusar de
  ella *por qué se esconde* pour vous élargir vous comprenez
  oh mira qué hacen los labios viscosos sobre su piel *son*
  buenos o malos la deprimente habitación de la clínica
  del Bel-Air los abetos el panorama suizo del lago *quién*
  es el señor gordo la bufanda anudada a la falleba la
  maldita semilla *se quiere escapar verdad* todo ha sido
  inútil estaba escrito que debía terminar en Suiza en alguna cloaca inmunda en el fondo del Léman
depuis qu'il a obtenu la licence de mariage je mène une
  vie de chien
c'etait peut-être une licence pour chien
la sala reía y pataleaba
te incorporaste
vámonos
aún no ha terminado
Dolores nos espera
de nuevo Ginebra internacional y provinciana informe y

profusa abandonado a ti mismo y al desolador inventario de tu herencia y tus dones

Dolores se había sentado junto a ti con las piernas cruzadas y examinaba a su vez con atención el mapa de la Confederación Helvética

nunca estuvimos en Saas-Fee

entornaste los ojos

recordabas el momento preciso en que había aparecido titubeante en la acera del boulevard des Tranchées y el niño corrió alegremente a su encuentro mientras tú te precipitabas aterrado hacia la parada de taxis más próxima

pálida desencajada ojerosa aturdida todavía por la morfina

qué te pasa

nada corazón

por qué lloras

el trayecto agónico hasta la place Longemalle sus manos crispadas sobre la falda su rostro céreo su mirada ausente

tío Álvaro y yo hemos visto una película de risa

era bonita

el que me gusta más es el mudo

el vestíbulo del hotel con sus delegaciones de congresistas el inacabable pasillo alfombrado la anticuada cama matrimonial el empapelado obsesivo de las paredes

los rasgos de su cara afinados por el dolor el

cabrón más que cabrón

repetido a media voz mientras se desangraba y tú salías de nuevo con el niño a buscar calmantes a la farmacia de turno por las calles de esta Ginebra que aún odias y desearías olvidar para siempre

como Néstor exactamente igual que tío Néstor

llamea el sol tras las ramas de los eucaliptos el viento estremece sus hojas plateadas las ranas croan en el estanque emboscado entre los alcornoques se oye cantar a un mirlo

han transcurrido tres años desde entonces y el recuerdo

del fin de semana se disuelve y anula en la certeza de
vuestra límpida y sedante tregua de paz
Dolores ha descorchado la botella que enfría en el cubo
de hielo sirve dos vasos hasta el borde media el suyo de
un trago pasa la página del atlas
prefiero olvidar dice
su mano se demora unos instantes en la tuya y cuando se
encara contigo
(el sol colorea suavemente su rostro y en el iris de sus
ojos hay reflejos de mica)
lo pasado parece abolirse de golpe y te mira como si acabara de inventar la mirada.

Había llegado inesperadamente unas semanas después de
serle otorgada la libertad condicional y se presentó en tu
estudio de la rue Vieille du Temple sin darte explicaciones acerca del viaje y haciéndote comprender por la entonación de la voz que tampoco debías pedírselas. Su
aspecto era el mismo de diez años atrás, un poco más
corpulento quizá y con una propensión a la calvicie que
disimulaba cuidadosamente peinándose el mechón hacia
adelante. Su carácter no había cambiado desde entonces
y, en apariencia, las pruebas difíciles que soportara en
los últimos tiempos no habían hecho mella en él. Hablaba
de su detención como de una enfermedad vulgar y or-
dinaria y refería los interrogatorios que sufriera con el
mismo despego irónico que una extracción molar en casa
del dentista: como algo rutinario y sin duda molesto pero
que, si en la práctica lastimaba a muchos, a fin de cuentas
no mataba a nadie. El relato de sus torturas y las protestas
que suscitara en el extranjero le arrancaban una sonrisa:
exageraciones, parecía decir, hoy día hasta las mujeres
aguantan. Una aureola romántica le envolvía y la rechazaba con modestia y desdén. Su lucha y la de sus compañeros le habitaba plenamente y, expatriado en París, seguía viviendo en España. La ciudad era los ramales, es-

taciones y bocas de metro en donde tenía sus citas; el cine, las sesiones en que se proyectaban películas y documentales sobre la guerra civil; la prensa, el breve recuadro editorial o despacho de agencia referentes a la política del Régimen español. Un velo espeso e invisible le separaba del resto de la comunidad en la que físicamente vivía: como tantos otros millares de compatriotas fugitivos de la guerra replegados en su concha, obligados a resistir días, semanas, meses, años, el asedio de una realidad para ellos ajena y hostil, con todo el amor y tristeza, ternura y esperanza puestos en una tierra en la que en mala hora, te decías, expiaran la maldición de nacer.

Habían transcurrido algunos meses desde su llegada y, en los ratos que él tenía libres, venía a visitaros al estudio de la rue Vieille du Temple y, con esa paciente condescendencia suya hacia quienes no pensaran como él, os explicaba la situación real del país y el desenlace, previsible ya, de los acontecimientos. Tú le oías citar los nombres de Marx y Lenin con idéntico ardor al que empleara antes en mentar los de José Antonio y Ramiro de Maeztu y su sinceridad te conmovía. Dolores le escuchaba también con atención y, a veces, si discutíais, tomaba partido por él contra tu agnosticismo.

Fue una tarde de invierno —¿recuerdas?: transparente y diáfana—: teníais cita los tres en Saint-Germain y tú andabas, como era tu costumbre, con retraso, cuando los divisaste, desde lejos, en la terraza abrigada del café, uno junto a otro, aguardándote. Él hablaba con su habitual vehemencia, contento y seguro de sí mismo y Dolores le miraba con una intensidad que, hasta entonces, había reservado para ti, con las mejillas encendidas y los ojos brillantes. La criatura insondable y nocturna que era ella desde vuestro viaje a Ginebra sonreía de nuevo luminosa, olvidada. Bruscamente, tuviste la impresión de estar de más.

El paisaje se transformó. Los objetos cobraron una existencia autónoma, impenetrable. La nada se abrió a tus pies. Transeúntes y automóviles circulaban caóticos, privados de finalidad y de sustancia. El mundo extraño a ti y tú extraño al mundo. Roto el contacto entre los dos. Irremediablemente solo.

Era una Venecia insólita, difuminada y brumosa, enteramente distinta de la que Dolores y tú conocisteis cuando la France Presse te enviaba a retratar starletts bellas y estúpidas mientras paseaban en bikini por la decimonómica y triste playa del Lido o daban de comer a las palomas sonriendo con dientes blanquísimos ante las columnas del Palazzo Ducale y, a intervalos regulares, los vaporettos procedentes del gran canal depositaban en los pontones de amarre de Capitanía y a todo lo largo de la Riva degli Schiavoni un cargamento de turistas asiduos de Wiener Schnitzel y Halles Bier, vestidos, sin distinción de sexos ni edades, con calzones de ante o terciopelo y que, provistos de una o varias cámaras fotográficas, irrumpían en grupos compactos hasta la disciplinada y esbelta perspectiva de la plaza poseídos de una ansia enfermiza de dejar constancia de su paso por aquellos parajes, fijando para el álbum familiar de recuerdos la imagen torpe del niño rodeado de palomas o de la esposa gorda perfilada frente a los relieves de la Loggetta al tiempo que en las variopintas mesas de Quadri o Florian otros turistas con idénticos calzones de terciopelo y sombreros tiroleses escribían docenas y docenas de tarjetas postales con saludos y exclamaciones maravilladas, como si el verdadero objeto del viaje de unos y otros fuesen las tarjetas postales y los álbumes de familia y no el admirable panorama de San Marcos con sus palacios de estilo bizantino y las columnas, estatuas, mármoles y mosaicos de una basílica fastuosamente bella, subyugadora e intacta pese a que las orquestinas encaramadas en los estrados de los cafés contaminaban la atmósfera pegajosa y húmeda con los acordes briosos de *El Danubio azul*, la *Marcha turca*, las *Danzas polovetsianas* del *Príncipe Igor*, el *Carnaval de Venecia*, la *Marcha militar* de Schubert, *O Sole Mio, Granada, Ciao,*

Ciao Bambino amalgamando la disparatada confusión políglota de las conversaciones, los resúmenes históricos de los guías, las señas de albergos no espánsif de ganchos y maleteros, las voces inarticuladas de los niños, el arrullo discreto de las palomas.

El frío había barrido los turistas con mochila, las mesas multicolores de los cafés, los tablados de los músicos y, desdibujada por la niebla matinal, la plaza os aparecía tal y como la pintara Bellini cuatro siglos atrás, con las fachadas levemente asimétricas de la Procuratie Vecchie y la Procuratie Nuove, la torre del Reló con la Virgen, los Reyes Magos y los signos del Zodiaco, el Campanile, la catedral basílica. Algunos indígenas la cruzaban con paso rápido, ocultos casi bajo sus prendas de abrigo y, dueñas absolutas del lugar, las palomas revoloteaban con impaciencia y aguardaban el disparo de los cañones para alzar el vuelo, en ensordecedor torbellino, hacia las almenas y cúpulas, al acecho de la jubilosa irrupción de los servidores encargados de procurarles el alimento. Tras las vidrieras, las butacas de felpa de Florian acogían una clientela ornamental y vistosa. Dolores caminaba en silencio bajo las arcadas y, al respirar, su aliento formaba un diminuto globo helado que flotaba unos segundos en el aire antes de desvanecerse misteriosamente en el frío.

Era grato asomarse con ella a la Piazzetta y, sentados al pie del León de San Marcos o de la estatua en mármol de Santa Teodora, contemplar el agua sucia y embravecida de la laguna, el balanceo ruidoso de las góndolas entre los hincones, la calada de las gaviotas sobre su presa, el surco blanco de alguna motora que se alzaba y caía velozmente a impulsos de la marejada y, más lejos aún, los postes de las balizas alineados como un juego de bolos y los campanarios de las iglesias de San Giorgio Maggiore y la Giudecca esfumados, casi disueltos, en la bruma, o perderse en un dédalo de callejas de nombre extraño Ramo de Cá Raspi, Río Terrá San Aponal, Sestier de Castelo, Boca de Piazza, Fondamenta delle Osmarin, Pescaria de Canaregio, Rugheta del Ravano, Sottoportego del Spiron d'Oro, Mazzarietta Due Aprile, Corte Saracina, Barbaria della Tole, Campiello de San Quero o Calle di Mezzo de la Vida y desembocar inopinadamente frente a la Scuola di San Rocco o el Campo di Santa María Formosa con los pies helados en el interior de los zapatos y las manos rígidas dentro de los guantes, beber un café amargo y ardiente antes de proseguir el camino hacia San Giorgio degli Schiavoni y detenerse a aquilatar una vez más la perfección de "San Trifone ammansa il basilisco" o de los "Funerali di San Gerolamo" de Carpaccio, comer una anguilla alla barcarola con polenta en una trattoria y apurar una botella de buen Merlot.

Habíais pasado tantas noches en vela intentando razonar inútilmente la crisis de vuestros sentimientos y la deterioración de vuestras relaciones, poseídos de una desmedida necesidad de balance y un prurito de sinceridad lindantes con el exhibicionismo en el prolijo inventario de vuestras infidelidades reales o deseadas, aventuras e historias, hasta hacer de Dolores y de ti dos extraños, asombrado cada uno con su ignorancia de la vida del otro, algo desamparados también por el derrumbe de todos los proyectos, quimeras e ilusiones —que vuestras miradas se rozaban apenas como si temieran herirse y vuestra conversación se reducía a un mínimo indispensable de palabras, simple comentario, por lo general, de un paisaje, un cuadro o la graduación o embocado de un vino, no repuestos aún de la sorpresa de vuestra nueva, vasta y desorientada libertad y recelando que un incidente nimio o una observación fuera de tiempo consumara definitivamente una ruptura que, de modo oscuro, pero instintivo, sabíais irreparable.

Aquella Venecia arisca y fría, suntuosamente irreal entre la niebla, os reflejaba como un espejo de turbio azogue en vuestra perpendicular soledad cuando, ateridos tras el diario callejeo sin rumbo, os dejabais caer en los butacones muelles del Harry's Bar junto a una copa de bloody-mary o un coctel exquisitamente aderezado por un fotogénico barman de manos ágiles y flexibles, envueltos en el runrún de las conversaciones de un público de americanos con abrigos de astracán y caballeros con una cadenita de oro en la muñeca y pelo teñido de rubio— o si, abandonando a Dolores en uno de los innumerables bazares de recuerdos de la Salizzada San Moisé o Calle Larga San Marco, errabas durante horas a la ventura de tus piernas, extraviándote en cuppos di sacco y callejones angostos, con la idea fija de los siete años de vida común, incapaz de admitir, en tu negación obstinada de la evidencia, la magnitud real de vuestro fracaso, recomponiendo los elementos del expediente como si se tratara de un puzzle y deshaciéndolos de nuevo perennemente insatisfecho de ti desde el instante en que revivías los tiempos de vuestra primera visita durante el festival de cine en la época en que no habíais perdido todavía la afición a los viajes y saboreabais todo descubrimiento, de un vino, una tela de Veronese, un collar de cuentas, un farol de Murano como una lógica proyección de vuestro amor y forjabais planes para el día no lejano en que las cosas cambiaran en España y pudierais disponer libremente de vuestro destino, con la esperanza absurda de rescatar los hipotéticos restos del naufragio y recomenzar humildemente con ellos una nueva vida, acodado tú sin saber cómo en el pretil de Fondamenta Nuove, frente al islote brumoso del melancólico comentario comunal, las balizas e hincones que marcan el camino hacia Torcello y las aguas tendidas, inmóviles y como muertas de la laguna.

Días enteros de vagabundaje solitario por aquel denso y alambicado laberinto, buscándoos oscuramente por los alrededores de la Pescheria o los almacenes del barrio hebreo hasta topar de manos a boca en un patinillo perdido o el mostrador de cinc de una bodega y proseguir el camino como dos amantes fortuitos y ocasionales que se detienen a admirar la fuente del Campo dei Santi Giovanni e Paolo o la fachada gótica del palacio Foscari antes de fundirse vorazmente en uno solo entre las sábanas acogedoras y tibias de cualquier hotelucho —o, como la tarde en que divisaste a Dolores a lo lejos y te entretuviste en seguirla sin que ella lo advirtiese, espiándola como si fuera una desconocida, juego al que habías renunciado de golpe al descubrir que efectivamente lo era y sentirte poco a poco como un rival suplantado o un detective encargado de acumular pruebas contra ti mismo, angustiado por la aterradora posibilidad de su encuentro con otro hombre y acechándola realmente, al fin, como si la vieses por primera vez en tu vida.

Venecia glacial e imprecisa de vía Garibaldi con sus tenderetes y puestos de mercado en medio de la calle y sus tabernas frecuentadas por empedernidos bebedores de grappa en donde encontraste al trío, dos hombres y una mujer que caminaban a ritmo lento hacia el Fondamenta di Santa Anna y algo en el semblante airado del hombre más alto y el rostro hermoso y dolorido de la mujer te hizo presentir la vecindad del drama y acortar el paso y disponer el oído, en el momento justo en que él se encaraba con ella y articulaba incomprensibles palabras estremecidas de odio y otro hombre intervenía para calmarle y no conseguía otro resultado que excitarle más, impulsándole a hablar casi a gritos, no, non sono frottole, te dico e ti ripeto che ci sono testimoni, hai capito y la mujer decía Piero, Piero con los ojos enrojecidos y se servía de la manga del abrigo para enjugarse las lágrimas y tú fingías escudriñar el contenido del escaparate de una tienda de accesorios navales y ellos proseguían su marcha hasta el puente y él la insultaba de nuevo asiéndola violentamente por las solapas, maledetto quel giorno hai capito, maledetto quel giorno y ella repetía como una autómata Piero, Piero y el otro miraba atrás con cautela y porfiaba en separarles y tú contemplabas el agua opaca del desolado canal di San Pietro con las viviendas miserables acurrucadas en la orilla y los muros corroídos del viejo arsenal, ti giuro che non é vero, Piero, ti giuro, ti giuro y el trío avanzaba otra vez, y tú tras él, por entre la doble fila de casucas grises del Campazzo Quintavalle y el viento traía a tus oídos jirones de frases que emanaban de sus labios acompañadas de heladas vedijas de humo y os encontrabais impensadamente en el crepuscular y desierto Campo di San Pietro y el trío se refugiaba a discutir al amparo de la iglesia y, de regreso al hotel, tratabas de imaginar la hondura de la pasión que existiera entre ellos y los juramentos de amor y la recíproca busca de sus cuerpos antes del obligado y triste final, preguntándote con amargura cómo la insidiosa degradación había sido posible, y pensando en Dolores, en la serena provocación del sexo y los pechos y los labios de Dolores, oías el espacioso redoble a muerto de las campanas y llorabas silenciosamente por ti.

Al pasar la curva divisaste varios grupos que subían por el flanco de la colina en dirección al plante. Los enkomos sonaban rítmicamente amortiguados por la distancia y un corro de hombres acompañaba con sus cantos las carreras y evoluciones de un íreme alrededor de su nkrikamo. El diablito vestía un capirote de saco, con un sombrero de terciopelo y un pompón de color rojo; de sus mangas, faldeta y perneras colgaban vistosísimos flecos de henequén y, a cada oscilación del cuerpo, hacía tintinear campanillas que llevaba sujetas a la cintura. El íreme agitaba su itón, contorsionándose como si estuviera ebrio, mientras el lazarillo lo conducía al fambá. Al cabo de una obstinada resistencia restregó la escobilla por la frente de un viejo Iyamba y escaló dócilmente el sendero tras el erikundé de su nkrikamo.

Estacionaste junto a la parada de autobuses y, al apearte, los niños te rodearon y preguntaron si eras ruso. Un camino de cemento escalaba la ladera hacia la plazuela de piso llano en donde se aglomeraban los fieles. La capilla era un edificio modesto, de una sola planta y, al entrar en él, los abakuá se descubrían y cerraban cuidadosamente la puerta. Una escalera rudimentaria subía al teso de la colina. A los lados las casitas de madera proliferaban como hongos con sus tejados de colores, sus pórticos coloniales y sus desgarbadas antenas de televisión. Las dos vertientes del cerro convergían en la plazuela como un decorado construido aposta para realzar el fasto de la ceremonia.

Cuando llegaste los fieles tocaban los enkomos, el ekón y la tumbadora, subrayando el recitado monótono del moruá: *Efori mañene forí Eforí manenecum eforí Sesé aporitán Becura Ibondá awanaribe Efor eforí*. Un mulato con una camiseta sin mangas y un pañuelo de seda rojo anudado al cuello vaciaba una botella de ron en un coco vacío y lo distribuía entre los presentes. Instantes después percibiste el bramido de Ekué en el interior del fambá. Los curiosos aguardaban la aparición del mpego a la entrada de la capilla y, uno tras otro, los indísimes se despojaron de sus camisas y remangaron sus pantalones, formando hilera, descalzos y con el torso desnudo, al tiempo que los padrinos se situaban tras ellos y apoyaban las manos sobre sus hombros.

Contemplaste el amalogrí fascinado. El mpego —un negro gigantesco— había surgido con la mokúba, la teja de incienso, las botellas de aguardiente y vino, y los fieles se agruparon en torno de los neófitos. Al comenzar la purificación entonaron con voz ronca *Anamabó, anamabó* mientras el mpego limpiaba a los indísimes con la hierba mágica y les dibujaba cruces amarillas en el pecho, brazos, piernas y espalda coreado por los gritos de *nkomo aquerebá, nkomo aquerebá* a los que sucedieron los de *Unarobia apanga robia* cuando repitió la operación con yeso blanco. Los músicos golpeaban los tambores de modo obsesionante. Un miliciano tocaba el ekón con una varilla. Poco a poco la fiebre iba subiendo de grado y los abakuás marcaban el ritmo oscilando el cuerpo con temblores precisos y breves. *Mimba, mimba barori* salmodiaban los fieles y el mpego espurreaba con aguardiente el pecho, la cara, la espalda de los neófitos, *acaransé, acaransé* y el vino expelido por su boca rociaba la piel morena del futuro obonékue, presto a unirse por obra y gracia de la mokúba y los bramidos de la Voz, a los espíritus sagrados de Sikán y Tánze; los enkomos sonaban con violencia, la varilla repicaba con furia el ekón y los ñáñigos repetían como posesos *Umón Abasí, Umón Abasí* simultáneamente al mpego que, con la albahaca humedecida de agua bendita, lavaba el cuerpo impuro de los indísimes, *Camio Abasó Quesongo, Camio Abasó Quesongo,* con la teja de incienso los sahumaba uno a uno, *Tafitá nanumbre,* les vendaba los ojos con un pañuelo de seda y, ciegos, ellos se arrodillaban con las palmas de las manos en el suelo, delante de los padrinos que permanecían junto a ellos para reconfortarlos. El ekón y los tambores martilleaban rítmicamente los oídos, conjurando la presencia del eribangandó oculto en el fambá secreto, diablito rojo y negro que se retorcía y bailaba con tintineo de campanillas al dirigirse a los neófitos postrados, *Indísime Isón Paraguao Quende Yayomá* y deslizar sus piernas sobre ellos, *Indísime Isón Paraguao Quende Yayomá* y frotarles el gallo por el cuerpo, *Indísime Isón Paraguao Quende Yayomá* que coreaban todos los fieles al unísono, como una plegaria loca, como un ensalmo, *Indísime Isón Paraguao Quende Yayomá,* fraternidad y amor de los que únicamente tú eras excluido.

Durante largo tiempo te limitaste a seguir el rumbo que te marcaban tus pasos. Tenías la cabeza hueca y el corazón te latía como un reló. Un sendero abrupto serpenteaba entre las casitas de madera y desembocaba de pronto en un cementerio de coches. Los viejos Ford, Cadillac, Chevrolet, De Soto se descomponían lentamente en la explanada, testigos oxidados y maltrechos de una época desaparecida. Sin vidrios, sin ruedas, sin motores las carrocerías exhibían sus fauces hambrientas, abiertas en un bostezo oscuro y doloroso. Las auras tiñosas trazaban espirales sobre el esqueleto de los automóviles y te tumbaste boca arriba en un claro y contemplaste fijamente el cielo. Un aroma de muerte y putrefacción impregnaba agudamente el paisaje. El sol reverberaba con fuerza y el aire estaba estancado.

Perdiste la noción del tiempo. Tres puntos negros volaban desde la costa hacia los objetivos militares de la bahía.
Indiferente, aguardaste el aullido de las sirenas y el rumor
de las explosiones. Poco a poco, conforme te ganaba el
sueño, tuviste impresión de echar raíces y fundirte definitivamente con la tierra. Haciendo un esfuerzo abriste los
ojos una última vez. Una mujer cantaba a lo lejos y escuchaste como si sus palabras pudieran contener un mensaje expresamente destinado para ti. Los tres puntos se
cernían aún en el aire. El otoño había empezado antes de
hora y, alrededor de ti, la vida continuaba.

Marzo de 1963. Recuérdalo.

La monarquía fue decapitada allí, el símbolo ominoso de
su poder tomado al asalto, el transgresor de leyes injustas que se pudría en la secular fortaleza liberado de sus
grilletes por la multitud iconoclasta. Obsérvala orillada por
el sol, emborronada por la niebla, humedecida por la llovizna. La columna se yergue en medio, robusta y maciza,
rematada con un genio esbelto, ingrávido. Bares, cafés,
restaurantes, cines la rodean de un fulgurante anillo de
anuncios luminosos. Hermosa y despejada, destartalada e
inhóspita convergen en ella y la informan varios siglos de
historia agitada, confusa. Los tiovivos, autochoques, puestos de tiro que acoge en sus andenes le dan un curioso
aspecto de poblado tejano. Un río de automóviles la cu-
bre durante las horas de afluencia; al alba, los adoquines
desiertos parecen echar de menos el pueblo audaz que los
arrancara y soñar, melancólicos, en un mejor destino. En
las aguas del canal algunos inmuebles modernos reflejan
tristemente sus formas obtusas. Calles, bulevares, avenidas
se dan cita en ella imantando a la clientela asidua de los
bares, a las mujeres pintarrajeadas de Balajo y Bousca, a
los truhanes y alcahuetes de la rue de Lappe. La feria
prosigue día y noche barroca, indiferente. A veces el eco

lejano de un acordéon corea, en sordina, la absurda discusión de los borrachos.

En las interminables horas grises todos los caminos conducen allá (al tobogán y al síncope) como si nada (te dices ahora), absolutamente nada pudiera aplacar (oh place de la Bastille) tu densa apetencia de muerte.

Magnánima, la vida te había rescatado.

La sala del hospital Saint Antoine giraba y giraba alrededor de ti y Dolores te tenía suavemente de la mano y giraba asimismo, luminosa y ágil, con una adulta expresión de amor que no le conocías. Oraciones antiguas acudían a tu memoria, vestigios ruinosos de algún remoto sueño, Cristo y Changó aunados, los Benignísimos Jesús Soberano Bien mío de los Primeros Viernes y la visita al Santísimo y los Indísime Ison Paraguao Quende Yayomá de los plantes ñáñigos y las ceremonias lucumís de Regla: por eso Os doy gracias y me propongo huir de las ocasiones de peligro y poner para siempre mi morada en vuestro Divino Sexo del cual espero auxilio para amaros hasta el fin así sea, con indulgencia de trescientos días e incluso plenaria si se hubiere rezado con frecuencia en vida y, además confesado y comulgado o, al menos, contrito, se invocare el Santísimo Nombre de Ekué, con la boca si se pudiere, y si no de corazón, y se aceptare con paciencia la muerte de mano del Señor como expiación de los pecados. La cabeza te dolía, el cuerpo te dolía y el espectáculo fantasmal de la sala común anticipaba a tus ojos la suerte que el destino justiciero te reservaba: morir, lejos de tu país y de su huraña falange de súbditos, inmerso en el vasto caudal del sufrimiento humano, purgado equitativamente por las faltas de otros y también por las tuyas.

Los viejos que agonizaban sin familia, los obreros amputados por sus propios útiles de trabajo, los árabes y negros que, allah yaouddi, se lamentaban en idioma para ti incom-

prensible te habían mostrado el camino por el que un día
u otro tenías que pasar si querías devolver, limpio, a la
tierra, lo que en puridad le pertenecía. Tu salvación debías
buscarla allí, en ellos y su universo oscuro, como de instinto y sin aprendizaje de nadie, severamente, junto a ellos,
habías buscado el amor: desprendiéndote poco a poco
de cuanto prestado recibieras; de los privilegios y facilida-
des con que, desde tu niñez, los tuyos intentaran ganarte.
La desnudez, entonces, qué riqueza. Su desprecio virtuoso,
entonces, qué regalo. El foso abierto entre tú y ellos: tal
era el margen, espacioso, de tu libertad.

En aquel hospital anónimo de la anónima y dilatada
ciudad, durante las largas noches en vela y su silencio pun-
tuado con toses y con ayes, habías vuelto a la vida horro
de pasado como de futuro, extraño y ajeno a ti mismo, dúctil, maleable, sin patria, sin hogar, sin amigos, puro presente incierto, nacido a tus treinta y dos años, Álvaro Mendiola
a secas, sin señas de identidad.

Cerraste el atlas y examinaste la última imagen de España
    captada por ti diez días antes con el objetivo de la Linhof
en la avenida abierta sobre los escombros de Santa Madro-
    na y Arco del Teatro Los Gambriles y la legendaria
    Criolla
junto a los muros harapientos de las casas en trance de
    derribo y la chimenea de una fábrica en ruina
algo así como una involuntaria torre de Pisa tullida y
    decrépita
a una veintena de metros de la desmerecida Calle de Conde
    de Asalto
una Tómbola Benéfica atrae a un público abigarrado y
    frondoso de marinos americanos turistas vecinos de ba-
    rrio ociosos chiquillos
un característico ejemplar del páramo castellano anuncia
    los premios por el altavoz y las miradas de los curiosos

convergen unánimes hacia la tribuna en que un macaco
   de ojos vivos y expresión inquieta
pelaje irregular salpicado de calvas y claros
brazos abruptos y culo agresivamente rojo
escucha la labia del feriante se remueve gira en torno de la
   columna a la que se halla ligado trepa hacia el techo
   destroza una caja de cartón se descuelga se asienta
bruscamente un cuplé aflamencado sustituye a la voz desfa-
   llecida del locutor
una vertiginosa síntesis de tópicos de la España de cha-
   ranga y pandereta cerrado y sacristía
de gemidos de hembra sexílocua con rejas balcones claveles
   mantillas peinetas
todo el viejo arsenal de un Merimée de pacotilla
ensordece los oídos con su volumen denso
el macaco escucha acongojado muerde con furia los restos
   de la caja de cartón intenta evadirse de la pesadilla abrumadora sube por la columna sacude rabiosamente su
   cadena
la hembra hispánica lo persigue con sus vaginales suspiros
el pánico se adueña del animal sus ojos traslucen un terror opaco
las castañuelas la guitarra los olés los gipíos caen sobre él
se ensañan cruelmente
lo enloquecen
le impulsan a brincar escabullirse dar saltos
los marinos americanos siguen allí con los turistas
los vecinos del barrio
los ociosos
los niños
en la postal que tienes ahora ante ti falta el fondo sonoro
   pero su elocuencia la dispensa de la sobrecogedora exhibición de canto
la fotografía ha sido hecha a contraluz y pudiera servir de
   ilustración
piensas tú

medio siglo después de su escritura
en este año bastardo y simoniaco del 63
al célebre
actual
y nunca desmentido.
poema de Machado.

CAPÍTULO VII

'Sobre este punto hay un acuerdo unánime el nivel de vida aumenta sensiblemente basta recorrer la Península de un extremo a otro sonora geografía de nombres imperiales Madrigal de las Altas Torres Puente del Arzobispo Villarreal de los Infantes Egea de los Caballeros Motilla del Palancar como un Herr Schmidt o un Monsieur Dupont cualesquiera al volante de su Citroen o su Volswagen para advertir año tras año el lento pero firmísimo despegue de un país secularmente pobre lanzado hoy gracias a veinticinco años de paz y orden social por la esplendorosa y ancha vía de la industria y el progreso desde hace casi cinco lustros tenemos el privilegio de un orden bienhechor como no lo saborearon nuestros padres ni nuestros abuelos ni nuestros bisabuelos orden que resistió imperturbable una guerra mundial que rondando las fronteras asolaba todavía más en lo moral que en lo material media Europa y entregaba al cautiverio a la otra media paz que precisamente por lo absoluta ya nos parece natural y no es natural pues no es cosa que por sí misma espontáneamente regale la naturaleza como regala la lluvia o el sol el amanecer y el crepúsculo el día y la noche esta paz que disfrutamos origen y fuente del actual progreso y bienestar es obra de un hombre y de un Régimen que disciplinando ordenando superando purgando nuestra natural propensión a íntimas pugnas y desgarramientos intestinos la supieron inventar para gloria y ejemplo de las generaciones venideras y aunque para toda nación la paz es deseable y su organismo sufre cuando la paz se turba pueblos menos glandulados que el nuestro pueden soportar el alboroto y el desorden sin que eso les acarree consecuencias mortales pero no el pueblo español entre nosotros cuando la paz se altera las consecuencias son instantáneas y fulminantes y la ame-

nazadora sombra de Caín oscurece como diría fray Luis
la "espaciosa y triste España" así conforme se va alejan-
do en el horizonte de lo pasado la invariable fecha del
primero de abril más clara vemos su singular trascendencia como montaña ingente sólo susceptible de ser abar-
cada con la mirada desde lejos por eso aunque a muchos
mocitos y caballeros emperejilados de hoy que no supieron de las penas de la guerra ni de los placeres de haberla
vencido y se encontraron con la mesa puesta les parezca
inútil recordar lo que quisieran olvidado para siempre nosotros los combatientes de entonces artífices del actual
bienestar les diremos gracias a esa paz desmemoriados y
olvidadizos señores son ustedes señores y potentados y estan ustedes tranquilamente sentados en la calle y tienen
ustedes buen color y conservan la piel la luz se hizo en
un día primero de abril en la plenitud de una primavera
que por cielo tierra y mar se esperaba anunciada en el
propósito heroico y en la esperanza segura del himno liberador y desde entonces hemos vivido épocas de excepción y de sacrificio hemos atravesado un largo periodo de
dificultades y combates hemos debido mantener con energía el rumbo frente a la incomprensión el odio y la ceguera de los Estados liberales de democracia desvertebra-
da e inorgánica pero después que aquellos años de hambre
y privaciones fruto del bloqueo y las sequías esto que ya
muchos llaman el milagro español ha sido nuestra obra
común la de todos los españoles que colaboraron con sus
esfuerzos y disciplina en vencer tan difícil y fundamental
etapa y ahora que en el plano económico la evolución es patente la mejoría notable y los medios de que el país dispone infinitivamente superiores basta la mirada neutra y
vacua de Herr Schmidt o Monsieur Dupont uno de los doce
millones y pico que según estimaciones oficiales visitarán
este año nuestra patria atraídos por el ardor del sol el
garboso pisar de las mujeres el emboque de los vinos
la emoción viril de la corrida la belleza monacal del paisaje el bajo índice de los precios para apreciar la mejora

de las carreteras y los ferrocarriles la multiplicación de los hoteles y restaurantes la proliferación de vehículos y televisores signos claros rotundos del prodigioso y oportuno despegue nadie puede negar ya en público que el mercado de consumo aumenta y el país se industrializa entre 1935 y este año de gracia las producciones básicas se han incrementado de manera espectacular el 72 % de los españoles usan ropa interior de algodón contra un 37 % durante la época de la República los zapatos sustituyen poco a poco a las humildes alpargatas quienes iban a trabajar a pie lo hacen hoy día en bicicleta los ciclistas de antes se pasean en moto los ex motoristas recorren triunfalmente el paisaje urbano con un Seat 600 o un Renault 4CV en lugar del incómodo y triste plato único los restaurantes exhiben copiosísimas minutas convenientemente traducidas a varios idiomas la población obrera consume leche y huevos y a veces hasta pollos los domingos en verano resulta imposible distinguir al trabajador de su patrono el contable de oficinas fuma tabaco rubio y se compra a plazos televisor y nevera la mujer del peón se pinta los labios y usa medias exactamente como la dama distinguida si los inevitables focos de miseria subsisten se trata por lo general de casos aislados a los que la innata generosidad racial del español pone remedio y si publicamos aún en nuestra prensa "Ayuda a familia vergonzante con un hijo menor la madre muy enferma el padre sin trabajo" "Alimentos y ayuda a familia peón enfermo con seis hijos menores de diez años la madre muerta de parto" o "Pierna ortopédica a soltera de 53 años sin familia ni recursos" lo hacemos porque estamos seguros de que merced a la pronta intervención de almas benéficas y caritativas los pequeñuelos podrán satisfacer cabalmente su hambre los parados hallarán el medio de agenciarse un billete para Alemania o Suiza y la soltera desamparada y pobre obtendrá la suspirada ortopédica la paz la prosperidad el radiante progreso en que hoy andamos embarcados son el fruto palmario de nuestra política al servicio de un hombre y una nación ante nosotros se levanta la voz de nuestros muertos la firmeza de los que nos mandaron el testamento de los que dieron su sangre la voluntad de los que no están entre nosotros y esa voluntad ese testamento y ese mandato tenemos que sostenerlos con las armas en la mano no basta que haya acabado la batalla acaba la batalla y nadie puede irse a descansar nosotros lo sabemos muy bien porque tenemos los pechos cubiertos de medallas los cuerpos llenos de cicatrices el corazón abrumado de dolores y sabemos que después de la batalla cuando parece que se va a recoger el fruto de la victoria todavía hay que velar las armas viene, la parte más dura la guardia la centinela la imaginaria el servicio el cuidar unos el sueño de los otros y ésta es nuestra misión permanente de la que no abdicaremos jamás velar la paz el sueño el orden el trabajo avanzada que somos reconocida ya del mundo libre áncora y guía del cándido y olvidadizo Occidente."

Así se expresaban jubilosamente los portavoces oficiales mientras la incontenible ola turística, dispensadora de prodigalidades y mercedes, inyectaba sangre nueva y despreocupada en el vetusto país, recorría su absorto paisaje y sus ciudades muertas: rica transfusión de dólares que circulaba a través de ferrocarriles, aviones, buques, carreteras; inesperada plaga salvadora de un solar condenado y baldío, cubierto ahora, como por ensalmo, de paradores y hoteles, estaciones de servicio y restaurantes, boutiques de souvenirs y snack-bars, camareras y alcahuetes, prostitutos e intérpretes, flamencos y bailaoras. La modernización había llegado, ajena a la moral y la justicia y el despegue económico amenazaba anestesiar para siempre a un pueblo no repuesto todavía, al cabo de cinco lustros, del largo y denso sueño en que permaneciera aletargado desde su derrota militar durante la guerra. Las estadísticas no mentían sin embargo y, para quien hubiese conocido la atmósfera agobiadora de aquellos años de persecución y castigo, hambre y privaciones —el salvoconducto obligado entre Madrid y Getafe, la magra cartilla de racionamiento— la mejora palpable de los últimos tiempos o la simple posibilidad de obtener el ansiado pasaporte constituían para los más un cambio cualitativo que rompía, felizmente, con la anterior asfixia e inmovilismo. Poco a poco, gracias a la doble corriente de forasteros y emigrantes, expatriados y turistas, en España y fuera de ella, el español aprendía, por primera vez en la Historia, a trabajar, comer, viajar, explotar comercialmente sus virtudes y defectos, asimilar los valores crematísticos de las sociedades industriales, mercantilizarse, prostituirse y todo ello —paradoja extrema de una tierra singularmente fértil en burlas sangrientas y feroces contrastes— bajo un sistema primitiva y originariamente creado para impedirlo: bandera enarbolada un día para justificar la horrible matanza, abandonada luego como un traje usado o un zapato viejo; causa sagrada —éstas eran sus palabras— por la que falanges de jóvenes de pecho generoso y mente estrecha habían ofrendado la vida. Unos y otros muertos se pudrían ahora exactamente inútiles y absurdos, devorados, hasta en el recuerdo, por obra de una Historia caprichosa, no sólo indiferente, sino alérgica, a las virtudes de la inmolación y el sacrificio.

Pero si la prensa exhibía a diario los índices y gráficos de un despegue obtenido, entre otras razones, merced a la dura disciplina militar impuesta a la clase obrera y al mantenimiento de las arcaicas e inhumanas relaciones de producción en el sector agrario, ¿quién evocaba, en cambio, la existencia de aquellos que, a costa de su sangre, sudor y lágrimas, habían sido sus verdaderos artífices y sus víctimas, igualmente anónimos? La triste humanidad callada que había aguantado sobre sus hombros el peso de la necesaria acumulación, ¿quién se acordaba de ella? Bajo el barniz brillante de los números y el insolente despliegue de las comparaciones había un oscuro cauce de sufrimiento, un mar inmenso y sin fondo adonde jamás llegaba ni llegaría rayo de luz alguno: la vida descalza, manivacía y rota de millones y millones de paisanos frustrados en su propia y personal esencia, relegados, humillados, vendidos; doliente masa de seres venidos al mundo sin aparente lógica; instrumento de trabajo con figura de hombre, sujetos a las leyes de oferta y de demanda como pobre y gastada mercancía. Sumidero de injusticias, ofensas, enfermedades, muerte, su dolor destilado gota a gota en tosco y soterrado alambique, sus castillos de arena perpetuamente barridos por el tiempo, su recatada e invisible labor de madréporas, sostén y base de la vida ociosa y fútil de los otros, ¿servirían, cuando menos, de abono y fermento, alimento y sustancia? Aquellos de quienes el hijo de Dios había dicho: "vosotros sois la sal de la tierra", ¿fertilizarían alguna vez el árido e ingrato suelo de su severa e inmortal Madrastra?

Transcritas durante los preparativos de rodaje del fallido documental, las biografías de los emigrados —primera ola de un mar en movimiento perpetuo— se erguían en medio del panorama campestre tranquilo y placentero como una grave e imperecedera acusación, todo el lento aprendizaje en el dolor, la vergüenza y la astucia, la injusticia y humillaciones de estos años cifrados en páginas escuetas y breves, rigurosas y estrictas, que ningún progreso, ningún bienestar, ninguna modernización —y era una certeza consoladora para ti— conseguirían nunca borrar.

Esta silla y el cesto de mimbre que hay encima de ella valen para mí más que todos los amigos del mundo y han sido más fieles que ellos pues cuando este cesto pasaba las rejas de la cárcel siempre llevaba dentro algo de comida y esta silla es la misma en la que me hicieron sentar los falangistas antes de meterme en la cárcel y cuando yo estaba dentro de la cárcel el cesto de mimbre que está sobre la silla me llevaba la miseria que podía y cada día me alegraba cuando me venía a ver esta silla y este cesto no tienen que agradecer nada a na-

*die pues muchos republicanos de antes andaban por la
calle y el cesto no recibía de ellos ni un miserable céntimo
este cesto que iba a pedir limosna de puerta en puerta
para llevarme de comer y esta silla a la que me ataron
delante de mi mujer dicen que todo esto es verdad la
silla en la que me pegaron con una fusta y el cesto con
el que mi mujer pidió limosna*

*es una vergüenza dicen esta silla y este cesto que os echa-
ran de la casa aprovechando que estaba yo en la cárcel
el juez había enviado la convocatoria pero yo no podía salir de la cárcel así el propietario vino con el juez
y los guardias municipales y el juez dijo los inquilinos
a la calle*

*y echaron los muebles a la acera y mi mujer tenía el niño
entre los brazos y no sabía adónde ir y cuando a los
ocho días fueron a la cárcel a darme un beso y decirme dos palabras las palabras que me dijo mi mujer me
causaron gran pena diciendo nos han quitado la casa
estoy en la calle y al enterarme de lo que pasaba yo
no podía dormir y vomitaba lo poco que comía*

*y esta silla y este cesto saben que cuanto digo es verdad
verdadera pues ellos recuerdan los golpes que me dieron
con la fusta y el poco pan que mi mujer recogía por
las casas y al cabo de un año me pasaron de la cárcel al
hospital y de allí me soltaron con un papel que decía
José Bernabeu ha estado preso por rojo...*

En uno de esos atardeceres brumosos del moroso e ingrato
invierno parisiense, encerrado en tu estudio de la rue Vieille
du Temple con una botella de Beaujolais y una cajetilla
mediada de Gitanes-filtre sobre la mesita de noche habías
pasado revista a tus veinticinco años de menguada existencia y la desolación y el vacío que hallaras en ellos te
sobrecogieron de pavor. Álvaro, dijiste para tu sayo, esto no
puede continuar así, te expatriaste a París con el pretexto de estudiar dirección de cine y, fuera de la frecuentación

asidua de la cinemateca de la rue d'Ulm, no has pasado aún tus exámenes en el IDHEC, no has acabado el guión de tu futura genial película, no has hecho la menor gestión para ser admitido como asistente de alguno de los "monstruos sagrados". Te fuiste de España (abandonando a tus amigos en medio de una lucha política difícil e incierta) para realizar la obra que llevabas (o creías llevar) dentro de ti y, en estos dos años de bohemia parisiense, ¿qué has hecho?: dormir, comer, fumar, emborracharte, matar el tiempo en charlas y discusiones ociosas con compatriotas exiliados y rancios en el vetusto café de madame Berger. ¿Puedes enorgullecerte del resultado? Desertaste de la acción para ser un artista y, a fin de cuentas, ¿qué eres?: un desterrado voluntario que duerme (doce horas diarias), fuma (cajetilla y media de Gitanes-filtre), come (una sola vez al día, en el oscuro Foyer de Sainte-Geneviève), bebe (litro o litro y medio de tinto, según el caso), va el cine (Eisenstein, Pudovkin, Visconti, Lang, Wells; los de siempre).

Te asomaste a la ventana sobre la hermosa perspectiva de tejados y chimeneas en forma de cono truncado que inevitablemente te rememoraba los lejos de "Il miracolo della relliquia de la Santa Croce" que habías admirado en Venecia y contemplaste el cielo incierto y huidizo de París mientras los vecinos del patio repetían una vez más para ti (diríase) su escaramuza diaria acerca de las palomas (alimentadas por el viejo del primer piso y ahuyentadas por la viuda del tercero con cubos de agua).

Viejo: Madame, Dieu vous regarde.

Viuda: Moi aussi je suis croyante, Monsieur.

Viejo: Vous faites une mauvaise action.

Viuda: Ça, c'est ma conscience qui doit me le dire, cher Monsieur.

Viejo: Ce sont de pauvres bêtes innocentes.

Viuda: Innocentes peut-être, mais sales.

Viejo: Ils ne font de mal à personne.

Viuda: Ils font des saletés partout.

Viejo: Vous aussi vous faites bien vos besoins, Madame.

Viuda: En tout cas soyez certain que je ne les fais pas sur ma fenêtre, cher Monsieur.

Unas horas antes, en el andén helado de la gare d'Austerlitz, aguardando tú el tren de Barcelona en el que debía venir Antonio, enviado a colectar fondos de ayuda para el recién creado movimiento estudiantil, habías asistido por primera vez a la llegada de una expedición de españoles contratados sin duda por alguna empresa fabril parisiense y, conforme examinabas el rostro perdido y como ahogado de tus paisanos ante el espectáculo para ellos insólito de la silenciosa y disciplinada multitud, tan distinta de la caótica y vocinglera muchedumbre española, experimentaste una acongojada sensación de estupor y lamentaste no haber traído contigo la cámara de 16 mm. Expulsados por el paro, el hambre, el subdesarrollo hacia países de civilización eficiente y fría, ¿qué sería más tarde, pensaste, de aquellos hombres apegados a unos valores y costumbres tribales, desaparecidos ya del resto del Continente? ¿Se adaptarían a la moderna civilización industrial urbana?, ¿o reaccionarían frente a ella con vuestra carpetovetónica y proverbial impermeabilidad indígena?

La idea de un documental sociológico sobre las razones de su emigración, la exposición filmada de su doloroso periplo (la lenta y penosa huida de la miseria a partir de sus orígenes campesinos) se impuso de pronto en tu conciencia como una empresa no sólo apasionante sino (por la rebeldía que implicaba contra tu destino común de español heredero de la situación creada como resultado de la guerra civil) estrictamente necesaria. La imagen de los obreros arropados en sus viejas zamarras, tocados con sus boinas y calzados con alpargatas miserables se había asociado desde entonces en tu recuerdo a la panorámica de tejados y chimeneas de Carpaccio que la suscitara durante aquel vasto y melancólico atardecer.

Viejo: Attention, Dieu vous punira un jour.

Viuda: Il a d'autres choses à faire que de s'occuper de vos pigeons, le bon Dieu.

Viejo: No soyez pas si sûre que ça, chère Madame.

Bebiste un trago de Beaujolais para frenar la sucesión vertiginosa de propósitos que acudían a tu mente. Desdibujada por la niebla distinguías a lo lejos la silueta desgarbada de la Tour Eiffel. Antonio debía venir a cenar contigo y, mientras los vecinos proseguían su metafísica guerrilla respecto a la bondad de las palomas, te tumbaste a descansar en el diván y observaste, abstraído, el reflejo mudable y efímero de la luz sobre el techo abuhardillado de tu estudio.

Pasamos tres días de mucho frío y al cabo de los tres días a las seis de la mañana a mi madre se la llevan al hospital medio muerta de debajo del puente de la vía y yo me quedo desamparado con mi padre y como a mi padre le daba vergüenza de ir a pedir limosna me dictó una carta diciendo lo que le pasaba y el primer sitio que fui fue a la parroquia de San Pedro y el Sr. párroco de San Pedro nos dio 0' 10 ptas y mi padre le contestó que Dios se lo pague y yo le dije que me la devolviera que mi padre no sabía escribir y con los 10 cents no teníamos para la comida y que como yo era pequeño pedía pan y mi padre no tenía y de allí fuimos a la calle Topete y en una casa mi padre les dio la carta y le dieron 10 ptas y el barbero que hay frente a la policía me dio 5 ptas de allí nos fuimos a la parroquia del Carmen y el Sr. párroco del Carmen después de haber leído la carta dijo que él no nos podía dar nada que el mal se lo había buscado mi padre que la familia la tenía que haber dejado en el pueblo y que Dios no podía hacer nada por nosotros y yo me marché con mucha pena y de allí nos marchamos a la Cruz Grande en el número 1º y salió la sirvienta y mi padre le entregó la carta y ella dijo que el Sr. eso él ya lo comprobaría y mi padre le dijo que al menos le diera un poco de pan para el niño que está llorando porque tiene hambre y al salir nos salió el buen Sr. y le dijo que tan joven por qué iba a pedir limosna y como ya había leído la carta fuimos al hospital y el practicante dijo que en aquellos momentos la estaban operando a mi madre y entonces él vio que todo era verdad y dijo que quemáramos todo lo que había en el puente que él nos socorrería con todo y en el patio nos dio de comer y yo era muy pequeño y con el hambre que tenía con la buena voluntad y con el cariño que me tenía aquel buen Sr. siempre me acordaré de él y jamás le olvidaré y entonces él me lavó como si fuera su hijo me cambió toda la ropa y me llevó de la mano y fuimos al hospital diciendo que mi madre no pasara pena que nada nos faltaría

Venías de filmar los típicos paisajes de la tribu (las chozas de latón, los perros sarnosos, los niños desnudos con el vientre hinchado) del desaparecido barrio de chabolas de la Barceloneta (convertido luego en flamante Paseo Marítimo de una floreciente ciudad en pleno desarrollo con zona azul de estacionamiento, modernas instalaciones lumínicas, polígonos industriales privados y carteles indicadores redactados en diferentes idiomas) y el asombro que te embargara entonces ante el fatalismo resignado de tu grey (la misma grey que, expulsada de las zonas céntricas, reaparecía de nuevo en el extrarradio con empeño tenaz y desconcertante) lo evocas ahora (en el lento y cálido atardecer, dos días después del entierro del profesor Ayuso) con piadosa y acerba ironía.

...Tu primer contacto con el Sur fue a través de sus hombres. Desde niño los distinguías por su lenguaje y modo de hablar, tan distinto del de los catalanes. Les oías cantar en los andamios, blasfemar en las zanjas de Obras Públicas, discutir mientras barrían las calles, pegar la hebra al sol uniformados con el tricornio, el mosquetón, el traje verde de los civiles. Su rostro era también diferente del de tus próximos: algo más oscuro —árabe quizá—, tosco y elegante al mismo tiempo, con una vivacidad que siempre te sorprendía. En las oficinas públicas firmaban aplicando el pulgar manchado de tinta al pie de los impresos oficiales. Tú sabías que eran más pobres que los otros y pensabas, asimismo, menos inteligentes. Como realizaban los trabajos más duros dabas por descontado que habían nacido para bregar. Más tarde, durante tu servicio militar, el contacto diario con los murcianos y andaluces te reveló un hecho sorprendente para ti: las familias hacinadas en los suburbios huían de algo. La pobreza de las chabolas barcelonesas era una evasión de otra pobreza aún más dura, cruel e inhumana. Este descubrimiento te inspiró el deseo de viajar por el Sur. Tus amigos te hablaban de Lubrín, Totana, Adra, Guadix. Cuando cruzaste por fin la frontera del río Segura con Dolores y Antonio la severidad del paisaje te cautivó. El cielo azul, el color ocre y rosado de la tierra, el amarillo de los trigos te tentaban con su belleza insólita. A medida que te aproximabas a Almería y contemplabas sus montañas lunares, sus parameras, sus alberos el deslumbramiento se convirtió en amor. En Sorbas os detuvisteis a beber en un ventorro y dijiste a Dolores: "Es el país más hermoso del mundo." El dueño trajinaba al otro lado del mostrador y te miró enarcando las cejas. Su voz zumba todavía en tus oídos cuando repuso: "Para nosotros, señor, es un país maldito..."

El calor cedía poco a poco y te incorporaste de la gandula. La criada había dejado el transistor encendido y, sin decidirte a dar una vuelta por el bosque como fuera tu propósito al levantarte, te aproximaste a la mesa y escuchaste el boletín informativo que brotaba en sordina del aparato.

"...por el nuevo dirigente del sindicato regional señor Tusquets..." (¿era el mismo?)

Volviste a las biografías y, con un dedo, extirpaste bruscamente la Voz.

Y a los seis meses de haber llegado a Tarrasa mi mujer
tuvo una niña que nació antes de hora y nosotros bus-
camos un poco de ayuda porque no teníamos dinero para
que la enterraran y todo el mundo se desentendía de
nosotros así la tuvimos tres días metida en un cesto que
es en mi vida lo que más pena me da pues no se ha
visto cosa así en el mundo entero tener que llevarla en
un cesto a la funeraria esto es justicia esto es dig-
nidad tener que llevar esta niña como si fuera un perro
a la funeraria envuelta en trapos en el fondo de un
cesto

y cuando yo pedía justicia no solamente para mí sino para
mis pobres hijos y explicaba cómo vivíamos encharcados
y muertos de frío el Jefe local de Sanidad vino a vernos
y él mismo vio con sus propios ojos como estábamos
pero a él qué se le importaba en su casa tenía luz y
buen techo y calefacción pues después de venir él y pro-
meter muchas cosas si te he visto no me acuerdo

entonces me fui a la radio y les pedí que me dejaran ha-
blar y contar lo que nos pasaba que así el pueblo se
enteraría y las personas caritativas nos podrían socorrer
pero me dijeron que para hablar se necesitaba mucha
cultura y yo no sabía expresarme así que paciencia buen
hombre y el Sr. de la radio me dio 5 ptas

y yo volví otra vez al ayuntamiento de Tarrasa y les pedí
que hicieran el favor de venir un momento y así verían
de la forma en que estábamos y ellos me dijeron que el
personal de allí estaba muy ocupado y que debía hacer
una instancia por escrito sin olvidar el timbre móvil y la
póliza de 4'50

y yo les decía yo no pido nada del otro mundo sino la
luz y un techo para mi vivienda que mi hijo pueda estar
debidamente y no se me muera joven

y esperando la respuesta del ayuntamiento estuvimos toda-
vía en aquella choza durante más de tres años

Interrumpiste unos momentos la lectura. El panorama des-
fila lento, las colinas erosionadas y desnudas se suceden
como en un paisaje lunar, la vegetación desmedra, el sol
se adueña de todo: centellea en el lecho pizarroso de las
ramblas, palia el amarillo marchito de una higuera, unifor-
miza la exhausta variedad de los colores. Estás en el corazón de la Andalucía árida: las casas blancas del pueblo
apiñadas bajo la mole de la iglesia parecen tan irreales
como la torre del campanario que las cobija, brotadas unas
y otras de algún remoto espejismo, criaturas bruscas de
tu delirante imaginación.

Te internas en el pueblo, estacionas el automóvil en la
plaza, arriesgas una ojeada a tu alrededor presto a partir
con la misma rapidez con que has venido. (Recorres el
país reuniendo los testimonios necesarios al rodaje de tu
futuro documental y el recuerdo de Enrique, de la detención y torturas sufridas por Enrique te hostiga y atormenta.)

El sol brilla recio sobre las fachadas enjalbegadas: una
tienda de ultramarinos, un bar atestado de hombres cen-
ceños y oscuros, una peluquería de señoras. En la esquina
de la calle mayor un rótulo descolorido atrae súbitamente
tu atención.

BIBLIOTECA MUNICIPAL

(¿A quién diablos se le ocurre leer en esa estepa?)

El edificio tiene dos pisos, con un balcón circular sostenido por ménsulas de piedra labrada. Las persianas corridas. El portal cerrado. Inútilmente golpeas con el picaporte.

—No hay nadie —dice un vecino.

—¿A qué hora abren?

—No hay hora fija.

El hombre escudriña las encías con un palillo y te contempla de pies a cabeza con moderada curiosidad.

—¿Es usté el nuevo maestro?

—No, señor.

—Como lo esperábamos la semana entrante...

—Andaba de paso y al ver el letrero creí que estaba abierta.

—Casi nunca abren —dice el hombre—. Pero, si le interesa visitarla, yo sé quién tiene la llave.

—No quisiera molestar.

—No molesta. Es una parienta mía. Vive a dos pasos de aquí.

Varios chiquillos os observan hilando baba. El vecino se encara con ellos y pone una mano sobre la cabeza del más alto.

—¿Sabes dónde vive la Julia?

—¿Qué Julia?

—La que tiene la tienda de alpargatas en el portillo.

—Sí, señor.

—Anda, ve corriendo y dile que te dé la llave de la biblioteca, que un señor la quiere visitar.

El niño sale disparado. Tú agradeces al vecino con una sonrisa.

—La hija de la Julia se encarga de la limpieza, de quitar el polvo, de abrir las ventanas...

—¿Todos los días?

—Ca, en navidad y en verano... Cuando viene el inspector provincial.

—Entre tanto, ¿no abren?

—No, señor. A menos que no se presente algún forastero como usté. —El vecino parece reflexionar—: El año pasado vino un estudiante de Madrid.

Ocho o diez chiquillos os rodean ahora, atentos a la conversación. Algunos cuchichean entre sí y van a informar a los clientes del bar. El niño del recado regresa al cabo de unos instantes.

—La Julia se ha ido.

—¿Dónde?

—Se fue a Granada y no vuelve hasta el martes.

—¿Y la hija?

—Tampoco está.

—¿Con quién hablaste?

—Con el Perico.

El vecino se cruza de brazos. Algunos curiosos se han arrimado a oír y asisten a la escena en silencio.

—La hija de la Julia está con su cuñada —dice uno—. Las vi juntas hace media hora.

—¿En qué sitio?

—En el almacén de granos.

—Anda, ve a buscarla —dice el vecino al niño—. Dile que te entregue la llave.

-No merece la pena —protestas tú.

—Que no, hombre, que no es molestia. El chico va en seguidita.

Cuando el niño se ausenta el número de curiosos aumenta aún. Pronto son veinte, veinticinco, treinta. Los chiquillos dicen "es un franchute", los adultos te observan como si aguardaran de ti un discurso. Un cura de sotana mugrienta atraviesa la plaza y te examina de reojo. Antes de desaparecer de tu campo visual le ves echar un párrafo con uno de los niños y, por la dirección de sus miradas, adivinas que hablan de ti.

—¿De dónde es usté si no es mucha pregunta? —dice el vecino.

—De Barcelona.

—El coche ése, ¿es francés?

—Sí.

—Como veía la "F" en la matrícula...

Los hombres estrechan lentamente su cerco. La palabra Francia corre de boca en boca. Algunos preguntan si los patronos de allá dan trabajo. (Es la historia de siempre y, pese a la costumbre, los colores te suben a la cara.)

El niño vuelve otra vez jadeando.

—Dice que la llave la tiene su madre.

—¿No me dijiste que se fue a Granada?

—Sí.

—¿Y la llave?

—Se la llevó con ella.

Hay un silencio. Los curiosos permanecen a la expectativa, al acecho de tu reacción. Son cuarenta ahora, quizá cincuenta. Los recién llegados preguntan qué ocurre y oyes en sordina "Barcelona", "biblioteca", "Francia".

—Vamos a ver. ¿Qué pasa?

La voz es categórica y el concurso se desgaja para abrir camino a un número de la guardia civil: bigote, gafas oscuras, tricornio, guerrera sucia, pantalón remendado.

—Nada —dice el vecino—. Este señor quería ver la biblioteca y, como la Julia no está, envié al chaval por la llave.

—¿Quién quiere ver la biblioteca?, ¿usté?

—Sí, señor.

—Su carné de identidad, por favor.

El público parece haber suspendido la respiración, pendiente únicamente de tus gestos. El sol cae a plomo sobre vosotros.

—No tengo carné, tengo pasaporte.

—¿Es usté extranjero?

—No, señor.

—Entonces, ¿por qué no tiene carné?

—Porque vivo fuera.

—Y, ¿por qué vive fuera?

—Por razones personales.

—A ver. Su pasaporte.

El guardia lo examina receloso y pasa las páginas una a una con cauta morosidad.

—El sello éste, ¿de dónde es?

—Alemán.

—¿Y este otro?

—Holandés.

—¿En qué trabaja usté?

—Soy fotógrafo.

—¿Desde cuándo para en España?

—Mire acá... Comisaría de Policía de La Junquera..
Dos de agosto.

—Ah, ya... ¿Tiene usté familia por esta parte?

—No, señor.

—¿Turismo?

—Sí, turismo.

—¿Y dice que quería ver la bibioteca?

—Simple curiosidad.

—Está cerrada.

—Ya me han dicho.

El guardia te devuelve el pasaporte. Sus rasgos toscos
se contraen hasta forzar una sonrisa.

—Son preguntas de trámite, ¿comprende usté?

Los hombres siguen al acecho de tus labios. Tu silencio
los defrauda sin duda.

—Hay que ir con mucho ojo, ¿me explico? Nosotros
no sabemos qué clase de gente nos viene de fuera ni qué
propósito se traen entre manos... —Su expresión es ahora
cordial—: En fin, usté comprende... Ande, vaya usté con
Dios.

—Muchas gracias.

—Que tenga usté buen viaje.

Cuando el guardia se va el concurso se dispersa poco
a poco. Los niños prosiguen sus juegos. Los hombres se
refugian en el bar.

Cruzas la plaza y te diriges al coche. El sol luce todavía robusto sobre las casas encaladas del pueblo. Una
golondrina rasga ágilmente el espacio y, con indolencia esbelta, se esconde en el alero del tejado de la biblioteca
municipal.

(La biblioteca seguía probablemente cerrada y las en-
cuestas sociológicas dormían en tu carpeta como consecuencia del rodaje interrumpido del documental y la confis-
cación de la película por las autoridades de Yeste. Enrique
vivía el fervor y drama de la Revolución en Cuba y, como
en el pasado, soñabas ocioso en el difuso atardecer del

jardín, tumbado en una gandula, a la sombra propicia de los árboles.)

Y así sucesivamente hasta que en 1950 nos marchamos de Tarrasa y así sucesivamente pasamos algunas calamidades hasta llegar a Gerona y el niño que había nacido en Tarrasa nos hizo compañía hasta Gerona adonde sacamos los pasaportes para marcharnos a Francia y en llegando a Figueras el pobre cayó enfermo con visita de médico y nos dijo que aquello no era nada así por la mañana siguiente cogimos el autobús y fuimos a la primera capital francesa que tiene el nombre de Perpiñán y fuimos derecho al depot de migración y este niño fue visitado por un médico francés muy bueno y muy simpático y muy inteligente y al visitarle este médico dijo que no tenía cura

y entonces fuimos al Cónsolo español y el secretario dijo yo pagaré el viaje y lo lleváis a España pero la compañía no nos quiso dar billete porque este niño no está en condiciones y de la estación fuimos otra vez al depot de migración

y entónces me presenté otra vez en el Cónsolo español y el secretario viendo de la forma que padecía este niño dijo que no podía hacer nada pero en equellos momentos salió el Cónsolo general que había venido de Norte América y en seguida dijo este niño rápidamente que se le hagan los papeles para entrar en el hospital y que no vuelva a ocurrir más esta injusticia porque yo soy español y llevo 20 años de Cónsolo en América y que rápidamente este niño que se le haga una taza de caldo pero en llegando al hospital en seguida se me puso negro

y una hora más tarde el pobre niño murió nosotros fuimos otra vez al Cónsolo y dijimos su padre y su madre con el disgusto que cogimos el único hijo que era de Tarrasa lo tenemos que dejar en Perpiñán y el Cónsolo

dijo paciencia por su hijo que este Cónsolo sabe cum-
plir con los hijos de la Patria
y le hizo un entierro de lo mejor que había y jamás ol-
vidaré Perpiñán porque ni la gente de armas ni la de
las autoridades francesas nos faltó en nada y con aquel
respeto y aquel cariño que nos hacen bien nos fuimos
dando un fuerte abrazo a Perpiñán y a todos sus vecinos

Evoca (transcribe) esta escena por que no muera contigo.

Volviendo de Suiza con otros compañeros de la agencia
os habéis demorado varios días en el centro de Francia
siguiendo uno de los itinerarios gastronómicos recomen-
dados por la Guía Michelin (Valence, Villefort, Chateau
de la Muse, Millau, Saint-Affrique, Lacaune, Castres) y
te encontrabas en un inhóspito andén de la estación de
Toulouse esperando el expreso que debía conducirte a París (un poco fatigado por el abuso de los caldos de St-
Péray, Cornas, St-Saturnin, Gaillac rosados, generosos y
exquisitos) cuando reparaste en su presencia en el andén:
era mujer de treinta y pico de años, hermosa, trigueña, algo
fondona, envuelta en un abrigo de falso astracán que iba
y venía en dirección opuesta a la que caminabas tú, cru-
zándose continuamente contigo, presa de agitación violenta
e incontenible.

—Pardon, Monsieur. Le train qui vient de Cerbère est-
il en retard?

El empleado de la S.N.C.F. había movido negativamente
la cabeza y, por el acento de la mujer (parecido en cierto
modo al de Dolores cuando se despertaba o tenía sueño)
dedujiste que se trataba de una compatriota con bastantes
años de residencia en el país (peluquera, modista o algo
así). Al punto que el expreso surgió por entre los dos andenes centrales (el resuello de la locomotora entreverado con
la cháchara incomprensible del altavoz y la airada campanilla del carrito de los sángüiches) la viste correr a lo
largo de los vagones escrutando ansiosamente el rostro de

los pasajeros asomados a las ventanillas hasta dar con una vieja enlutada cuya cabeza temerosa emergía, pensaste, como la de un pájaro recién arrancado de su nido.

—Mamá —gritó la mujer—. Mamá.

Subiste al vagón tras ella y te colaste en su compartimiento de segunda clase (el equipaje de la madre se componía de dos grandes cestos de mimbre cubiertos de trapos y media docena de cajas de cartón aseguradas con cordeles). Las dos mujeres lloraban abrazadas y, mientras fingías revolver en tu bolso de viaje, las espiaste a tus anchas con el rabillo del ojo: la madre campesina vestida de negro, con su pañuelo basto sobre la cabeza, su gabán rústico, sus humildes zapatillas de andar por casa; la hija con el abrigo de falso astracán, los zapatos italianos de línea elegante, la pañoleta de seda en torno del cuello; la vieja con la miseria y el polvo de la estepa natal adheridos aún a su piel amarilla y marchita; la joven atractiva y compuesta, urbana, sofisticada; abrazadas las dos, llorosas las dos, besándose y casi succionándose, prendidas una de otra, dichosas y mudas.

—Dieciséis años, Dios mío. Dieciséis años.

Estabais los tres en el compartimiento y, en tanto que el tren recorría al invisible (nocturno) paisaje francés, la madre perdida y la hija recobrada, la hija perdida y la madre recobrada se acariciaban al término de su dilatada y angustiosa separación (éxodo, ocupación alemana, bombardeos para una; hambre, bloqueo, cierre de frontera para otra) como si una y otra acabaran de descubrir el amor, como si una y otra acabaran de inventar el amor; con un lienzo embebido de agua de colonia la hija había humedecido la frente, los pómulos, los labios de la madre (como para purificarla, te dijiste, de la pobreza y el dolor de aquellos dieciséis años); le había quitado el burdo pañuelo de la cabeza y la había tocado con su propio pañuelo; le había cambiado las zapatillas por unos zapatos discretos y oscuros; le había sacado el gabán usado hasta la urdimbre de la tela y, con ademán materno (ella, la hija) la había arropado en su abrigo de falso astracán. La madre la dejaba hacer, mareada de felicidad y, a cada gesto de la hija, a cada movimiento de la hija, una lágrima (una nueva lágrima) se formaba preciosa y pura en sus ojos, deslizaba por su mejilla arrugada brillante como una perla.

Cuando la desesperanza humana te abrumaba más fuerte que de ordinario (lo que últimamente acontecía con cierta frecuencia) la evocación de la madre y la hija, del encuentro de la madre y la hija en el compartimiento del vagón de segunda clase (rumbo a París, a través de la Francia oscura) te curaba y reconfortaba de la tristeza y melancolía que (por tu culpa, quizá) constituían tu pan cotidiano. Enfrentando al desastre irreparable de una muerte que desde el síncope del boulevard Richard Lenoir sabías cierta, te dolía que su recuerdo pudiera desaparecer al mismo tiempo que tú y, sentado en el jardín a la sombra móvil e incierta de los árboles, sentías crecer en tu fuero interior una violenta e inútil rebeldía contra el destino avaro que lo condenaba para siempre, como te condenaba a ti (parecía imposible, te sentías joven aún, por tu cuerpo corría savia pujante) al duro olvido, hosco e insaciable.

Con la dirección del Sr. nos presentamos en su casa y al presentarnos en su casa aquel buen Sr. nos dijo que había cogido a otro porque había una ley que decía que no podían dar trabajo a ningún obrero español y entonces yo le contesté por qué nos ha hecho venir de España y él contestó el que manda en este pueblo soy yo y yo le contesté Ud. me ha engañado y ha hecho una injusticia conmigo y entonces me presenté al ayuntamiento del pueblo y los obreros de este pueblo francés me miraron el contrato y nos dieron de comer y me dijeron que no me dejara engañar que los obreros franceses eran amigos de los obreros españoles y que por

*haber burlado las leyes francesas y habernos engañado y
haber engañado a otros este buen Sr. las pasaría muy
mal que la Francia le haría saber lo que es engañar a un
obrero y que rápidamente me presentara al Ministerio
de Trabajo de Narbona que allí este propietario no se
burlaría jamás de ningún obrero que al ver en que forma
había muerto mi niño este buen Sr. se acordaría de lo
que vale un obrero*

*y entonces me dijeron que rápidamente cogiera un abogado
y mi abogado era una mujer que se llamaba Marisa
Carreras hija de padre catalán y de allí rápidamente
pasamos a una fonda y la abogado fue muy buena y cariñosa con nosotros pagándonos los gastos de la fonda
y dándonos dos mil francos para el viaje de regreso porque acá no hay nada a hacer Bernabeu este buen Sr.
tiene la sartén por el mango*

*y de vuelta a Gerona mi mujer estaba a punto de tener
otro hijo que es el segundo que nos queda vivo y entró en el hospital al cabo de dos semanas y como yo
no encontraba trabajo fui al ayuntamiento para que me
hicieran un papel para ir a los comedores pero al cabo
de tres días se cansaron porque creían que yo era un
gandul y entonces yo les contesté pues dadme trabajo
hasta que ella salga y ellos contestaron tú te vas ahora
mismo y yo les contesté no tengo dónde comer ni dormir aquí no hay derecho ni justicia y por repetir estas
palabras en voz alta me metieron por segunda vez en
la cárcel*

Durante tus frecuentes viajes por la vasta y desmerecida
geografía de tu patria, mientras recorrías los montes desnudos de la estepa andaluza o el paisaje linear del monótono campo manchego, te detenías a menudo en algún
poblado amarillo y blanco o una primitiva y olvidada aldea
de pescadores y, en la taberna, el mercado o la fonda según se terciara, pegabas la hebra con sus habitantes y, há-

bilmente, trababas amistad con ellos. A salvo tú de la necesidad, gracias al destino aleatorio que te brindara nacer en una cuna rica, les oías hablar por espacio de unas horas de su vida, familia, trabajo, privaciones, esperanzas con un interés apasionado que tus interlocutores tomaban cándidamente por hermandad pura y que tú solo sabías en tu trasfondo, aunque al momento no lo reconocieras, dictado por el mezquino propósito de llevar a cabo tu ansiado documental sobre la emigración. De este modo, al calor de una botella de Jumilla o unos chatos de Moriles, fraguaste amistades intensas y efímeras con yunteros de Lubrín, leñadores de Siles, muleros de Totana, albañiles de Cuevas con falaces promesas de visita, intercambios de direcciones y compromisos de contestar a sus cartas con periódica regularidad. Al despedirte de ellos, la emoción de su abrazo o su apretón de manos rudo te infundían un sentimiento ambiguo de cinismo y de culpa. Tenías conciencia de que al ofrecer tu amistad los embaucabas y te embaucabas lamentablemente a ti mismo pues, disipada la atmósfera fugaz creada por su presencia, los olvidarías en seguida y no volverías a verlos más. Lo que para ti era un mero y ocasional encuentro para ellos constituía tal vez un acontecimiento importante. Obligado a repetir la escena una y otra vez por las necesidades del rodaje habías llegado a la dolorosa conclusión de que la hermandad con que en un principio te engañaras no existía ni podía existir dado que, al separaros, tú ibas a continuar tu destino móvil y, de no mediar milagro, ellos proseguirían su vida oscura y vegetativa hasta restituir sus pobres huesos a la tierra en algún florido y luminoso cementerio del Sur.

Sus cartas y postales redactadas con letra torpe y pueblerina habían ido a orillar en el lejano escritorio de tu estudio de la rue Vieille du Temple como patéticos mensajes de socorro encerrados en una botella tras larga y azarosa travesía, después, mucho después de que la intervención de las autoridades de Yeste hubierä dado al traste con la realización de tu documental. Felicitaciones de onomástica, saludos navideños, retratos de familia dedicados se amontonaron año tras año sobre tus carpetas y libros hasta la fecha en que, deseoso de cortar de una vez con tu pasado y movido por el prurito de poner un poco de orden en tus papeles, los arrojaste al fuego sin releerlos.

Aquella noche (era invierno, hacía frío, incluso nevaba) mientras permanecías desvelado junto al cuerpo apacible e inerme de Dolores, meditando en el limpio amor burlado de los hombres que creyendo en ti (trabajosamente) los escribieran habías tasado (con horror denso y lúcido) las caducas premisas de tu privilegiada e injusta condición.

Esta silla dice José Bernabeu la silla ésta se quedó en casa diciendo pobre Bernabeu me quedo con pena decía esta silla veo que eres trabajador y honrado y has tenido que salir este domingo todo el día para ganar de comer pero te promete esta silla que algún día tendrás tu recompensa porque esta silla es para todos los niños y niñas que aman a Cataluña y los niños y niñas del mundo entero porque esta silla lleva las cuatro barras y el escudo de la nación Catalana

esta silla ama a todos los niños y niñas que han quedado desamparados por vosotros esta silla dice que aquí se han sentado los verdaderos catalanes y los verdaderos de la España legal que hemos sufrido miserias y cárceles mientras vosotros estáis disfrutando y nos tratáis como esclavos

esto lo dice esta silla que por nombre se llamará Companys y en segundo Libertad pues a ella José Bernabeu la ha abautizado con los caídos de nuestra Cataluña amada por todos los hombres de nuestra España legal

y esta silla estaba muy triste porque la silla ésta oía las palabras que la gente decía los unos decían yo me marcharé de veraneo a Sitges los otros me marcharé a Mallorca y esta silla estaba escuchando las sinvergüencerías de la borjesía y de los dirigentes de Falange Española

esta silla dice señora borjesía de Barcelona señores diri-
gentes del Sindicato que vais unidos esta silla pregunta
y la familia de José Bernabeu qué tiene de comer y esta
silla responde a que no sabéis contestar
pues ya contestaré yo ya veis que soy una silla vosotros
bien enchufados vosotros erais aquellos revolucionarios
que querían cambiarlo todo y ahora vosotros mismos
estáis explotando a la gente pobre esta silla dice que el
pueblo está acobardido pero un día os pasará cuentas
que vosotros los cuatro dirigentes no tenéis perdón por-
que el que no es de vuestro pensar no encuentra pan
ni trabajo
esta silla dice que hace diez años que habéis puesto al
pueblo con una inquisición pero un día vendrá también
la nuestra
porque vosotros os habéis burlado de Cataluña y de la Es-
paña legal para disfrutar y ganar dinero
porque los males que habéis hecho esta silla los ha visto
y los ha comprobado
porque esta silla tiene las cuatro barras catalanas y el de-
recho de la España legal
y vosotros en esta silla que lleva por nombre Companys
y por segundo Libertad
en esta silla abautizada por José Bernabeu
en esta silla digo
jamás os podréis asentar.

En el remanso apacible del verano, cuando el sol moribundo uniformaba las colinas sembradas de viñas y algarrobos, era agradable abandonar la lectura y pasear los ojos
por el atardecer sanguinario examinando las cosas una a
una como si se tratara de la primera vez y tu pasado hubiera sido abolido de golpe al tiempo que Dolores, a tu
lado, leía las cuartillas dactilografiadas que habías dejado
sobre la mesa y encendía nerviosamente un cigarrillo con
la colilla de otro. Se aproximaba la hora de la inyección

y las ominosas gotas recetadas por el Dr. d'Asnières y tú pensabas, para reconfortarte, en la próxima visita de los compañeros, en los acordes severos del *Requiem*, en el color rosa y acariciante de la nueva marca de vino. La sombra del viejo elector de Companys se había esfumado en el aire claro y sólo permanecías tú en el bello e indisciplinado jardín, atento a los latidos acompasados de tu corazón, con la mano extendida sobre la mano esbelta de Dolores. El silencio compacto era el resultado de infinidad de ruidos minúsculos —moroso croar de ranas en la alberca, zumbido de cigarras, melodía suave del viento entre las hojas de los eucaliptos— y, a intervalos, los hachazos de los leñadores o el resuello lejano de la locomotora del ferrocarril te obligaban a levantar la vista y perseguir unos instantes, bajo la luz sonámbula, el vuelo conciso, ceñido, de los pájaros. Dolores había terminado a su vez la lectura y su mirada se cruzaba con la tuya, todavía intacta y azul, mientras los objetos se disolvían lentamente en el rojo agresivo de la tarde.

—¿Has sabido algo de él? —te decía.

—Ocasionalmente. —Hablabas y era como si otro, un desconocido, respondiera por ti—: Según parece encontró trabajo en una fábrica de tejidos y se quedó en Tarrasa.

—¿Y su hijo? ¿Recuerdas cuando venía a pedirnos libros?

Tú evocabas su rostro tosco, de labios gruesos y pobladas cejas, mientras, acodado en la mesa de tu estudio de la rue Vieille du Temple, desempolvaba la historia de su padre con la vista fija en la punta de sus zapatos.

—¿No te lo dije?

Dolores te interrogaba con los ojos, su hermoso cabello en mechones caído sobre la frente.

—No.

—Volvió a España y se metió en líos.

Su imagen flotaba de nuevo ante ti, serena y grave en la luz incierta, como el día en que vino a despedirse de vosotros, y estrechaste su mano por última vez.

—¿Qué líos?

—Le pillaron con propaganda y lo detuvieron.

Un mirlo se había posado en el alero del tejado. Simultáneamente la hija de los colonos irrumpió en la terraza con el vaso de agua y las gotas.

—¿Dónde está?

—Preso.

Las sienes te punzaban de improviso y, agazapado en lo hondo del pecho, sentías un redolor inquieto y sordo.

—¿Por mucho tiempo?

—No lo sé.

Perezosamente las gotas se disolvían en el vaso de agua y, pese a tus esfuerzos, el rostro del muchacho se aferraba a tu memoria obstinado y pugnaz, como un reproche mudo.

—¿Quién te lo dijo? —Dolores se había incorporado de la gandula y te tendía graciosamente el vaso.

—Antonio. —La tarde naufragaba poco a poco y otra vez hablabas tú—: Lo eligieron enlace sindical y cayó en la siguiente redada.

CAPÍTULO VIII

Cambiando la orientación de los telescopios podías distinguir por turno

el llano verde del Prat el mar enturbiado por la reciente avenida del río el solitario faro embestido a mordiscos por el oleaje el nuevo espigón en obras del puerto franco los tanques de petróleo de la Campsa los cipreses y nichos del cementerio del Suroeste los negros depósitos de carbón del Morrot una flotilla de barcas de vela desplegada conforme a las reglas de una estrategia misteriosa y decorativa las gaviotas arremolinadas junto a la desembocadura de las cloacas el faro incrustado en el flanco abrupto y pedregoso del monte las vías del ferrocarril con sus locomotoras y vagones de mercancía los barcos anclados en el antepuerto a la espera del aviso del práctico que debía autorizar su descarga

nuevos tanques de petróleo tinglados modernos depósitos de hulla las obras de construcción de un silo gigante la grúa del tramo de prolongación de la escollera una lancha rápida americana una golondrina atestada de turistas los criaderos de mejillones más grúas barcos grises negros blancos las dársenas interiores del puerto convoyes de carbón inmovilizados entre los depósitos andamiajes las torres del transbordador aéreo la estación marítima más grúas más cobertizos más barcos

el terraplén inferior del castillo con sus fosos cañones autocares curiosos los jardines escalonados de Miramar la Puerta de la Paz con su minúsculo descubridor equilibrista la Barceloneta desdibujada por el calor el humo espeso de las fábricas de Pueblo Nuevo la geometría caótica de la ciudad el vaho difuso de la canícula el vuelo altanero y voluptuoso de un pájaro las chimeneas airadas de la Cefsa otra vez los jardines

las montañas borrosas que muraban el horizonte campanarios y agujas de iglesias sombríos edificios barrocos humo
poderosos bancos que emergían del anonimato como cue-
llos de girafa o periscopios amenazadores las torres de
la Sagrada Familia cúpulas rascacielos sórdidos una ciudad dilatada como una colmena inmensa infinidad de
casas celdillas alveolos colinas mondas niebla el Tibidabo
siniestro con su basílica su brazo gigante su avión miniatura sus miradores
los barrios residenciales las esfuminadas montañas humo
fábricas la plaza de toros el recinto de la Feria de Muestras edificios legañosos jardines cipreses restos de chabolas buldozers brigadas de obreros el parque las torres
vetustas del estadio inútil el envejecido palacio de la
Exposición barracas en ruina nuevas chozas farolas plateadas avenidas el campo las afueras más humo más chimeneas más fábricas...

Los telescopios eran de color gris verdoso de 1'70 aproximadamente dotados de un soporte metálico fijo y una
placa giratoria graduable que hasta el escueto español
del altiplano podía manejar con facilidad gracias a un
escalón sujeto al pie a una altura de 20 centímetros del
suelo
para ponerlo en marcha bastaba seguir las indicaciones
escritas a la derecha e izquierda de los catalejos

1 PESETA

INTRODUZCA LA MONEDA

INTRODUISEZ LA MONNAIE

INTRODUCE THE COIN

GELDSTUCK EINWERFEN

APRIETE EL BOTÓN A FONDO

POUSSEZ LE BOUTON À FOND

PUSH BUTTON COMPLETELY DOWN

KNOPF VOLLSTADING EINDRUCKEN

y con las cejas pegadas al anillo circular de la lente escudriñar punto por punto el rico y complejo panorama
de la ciudad así descrita en el folleto en cuatro idiomas
profusamente distribuido a la llegada de los autocares
de turistas

*Situada a 2 grados 9 minutos de longitud Este del me-
ridiano de Greenwich y a 41 grados 21 minutos de latitud Norte, Barcelona se extiende en el llano que, entre
los ríos Besós y Llobregat, baja en suave pendiente desde el anfiteatro de montañas que la limitan y protegen
por septentrión hasta el viejo Mare Nostrum. Nuestra
Ciudad goza de un clima templado cuyas temperatu-
ras extremas rara vez alcanzan los 30 grados ni descien-
den bajo cero, lo cual da una temperatura media ideal
que para estos últimos cinco años ha resultado ser de
16,12 grados centígrados. En el mismo periodo de tiempo la presión atmosférica ha oscilado entre 769,5 mm. y
730 mm. La humedad, quizá el factor más acusado de
nuestro clima, ha dado un promedio para los mismos
años del 70 por ciento.*

*Sin contar las poblaciones contiguas con las que se une
sin solución de continuidad (alguna de las cuales alcanza
los 100 000 habitantes) Barcelona, dentro de los límites
de su territorio municipal, con una extensión de 91,41
Kms², reúne una población que sobrepasa el millón y
medio de habitantes, lo que da una densidad media de
170 habitantes por hectárea, la más-elevada de España.
El movimiento demográfico de la ciudad sigue una curva
ascendente muy marcada, resultado de un número de
defunciones muy inferior al de nacimientos y de una
continua inmigración de la provincia y del resto de España, especialmente del Sur.*

*El anfiteatro de montañas que rodea a Barcelona por el
Norte se está repoblando totalmente como parque forestal. El punto más alto, la cumbre del Tibidabo (532
metros sobre el nivel del mar) es el mirador ideal de
la Ciudad, punto turístico de fácil acceso, en el que*

se erige la basílica, aún sin terminar, dedicada al Sagrado Corazón, cuya fundación inició San Juan Bosco. Otro mirador de la ciudad es la cumbre y ladera de Montjuich, el monte en que se inició su historia, coronado por la fortaleza que, perdido hoy su carácter militar, vuelve a la ciudad como museo.

Cada año para junio Barcelona organiza una de las más importantes Ferias Internacionales de Muestras; los productos que fabrica Barcelona se exportan a todos los países. Celebra competiciones deportivas de rango internacional, ofrece, anualmente, una temporada de ópera en el gran teatro del Liceo. Su museo de Arte Antiguo es el primero del mundo en Arte románico; el Pueblo Español brinda un curioso y breve trasunto de la arquitectura de toda España. Junto a estos valores universalmente reconocidos tiene Barcelona otros de carácter imponderable, porque provienen de antiguas tradiciones. Con el invierno la feria de los belenes invade los alrededores de la Catedral y llega la feria de los pavos y sale la comitiva de los "Tres Trombs" a pasear por la Ciudad sus sombreros de copa y sus enjaezadas cabalgaduras. Y con la primavera, por San Jorge, el viejo Palacio Provincial se llena de rosas, en la Rambla de Cataluña las palmas anuncian el Domingo de Ramos y la añosa calle del Hospital atrae al visitante con el aroma de la miel y las olorosas plantas medicinales de la feria de "San Ponç".

Al llegar Corpus, el claustro de la Catedral se engalana para exhibir sobre la fuente del surtidor "l'ou com balla" y sale la procesión solemne con las "trampas" y los gigantes que bailan al son de la flauta y el tamboril, aquellos gigantes que Chesterton, emocionado, seguía por las calles como un chiquillo. Y con el verano vienen las Fiestas Mayores con su ruidosa alegría.

Ésta es nuestra Ciudad; una ciudad con los defectos propios de las grandes urbes y los que le presta la idiosincrasia de sus habitantes; pero una ciudad que trabaja, que vive alegre bajo un cielo generalmente azul y que procura ser para los visitantes tal como la vio Don Quijote hace más de trescientos años.

Imaginaste al caballero Don Quijote con su lanza su yelmo y armadura cociéndose al sol de esta bochornosa mañana de agosto de 1963 en medio de las bárbaras caravanas de Hunos Godos Suevos Vándalos Alanos que con gafas oscuras shorts sombreros de paja botijos porrones máquinas de fotografiar castañuelas sandalias alpargatas de payés banderillas blusas de nailon pantalones tiroleses camisas estampadas contemplaban la perspectiva de la ciudad agrupados en torno de los catalejos bajo la mirada vigilante de los guías y chofers de los autocares
regarde comme c'est beau
c'est magnifique
mais oui c'est Christophe Colomb
it's so wonderful
qu'est-ce que c'est que ça
do you see the boat
guarda il mare
de quin país són aquestos
formidable
look at the cathedral
danesos
à gauche
ça c'est la Sagrada Familia
also welche herrliche Aussicht
ay mira que pequeñica
c'est extraordinaire
la-bàs près du port
guarda amore
cette brume de chaleur
it's so nice
tu as vu les oiseaux
unglaublich die boote der Hafen

ce sont des mouettes
è un barco americano
où est-il notre hôtel
look at the birds
mira que tía
guarda amore
c'est sublime
con las tetas que tiene
passe-moi la Retina
aquesta s'assembla a la Bardot
il giorno più caldo de
regarde le portavions
las Ramblas c'est plus bas
darling isn't it beautiful
qué culico
je vois à droite
mira quin parell
non vedo il albergo
a esta le daba yo un revolcón que
n'oublie pas de mettre le filtre
dove andiamo mangiare

El telegrama había llegado inesperadamente y finalizado el
cónclave familiar en el comedor sombrío de tu tío César
las discusiones se prolongaron durante el resto de la se-
mana
es el hijo de Florita la prima de Ernesto
que no Mercedes que Antoñito murió en California
Adelaida al enviudar se casó con un Fornet pero tenía un
hijo de
esos son de la rama de los de Cienfuegos
el pequeño de tía Lucía se llamaba Alejandro
faltan unos minutos para la llegada del buque y la excita-
ción contagiosa de los otros se ha adueñado de ti
la palabra Cuba evoca aún en tu espíritu el paisaje tantas
veces descrito por el tío Eulogio la fortuna preciosamente

conservada por tus remotos parientes el lenitivo y conso-
lador refugio frente a la amenaza sombría del kirghís y
sus fabulosas mujeres que paren a lomo de caballo
una ansiedad desconocida te posee mientras el trasatlántico
se aproxima poco a poco al muelle de atraque y los pasa-
jeros reunidos en el puente os saludan con sus pañuelos
todo el mundo está allí
el tío César la tía Mercedes Jorge las primas
solemnemente vestidos como exigen las circunstancias en tan
señalada ocasión felices de restaurar los vínculos rotos
por largos años de bloqueo e ininterrumpida guerra sa-
tisfechos de encontrar al fin otros Mendiola más ricos
que ellos después de un cuarto de siglo de separación
sinsabores amargura sufrimientos muerte
saludando también con sus pañuelos desde la terraza del
primer piso de la estación marítima escrutando los ros-
tros ya cercanos de los pasajeros y emigrantes embarca-
dos en La Habana
aquél
no aquél
aquel señor
el del sombrero
no éste no
el de detrás
haciendo conjeturas
arriesgando cábalas
estabais separados por una veintena de metros y mientras
los viajeros bajaban por la escalerilla para cumplir con
los trámites de policía y aduana el tío César hizo valer
su carné de consejero de la Diputación y entrasteis en el
recinto de honor reservado a los invitados
los pasajeros salían por una puerta vidriera y la aparición
de cada uno de ellos provocaba un sobresalto vuestro
no éste no éste tampoco ni éste ni éste
hasta que el número de quienes todavía hacían cola se re-
dujo y las primas comenzaron a contarlos con los dedos
de la mano

un caballero rubio
un matrimonio joven
dos viejas con aspecto de solteronas
un grupo familiar
una muchacha sola
un lisiado
un negro
ninguno cuadraba con el firmante del telegrama ni presentaba aparentemente los rasgos
los estigmas
de la antaño rumbosa y próspera
luego devota y mezquina
familia
pues no está
no ha venido
tal vez el señor rubio
no
tampoco
también se va
no entiendo
sin advertirlo tú el negro se había acercado a vosotros y
  preguntó con timidez
Mendiola
sí señor Mendiola
y aquel descendiente enriquecido de algún bororo esclavo
  del bisabuelo remoto os había tendido la mano
perdonen dijo
creo que somos parientes
no hubo efusiones ceremonias agasajos banquetes y la ul-
  trajada tía Mercedes arrugó su nariz caudalosa
aquella noche
corría enjuto y párvulo el año 46
un melancólico negro cenó a solas en un restaurante de
  lujo de Barcelona.

La ciudad que contemplaban ¿era la tuya?
el rebaño de turistas se había eclipsado tras el guía y
siguiendo las indicaciones escritas a derecha e izquierda
del catalejo introdujiste una nueva moneda en la ranura
y apretaste el botón hasta el fondo
examinaste por turno
los mausoleos y monumentos fúnebres de Pedrables Sarriá
Bonanova construidos como villas residenciales o torres
de verano
los estrafalarios panteones gaudianos y modern style que
sobresalían del prosaico y dilatado Ensanche
los bloques de nichos de la ciudad moderna con su denso
tráfico de convoyes fúnebres y muertos que caminaban
las celdillas alveolos y urnas del colmenar inmenso de los
barrios bajos
las chabolas barracas y chozas condenadas como sus precarios dueños al destino insalvable de la fosa común
el cementerio estaba fuera tu ciudad era el cementerio
abandonaste la prospección del telescopio
la calina mitigaba el reverbero de la luz y se mezclaba con
el vaho de las chimeneas el humo de las fábricas el escape
silencioso de los vehículos el jadeo de millón y medio
de habitantes congestionados que en esta jornada canicular comían trabajaban bebían caminaban se amaban sin
saber a ciencia cierta
te decías
si su vida era o no
como pensaran vuestros clásicos
un borroso efímero desdibujado e inconsistente sueño.

Continuaste tu camino sin prisa
bombardas culebrinas cureñas cañones que en tiempos remotos y ya olvidados velaran por la seguridad militar
de los españoles de tu casta servían ahora de blanco al

objetivo de improvisados fotógrafos pretexto a la composición de grupos y escenas familiares brazos sobre hombros manos juntas miradas cómplices sonrisas

docenas de automóviles de matrícula extranjera cubrían la zona de estacionamiento del mirador y los que sin cesar llegaban se veían obligados a contornear los muros adustos del castillo atravesar de nuevo el puente en sentido inverso buscar un hueco libre en el parque exterior de los autocares

a poca distancia de los catalejos dos centinelas en uniforme de gala observaban el ir y venir del público con la expresión atontada y servil de dos intrusos en una encopetada reunión de familia

caminaste por el belvedere lateral tras un grupo de alemanes extasiados por la perspectiva del mar el despliegue armonioso de los veleros los portaviones de la Sexta Flota Americana las gaviotas menudas y ágiles

los jardines se prolongaban más allá del castillo con sus árboles flores arbustos papeleras bancos

con una ojeada rápida abarcaste los senderos bien alineados los arriates de césped los obuses antiaéreos amables ornamentales caducos

te colaste por una poterna abierta en el lienzo de la fachada y por un corredor iluminado con lamparillas de luz indirecta desembocaste en lo que fuera patio de armas de la abolida fortaleza militar

el suelo era adoquinado las cuatro galerías formaban un claustro con severos arcos de piedra y en las esquinas había enredaderas tiestos cántaros y hasta el brocal de un pozo con la polea sostenida por una armadura de hierro forjado

en el centro

en medio de un cuadrado de césped señalado por cuatro mojones

un zócalo sobrio realzaba la estatua ecuestre de un guerrero en bronce regalo de la Ciudad

eso decía la lápida

a su Caudillo Libertador
buscaste refugio a la sombra de los pórticos
los turistas discurrían en grupos compactos hacia el museo del Ejército fotografiaban la estatua ecuestre se aglomeraban a la entrada de las tiendas de souvenirs hacían
girar los torniquetes de tarjetas postales visitaban el almacén de Antigüedades Heráldica Soldados de Plomo

ENTRADA LIBRE
ENTRÉE LIBRE
FREE ENTRANCE
EINTRITT FREI

el cartel anunciador de una corrida de toros atrajo bruscamente tu atención

SOUVENIR　　　　SOUVENIR
DE ESPAÑA　　　DE ESPAÑA
Plaza de Toros Monumental
Grandiosa corrida de toros
6 Hermosos y Bravos Toros 6
con la divisa rosa y verde de
la renombrada ganadería de
Don Baltasar Iban de Madrid
para los grandes espadas
LUIS MIGUEL DOMINGUÍN
ICI VOTRE NOM — HERE, YOUR NAME — HIER, IHRE NAMEÑ
ANTONIO ORDÓÑEZ
con sus correspondientes cuadrillas
Amenizará el espectáculo la Banda
"La popular Sansense"

pasaste de largo
una multitud de curiosos examinaba dos composiciones fotográficas en las que un torero (sin cabeza) clavaba
(con estampa de maestro) un par de banderillas y una

gitana (sin cabeza igualmente) se abanicaba (muy chula
ella) frente a una maqueta de la Giralda
en endiablado esperanto un caracterizado ejemplar de hombrecillo español de la estepa explicaba que se trataba
de una imagen trucada con la que los señores y caballeros messieurs et dames ladies and gentlemen aquí presentes podrían sorprender a sus amistades y conocidos
vestidos de toreros y gitanas toreadors et gitanes mata-
dors and gypsies de regreso a sus respectivos países
vos pays d'origine your native countries y afirmar así
su personalidad affimer votre personnalité your persona-
lity con el relato de sus aventuras españolas aventures
espagnoles spanish adventures

SU FOTO EN 20 MINUTOS
VOTRE PHOTO EN 20 MINUTES
YOUR PICTURE 20 MINUTES
IHR FOTO IN 20 MINUTEN

(en un periódico de la mañana habías leído la escalofriante
noticia de un estudiante de Filosofía madrileño que se
costeaba sus estudios universitarios retratándose con las
turistas vestido de torero en un conocido bar típico de
Palma de Mallorca
qué sistema filosófico iba a concebir
te decías
uestro futuro genial único Erasmo de Atocha)
ubiste la escalera hacia las vastas terrazas desnudas del
castillo
las garitas desiertas de los centinelas se erguían en las
esquinas como las torrecillas de un destartalado juego de
ajedrez
suprimido el penal militar los adoquines las piedras erosionadas por el viento los desmantelados puestos de observación se sobrevivían a sí mismos con resignada y quieta
nostalgia
alejado de los grupos de turistas que con sombreros gafas

oscuras máquinas de retratar se aventuraban por la desolación luminosa de los ladrillos te sentaste en un ángulo del pretil y acechaste el vuelo irreal de las aves el patio abrasado y violento el vago cielo azul el sol fanático que parecía incendiarlo todo

luz soledad vacío silencio muerte

los límites ancestrales de la cárcel se reconstituían de modo aleve y sutil bajo la piedra bruñida el revoque cuidadosamente arrancado las fachadas remozadas y limpias la conciencia blanqueada por la absolución y olvido de la Historia

cegado por el reverbero abrupto cerraste momentáneamente los ojos.

Sin embargo

en este mismo ámbito de calcinada tierra cielo remoto imposibles pájaros luz obsesiva

durante el reino de los Veinticinco Años de Paz reconocidos y celebrados ya hoy por todos los bienpensantes del mundo

hombres armados habían golpeado a compatriotas indefensos con látigos fustas bastones se habían cebado en ellos con sus culatas correas botas fusiles

hombres cuyo único delito fuera defender con las armas el gobierno legal cumplir con su juramento de fidelidad a la República proclamar el derecho a una existencia justa y noble creer en el libre albedrío de la persona humana escribir la palabra LIBERTAD en tapias cercados aceras muros

habían contado una y mil veces las columnas del claustro calculado el número exacto de adoquines del suelo medido mentalmente los límites avariciosos y estrictos que los aprisionaban

corrido tras una mísera pelota de trapo atisbado el cuadrado azul infinito del cielo espiado el vuelo libre y generoso de las aves golpeado la cabeza contra las paredes escupido sangre

corrido a paso ligero hasta perder el sentido obedecido en
silencio al llamamiento de la corneta aguardado turno
ante la sucia perola de rancho desfilado con monos harapientos después de la misa

dormido en calabozos oscuros y húmedos tiritado de frío
en las noches de invierno soñado en mujeres inaccesibles
y hermosas acechado el hosco rumor de las botas que
anunciaban el relevo de los imaginarias

se habían arrodillado los domingos durante la elevación
de la Sagrada Forma masturbado en el denso y propicio
cubil de los malolientes petates abierto las venas en un
brusco arrebato de enajenación y locura

condenados a muerte

miraron por última vez el cielo las nubes los pájaros todo
aquello que de una forma u otra representaba para
ellos la vida

pasaron el duermevela agitado que precede a la ejecución es-
cribieron su carta de adiós al padre la madre la mujer la
novia los hijos comieron el último plato de lentejas be-
bieron ávidamente la última taza de café caminaron hacia
el paredón vigilados encuadrados empujados sostenidos
por sus verdugos

afrontaron los fusiles con serenidad lloraron solicitaron va-
lientemente la venia de dar la orden de fuego suplicaron
vida salva se reconciliaron con Dios rechazaron los auxi-
lios del cura gritaron rieron aullaron se mearon de miedo

cayeron tronchados por las balas

rindieron el último suspiro.

El clima del lugar es magnífico.
*su situación en la zona intertropical y la acción benigna
de las corrientes marinas determinan que sus inviernos
sean breves y poco acentuados sus veranos estimulantes
y frescos un país ideal en suma para los reumáticos y los
gotosos*

su flora es espléndida generosa salvaje
árboles inmensos frutos variopintos flores desmesuradas y
exóticas
los animales de la selva vagan libremente por el campo
combaten las plagas nocivas son amigos y aliados del
hombre
tu casa corona la cima· de un monte rodeado de mar azul
arrecifes de coral playas de arena blanca bosques de co-
coteros
el sol brilla rotundo sobre la copa de los árboles y en el
cielo no hay una nube
desde tu ventana abarcas las ricas plantaciones de café ca-
cao vainilla caña de azúcar copra
los baobabs las palmeras las ceibas las secoyas los ficus
las chimeneas del ingenio en el que tus peones y obreros
trabajan
el pabellón de recreo el lago el cenador los jardines
los capataces vienen a tu encuentro acechando tus órdenes
tú las das brevemente
como un self made man tejano severo y silencioso
parco en palabras y de apariencia brusca
pero de corazón discreto y noble
mientras tu mujer y tus hijos se balancean en las hamacas
rodeados de invitados exquisitamente vestidos
damas criollas con abanicos collares faldas de moaré cha-
pines de raso
caballeros con sombrero de copa
lebreles ágiles gatos esbeltos papagayos vistosos decorativos
niños
el baile está a punto de comenzar
lo abres con la muchacha más bella girando y girando bajo
las fastuosas arañas del techo
un viejo vals del Imperio Austrohúngaro
iluminado por los candelabros de los lacayos en librea
con una copa de champaña en la mano
te diriges a la cuadra del potro
un angloárabe llamado Johnny

lo ensillas
lo cabalgas
partes al galope
los negros te saludan afectuosos
su alimento consiste en meladura de caña flores silvestres
   hierbas aromáticas
sin necesidad de recurrir a los castigos te admiran te respetan te quieren
su carácter es dulce y son católicos
tú los llamas a cada uno por su nombre
Bobó
Sesé
Arará
como en las novelas de Emilio Salgari
y ellos piden tu bendición se arrodillan te besan la mano
espaciosamente recorres tus dominios verificando que todo
   está en orden
tus propiedades tus inmuebles tu ganado tus rentas
los peones se descubren para saludarte
los viejos te sonríen
los niños te rodean
los animales de la jungla te escoltan
bejucos y orquídeas se inclinan a tu paso y parecen rendir-
   te homenaje
te crees a salvo
entronizado en tu puesto por los siglos de los siglos
y cuando despiertas segundos más tarde
te recobras en tu habitación del Mas con la "Geografía de
   Cuba" de tu tío Eulogio debajo de la almohada
sin cetro
sin corona
sin súbditos
sin reino
lector concienzudo de Spengler y Keyserling en un meno-
   páusico país del Viejo Continente condenado a desaparecer por su vida muelle y la lenta degeneración de la raza
con el desamparo hondo de tus trece años

inerme
sobrecogido de miedo
a la merced del kirghís carnívoro
y de sus fabulosas mujeres que paren a lomo de caballo

Abriste de nuevo los ojos convocado por el sol imperioso
de la canícula
sin saber con certeza si el pasado reciente de tu patria era
real
o se trataba sencillamente
como todo lo inducía a creer en esta sofocante jornada de
agosto del año de gracia del 63 y sucedía con cierta frecuencia vuestras latitudes
un mes justo después de tu regreso a España
cuarenta y ocho horas más tarde del entierro de Ayuso
en tu exploratorio recorrido sentimental
de una alucinación
un mal sueño
una resaca característica de borracho
un prosaico y vulgar fenómeno de espejismo.

Adelante pues
bajaste al patio bordeaste la puerta de los calabozos conver-
tidos en boutiques de souvenirs sorteaste nuevos grupos
de turistas recién desembarcados de los autocares te em-
bocaste en el corredor por el que los condenados a muerte
eran conducidos al paredón saliste al aire libre rehiciste
el itinerario de los fusilados
una zanja de varios metros de anchura conducía por medio de un túnel a los míticos fosos del castillo
la puerta de acceso estaba de par en par y desde el umbral
el visitante podía abarcar una sección del jardín bien
cuidado con arríates de césped árboles cipreses arbustos
enredaderas

extranjeros e indígenas caminaban sin prisa por los senderos

se detenían a admirar los macizos de begonias tomaban fotografías de los muros que fueran escenario de las vengativas ejecuciones

brigadas de obreros habían borrado cuidadosamente los impactos de las balas y abierto a las miradas indiscretas de los curiosos el lugar parecía proclamar a los cuatro vientos su inocencia desmentir las patrañas y fábulas inventadas por envidiosos y resentidos negar ante las generaciones futuras de españoles su presunta culpabilidad.

Aunque ninguna lápida lo dijera el presidente de la abrogada Generalitat de Catalunya vivió en Montjuich los últimos instantes de su vida

entregado por los nacis después de la derrota de Francia el político festejado un día por las multitudes barcelonesas bajó a los fosos del castillo escoltado por las bayonetas de los soldados

pensó en su amada ciudad con pesar y nostalgia

aspiró el aire puro y agreste del monte

contempló el cielo claro por última vez

habías dado un billete de veinte duros al guardián de los jardines y sin necesidad de formular la pregunta

tan manifiestos debían de ser tus propósitos

el hombre te guió hacia la izquierda apuntó con el dedo un lienzo desnudo del muro e indicó bajando la voz

aquí fue

caballero

donde fusilaron a Companys.

Te lo habían contado siendo niño y entonces lo creíste

obligado a liberar los esclavos por decreto del Gobierno de la Colonia

el bisabuelo había reunido a sus negros en el batey del

ingenio y con lágrimas en los ojos
puesto que les quería
los proclamó libres
seres dolientes como los otros
sin protección superior alguna
abandonados al destino cruel
sin dueño
sin señor
sin amparo
y al escucharle
los negros lloraron a su vez
porque el bisabuelo era bueno
no empleaba el látigo
les daba de comer
les protegía
y a su manera
rústica y primitiva
silvestre
ellos
los negros
también lo amaban
pero todo era mentira
su protección
el alimento
el pretendido amor que les unía
el dolor de la separación
los discursos
las lágrimas
lo sabes ahora
cuando también tú te has liberado de ellos y navegas a solas
diciéndote
bendito sea mi desvío
todo cuanto me separa de vosotros y me acerca a los parias
a los malditos
a los negros
mi inteligencia
mi corazón

mi instinto
benditos sean
gracias sean dadas a dios
infinitas gracias
por los siglos de los siglos.

A la derecha una verja de hierro protegía el reducto con-
    sagrado a la memoria de los Caídos por Dios y por Es-
    paña
era un rincón evocador silencioso recoleto apacible
con un altar de líneas simples una estatua en bronce un
    rústico jardín por el que las lagartijas campaban a sus
    anchas con visible y morosa sensualidad
un cicerone informaba a los turistas de lo sucedido en Bar-
    celona entre julio de 1936 y enero de 1939
y como un Monsieur Dupont Mister Brown Herr Schmidt
    de los diez y pico millones que aquel verano os rendían
    visita te aproximaste a oír sus explicaciones
ici Messieur dames c'est l'endroit où furent fusillés par
    les Rouges pendant notre guerre de Libération un grand
    nombre de hauts officiers de l'Armée de prêtres de per-
    sonnalités relevantes de la vie sociale de notre ville
los forasteros escuchaban con expresión atenta y te apar-
    taste de ellos
una náusea invencible te invadía
prend-moi une photo
regarde c'est le Monument aux Morts
ladies and gentlemen
mon Dieu quelle chaleur
será posible
te decías
que el final sea éste
que la injusticia impuesta por la fuerza de las armas
debáis acatarla como algo definitivo
hacer que lo que existió una vez no hubiese existido nunca

era empresa factible para aquellos hábiles titiriteros de la
  idea existencia y atributos de Dios
tu te rappelles l'année dernière
look here my darling
c'est extraordinaire l'impression de paix
de quelle guerre s'agit-il
habías vuelto a España después de diez años de espera con-
  sumidos en planes proyectos ensueños especulaciones
  utopías
y Diablo Cojuelo desde el descubridero de los miradores
atalayabas tu ciudad natal
cansado
enfermo
sin fuerzas
al borde del suicidio
acechando los latidos de un corazón frágil que
como en el Boulevard Richard Lenoir seis meses antes
preludiaban
anunciaban ya
la necesaria despedida
un viejo vestido con un traje de rayadillo se abanicaba a
  la sombra del muro indiferente y como ajeno a la cháchara de su transistor
te acodaste en la baranda del mirador y abriste el folleto turístico redactado en cuatro idiomas
BREVE HISTORIA DE NUESTRA CIUDAD
sobre los restos de un poblado ibero habitado por los laye-
  tanos se fundó la colonia romana Faventia Julia Augusta
  Pía Barcino en la España Citerior cuya capital era Ta-
  rraco
diciéndote
nada válido puede salir de ti ni del humano caldo en que
  vives ni de este triste tiempo
cállate mejor
cierra tu boca
no prolongues por rutina la farsa irrisoria del intelectual
  que sufrir cree y obscenamente lo proclama

por el país y por sus hombres
españahogándose y esas leches
con la mirada perdida en el mar la escollera la Sexta Flota
    Americana los depósitos de carbón los tanques de petró-
    leo las barcas de vela las gaviotas las cloacas
aléjate de tu grey tu desvío te honra
cuanto te separa de ellos cultívalo
lo que les molesta en ti glorifícalo
negación estricta absoluta de su orden esto eres tú
mientras el viejo se abanicaba regalado y feliz
y el transistor emitía incansablemente
con el rey Ataúlfo pasó a ser capital del Imperio Visigodo
    que en el siglo V se extendía por Hispania y la Galia al
    trasladarse la capital del Imperio a Toledo Barcelona
    perdió importancia
pensando en la historia de tu país tuya solamente a intermi-
    tencias
en su pasado que no era más que esto
pasado
y en buena hora lo fuera puesto que de él no brotaba nin-
    gún presente limpio
en las hazañas de su gente
que de algún modo había que llamarlas
aunque estériles eran en sus frutos como el suelo baldío y
    avaro de su estepa
demostración por absurdo de un combate sostenido siglo
    a siglo contra fantasmas y demonios interiores lucha de
    hermanos contra hermanos lúcidos cuya memoria ni el
    tiempo ni la muerte respetaban
the spanish civil war
là-bas vers la droite
assassinés par les Rouges
siguió las vicisitudes de los reinos cristianos invadidos por
    los musulmanes en el siglo VIII fue reconquistada por los
    francos al mando de Luis el Piadoso en el año 801
alma de Ochún santifícame
cuerpo de Changó sálvame

sangre de las reglas de Yemeyá embriágame
el llano verde del Prat el solitario faro embestido por el
 oleaje el nuevo espigón en obras del puerto franco
clamando
todo ha sido inútil
oh patria
mi nacimiento entre los tuyos y el hondo amor que
sin pedirlo tú
durante años obstinadamente te he ofrendado
separémonos como buenos amigos puesto que aún es tiempo
nada nos une ya sino tu bella lengua mancillada hoy por
 sofismas mentiras hipótesis angélicas aparentes verdades
frases vacías cáscaras huecas
alambicados silogismos
buenas palabras
vino a ser entonces la capital de la Marca Hispánica frente
 al Imperio Mahometano Wilfredo el Velloso logró con-
 vertir en hereditario el título de Conde de Barcelona en
 el año 897
discurriendo
mejor vivir entre extranjeros que se expresan en idioma
 extraño para ti que en medio de paisanos que diariamente prostituyen el tuyo propio
humillan la frente
qué remedio cabe dicen
ante el orden brutal que les niega y de su preciosa e irremplazable esencia les despoja
tinglados modernos depósitos de hulla una golondrina atestada de turistas criaderos de mejillones barcos grises negros blancos dársenas grúas
después de aquellas invasiones Barcelona aparece ya como
 la capital de un Estado independiente la antigua Marca
 es ahora Cataluña
preguntándote
tu desesperación actual es para ellos triunfo
vence quien tras sembrar cosecha sólo cizaña inútil y asolada
 muerte

regarde mon chéri
do you really like that
là-bas c'est Majorque
a partir de Ramón Berenguer I adquiere cada vez mayor
    importancia anexiona los territorios conquistados a los
    musulmanes y extiende sus dominios por tierras que hoy
    forman parte de Francia
escuchando el coro de las Voces que se ensañan contigo
    como las premonitorias hechiceras del primer acto de
    Macbeth
reflexiona todavía estás a tiempo
nuestra firmeza es inconmovible ningún esfuerzo tuyo lo-
    grará socavarla
piedra somos y piedra permaneceremos
no te empecines más márchate fuera
mira hacia otros horizontes danos a todos la espalda
olvídate de nosotros y te olvidaremos
tu pasión fue un error
repáralo
SALIDA
SORTIE
EXIT
AUSGANG
tout le monde est parti
come here my darling
las torres del transbordador aéreo la estación marítima más
    grúas más cobertizos más barcos
con Jaime I el Conquistador se inicia una nueva política
    de expansión por la otra orilla del Mediterráneo
sexo violento y suntuoso de Changó reconfórtame
materna Yemeyá acógeme
dentro de tu útero escóndeme
no permitas que me arranquen a ti
la Puerta de la Paz la Barceloneta el humo espeso de las
    fábricas
pero no
su victoria no es tal

y si un destino acerbo para ti como para los otros te lleva
no queriéndolo tú
antes de ver restaurada la vida del país y de sus hombres
deja constancia al menos de este tiempo no olvides cuanto
    ocurrió en él no te calles
la geometría caótica de la ciudad las tres chimeneas de la
    Cefsa campanarios y agujas de iglesias jardines
on va rater le car
tu te rends compte
alguno comprenderá quizá mucho más tarde
edificios legañosos buldozers brigadas de obreros barracas
    en ruina nuevas chozas farolas plateadas avenidas
qué orden intentaste forzar y cuál fue tu crimen
INTRODUZCA LA MONEDA
INTRODUISEZ LA MONNAIE
INTRODUCE THE COIN
GELDSTUCK EINWARFEN